全部生命系列

康健雜誌 天下雜誌

Healing Diet, Healing Fast:
療癒的飲食與斷食

新時代的個人營養學

Foundations for a New Personalized Nutritional Science and Well-Being

作者/ 楊定一

協力/ 馬奕安（Jan Martel）、陳夢怡

目錄 CONTENTS

序

「全部生命系列」從《真原醫》的預防醫學開始，經過26本書、11個音聲作品進入哲學和生命的領域，讓我感覺終於盡了自己的一份責任，身邊的同事和熟悉全部生命系列的朋友也聽我說過接下來不會再寫書。既然如此，為什麼現在又回到預防醫學的範疇來寫這本《療癒的飲食與斷食》？

首先，《真原醫》雖然帶動了後來的一系列作品，但從寫作的角度來說，它其實不算是書，而是我2、30年經驗的筆記。當時自己時間不夠，只能將主要的觀念分別寫成小冊，遇到有慢性病的朋友和親人，就依照具體需要抽出其中幾本送給他們。

後來出書是各式各樣的緣分來促成的，像是剛好有機會認識《天下雜誌》群創辦人殷允芃女士，才第一次見面，談著談著我就答應寫書，而且自己提出要寫23還是27本。現在回頭想，真不知道哪裡來的傻勁，在一位初次見到的專家面前設定這樣的目標。但儘管答應了，還是又過了好幾年才勉強把之前的小冊集中起來，整理成《真原醫》。

我在《真原醫》談到的「腸漏症」（leaky gut syndrome）和代謝症候群（metabolic syndrome）是當時連專家都陌生的觀念，而現在可以說已經是常識。至於我在書裡提出新的飲食金字塔，並特別強調要攝取好的脂肪、微量元素與膳食纖維。坦白說，到現在可能還有許多人意識不到這些建議的重要性。

許多專家談到飽和脂肪，反應都會很激烈。他們認定飽和脂肪是心血管疾病的主要來源，最好完全避開，也就這樣掀起了幾十年的低脂飲食風潮。然而現在大家已經開始發現過去關於醣類、蛋白質、脂肪三大營養成分的主流說法，不光需要修正，而且原先的觀念根本是錯到底。

回頭看這 10 年，就像發生了一場飲食和健康的革命。我認識成千上百名醫師，他們不管心臟學會或其他醫師怎麼看，憑著良心大膽出來修正過去錯誤的營養觀念。就像我直接面對大眾來推廣真原醫和全部生命的理念，這些醫師也透過社群媒體和大眾直接對話，修正當初的錯誤——受到錯誤的灌輸、導致大眾幾十年都在採用會造出肥胖和代謝異常的「健康飲食」。

確實，肥胖是一個很大的問題，甚至可以說是整個世代的流行病。光是在北美大概 2/3 以上人口有過重、BMI 過高、產生胰島素阻抗的情形；歐洲大概一半。全世界 1/3、差不多 25 億到 30 億人口已經進入這種糖尿病前期的體質。這不光升高糖尿病的風險，也提高了罹患心血管疾病、自體免疫疾病、癌症的機率。

會演變到這個地步，也只是從一個錯誤的醫學觀念開始。連我過去在美國國家衛生研究院的同儕都坦白說，肥胖和代謝相關的健康問題遠比 COVID-19 疫情嚴重得多，但是醫療主管機構還沒能認清這一點。

然而這一年來，開始有專家注意到：COVID-19 感染患者的死亡率，其實也受到個人身體狀況，包括所謂的「共病」(co-morbidity，也就是同時患有的疾病）的影響。其中影響最大的就是過重與肥胖問題，其次則是心理的狀態，例如憂鬱與焦慮。歸納起來都是同樣的人群——因為代謝異常，身心也跟著不健康。

疫苗、藥物的發展雖然比以往都快，但效果還是需要時間來驗證。對我們每一位，最靠得住的還是自己改變生活習慣。生活習慣改了，體質健康了，我們不只是更能夠面對疾病和病毒，更重要的是，整個生活品質都會得到改善。

多年來，我同時從飲食調整和運動著手，希望幫助大家移動身體代謝的平衡：一方面從營養學切入，矯正美國農業部（USDA）專家制定的飲食指南過度偏重碳水化合物、排斥脂肪的偏差，並且用「真原醫飲食金字塔」提醒大家微量元素、脂肪和膳食纖維的重要；另一方面，我也把握機會推廣最輕鬆而又高效率的運動，降低一般人接觸運動的門檻。這麼做，是希望透過營養和運動來修正一個人的代謝和生理生化反應，也就是從根改變體質。

《真原醫》除了談當時最先進的營養、運動、呼吸、壓力管理的科學觀念，原本也把斷食當作一個主要的主題。回台灣前，我就斷食的主題已經寫了至少十幾章，後來把重心集中在身體的淨化，略過各宗教對斷食的描述、古今中外談斷食的主要文獻、斷食的療效，在台灣濃縮成 3 章送給生病的朋友。到出版《真原醫》時更略過了許多執行斷食的細節，包括我個人所採用以及各種文獻登載的配方。

儘管做了這麼多調整，在編輯成書的階段，出版的夥伴和身邊的醫師朋友還是勸我不要談。他們擔心這個主題會造出爭議，甚至惹來不必要的麻煩。雖然我始終不太知道他們所說的爭議或麻煩究竟是什麼，但從另一個角度，我明白他們都是好意，也就放過了。最後我只保留了 1 章，等於是淺淺帶過而已。

當然，就算有這樣的經過，也不見得需要重新拾起斷食這個主題。為什麼我會這麼看重，而需要在 10 年後再寫一本書？

這一點，我必須從健康和醫學的角度再做一次說明。

我發現許多朋友一遇到身體有狀況，會因為害怕手術或用藥，加上誤以為自然療法比西醫溫和，什麼都不用改變就能讓人從疾病走出來，反而繞了許多不必要的冤枉路。但這種認知其實是顛倒的。從我的角度，我還是有責任幫助大家修正觀念，才不會因為錯誤的理解而浪費寶貴的時間。

我受的是西醫的訓練，非常清楚許多緊急的情況需要借助西醫的手術和藥物才可能救人一命。畢竟手術和藥物所針對的組織和生化反應是非常具體，可以鎖定受損或異常加以修正。這樣才能為身體爭取時間，走上痊癒的道路。西醫在這方面的貢獻已經有數不清的事實擺在眼前。如果有機會，我希望能進一步將古人的療癒智慧、自然療法和現代的西方醫學整合起來。畢竟古人所談到的療癒方法其實樣樣都可以由現代醫學來驗證，而同時可以打開醫療的視野。

如果一個人想要透過自然療法真正康復，他的身體一定會經過激烈的整頓，可以說是去大力搖動他代謝的平衡點，讓整個平衡往健康的方向移動。移動到足以壓過病因，或者說把導致生病的生化反應做一個徹底的修正，才有機會用自然療法真正把病治好。

要達到這種徹底的修正，倒不是一個人被動等待甚至迴避治療，療癒就會自動到來，最重要的還是個人主動而全身心的投入。一個人主動而全面改變飲食、運動、情緒種種生活習慣，接下來要做的也只是把自己交給身體的療癒力——給身心一個空檔，讓生命恢復它本來不費力的正常。

至於自然療法怎樣能達成這個效果？除了前面提到的同

時從飲食和運動著手，另一個直接切入的方式就是斷食。斷食等於是徹底從身體運用能量的源頭做一個全面的變更，這一來，身體其他的生化反應怎麼可能不跟著轉變？

我認為最不可思議的是，《真原醫》出版後短短不過4、5年，整個醫學好像產生了一種革命般的變化。斷食這個主題也一樣。日本分子細胞生物學家大隅良典更因為研究斷食所引發的細胞「自噬作用」（autophagy）而得到2016年的諾貝爾生理醫學獎。

是這樣的經過和重要性，讓我在10年後覺得有必要將飲食和斷食的療癒作用再一次帶出來給大家。這本書會從理論的基礎著手，補充一些事實和觀點，接下來是實作；然後再從另一個層面切入理論，更深入地去實作。這樣安排是希望每位朋友都能先建立正確的觀念，再拿自己的生活習慣來做實驗，看看這些理論和操作是不是真的有道理。

你可能會發現這本書的步調相當快。因為時代和環境的改變，這方面已經有一套現成的科學，任何人只要去查都可以找到足夠的資訊。我寫這本書除了對《真原醫》做一些補充的說明之外，其實也是陪伴熟悉《真原醫》的朋友用一個整合的角度去看現在流行的觀點。

畢竟你只要去看，也會發現包括該不該攝取脂肪、怎樣算是好的脂肪、而碳水化合物和蛋白質又應該怎麼採用、怎樣的斷食最有效……每個主題都有不同的說法。採用不同主張的專家各說各的，一般人愈接觸只會愈困惑。是這樣，我有必要從個人的親身體驗和觀察出發，對這些主題做一個彙總。

最後也要記得，沒有哪一個飲食和健康的建議能夠適用所有的人，我們有責任為自己找出最適合的方式。舉例來說，亞洲人體質和西方人很不一樣，在歐美通過審核的藥物即使有完整的臨床實驗數據，不見得適用亞洲的患者。同樣的道理，就算斷食可以是一個適用所有人的方式，但每個人體質不同、不同時期對飲食和斷食的反應都不一樣，我建議還是敞開心胸，親自來驗證、來進行。

1
哪裡吃錯了？

療癒的飲食，離不開健康的生活習慣、平衡的能量代謝、和諧運作的內分泌系統，當然也離不開壓力的管理以及充足的休息。

我從飲食的療癒開始談，**希望幫助更多朋友從現代飲食的癮和代償脫身，重新進入一個放鬆而健康的內分泌與神經迴路，離開中年發胖、代謝症候群、慢性病的惡性循環**。

同時，我也希望每一位想透過飲食調整得到療癒的朋友，首先從個人的現況開始，親自去嘗試飲食的調整、觀察結果、再做進一步的調整而得到健康。這種自我的療癒，是我們每一位都可以做到的。

至於為什麼時代進步到這個地步、每個領域都有各式各樣訓練有素的專家，還會需要讓我在進入全部生命系列的哲學領域後，再回頭來談飲食？現代社會的飲食哪裡出了狀況？ How did we get this wrong? 怎麼會錯到這個地步？——這些問題和答案都讓我感慨再三，就讓我一一分享吧。

低脂飲食的誕生

那是 1950 年代，美國社會開始憂慮心臟病的問題。

名人如艾森豪總統心臟病突發的新聞，以及大眾逐漸上升的心臟病發作案例，讓心血管疾病的治療與預防，得到很大的關注。

對美國人而言，心血管疾病的陰影始終揮之不去。差不多每 4 個美國人就有 1 個會死於心臟病發作。對韓戰和越戰陣亡美軍的病理解剖，發現相當高的比例有動脈粥狀硬化。長期追蹤研究也發現，不少美國人幼年起就可以從冠狀動脈觀察到脂肪沉積，成年後更是普遍。其他心血管損傷也有類似的趨勢。心血管疾病的死亡率比癌症、呼吸道疾病、意外死亡都來得高。

既然如此，大家都想知道怎樣可以不被這種可怕的疾病找上門，不要突然失去性命。醫學專家自然會建立一些假設，希望改善一般人的健康，並進一步在科學界得到名聲和影響力。

一開始猜想的範圍很大，各領域的專家懷疑過林林總總的因素，包括缺乏某些維他命、肥胖、缺乏運動、高血壓、神經緊繃……都被認為可能是導致心臟病發生率提高的原因。最後，一位生理學專家安塞・基斯（Ancel Keys）從 7 個國家的飲食和心血管疾病數據指出，脂肪的嫌疑特別高，後來也透過更大規模的調查，將範圍縮減到飲食裡的飽和脂肪。他積極地說服政府、媒體和美國心臟病學會，讓他主張的「飲食脂肪→心臟病」理論進入主流，而他本人也上了 1961 年 1 月的《時代》雜誌封面，得到大眾的注意。

「飲食脂肪→心臟病」理論主張：隨著美國社會日漸富裕，飲食含有過多的肉和乳製品。進食後，飲食所含的飽和脂肪沉積在血管壁而造出各種血管硬化、堵塞和心血管疾病。減少飽和脂肪的攝取，應該就能降低心臟病的發生率。

飲食脂肪會沉積在血管的說法其實是錯的，但它很貼近一般人日常生活觀察到廚房水管被油脂堵塞的現象，自然讓人印象深刻。有了媒體的認同和企業贊助，再透過美國心臟學會以專業姿態來推廣，這個理論得到相當大的傳播。連美國衛生研究院也跟進支持，這個理論也就進入了主流的醫學教育。

1970 年代，參議院的營養與人類需求特別委員會也被「飲食脂肪→心臟病」理論打動，而認定政府有責任為全民提供飲食指南、推動營養學研究、規範食品配方，以促進大眾的健康、提高生產力、降低社會醫療成本。這次的倡議影響力特別大，美國政府在 1977 年公布「飲食目標」，並在 1980 年公布第一版《美國人飲食指南》（以下簡稱《USDA 飲食指南》）建議所有美國人採用符合以下原則的低脂飲食。對我來說，這裡頭所含的錯誤，正是好幾個世代愈想健康反而愈不健康的起點。

錯誤的低脂健康飲食原則：

1. 避免過重；吃多少就應該消耗多少，體重過重的人應該少

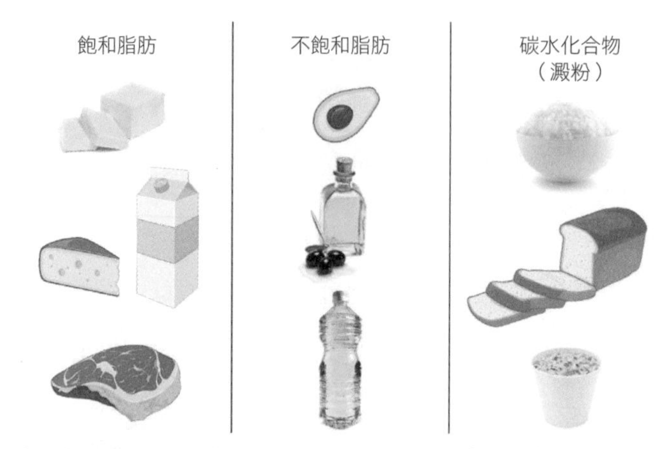

富含飽和脂肪、不飽和脂肪和碳水化合物（澱粉）的食物示例

吃多動。

2. 多吃碳水化合物、吃飲食裡本來就有的糖，建議將攝取量從 28% 增加到 48%。
3. 少吃額外添加的糖，建議將精製糖和加工糖消耗量減少 45%，約佔總熱量的 10%。
4. 少吃脂肪，建議將總脂肪量從攝取熱量的 40% 減少到 30%。
5. 少吃飽和脂肪，建議飽和脂肪的攝取量應該只佔總熱量的 10%，其餘則用多元不飽和脂肪和單元不飽和脂肪來補足，各佔總熱量的 10%。

6. 少吃膽固醇，建議每天攝取量少於 300 毫克。

7. 少吃鹽，建議每天攝取量少於 5 克。

如果你希望了解哪些飲食富含碳水化合物、而又有哪些富含飽和脂肪與不飽和脂肪，我相信上一頁的圖片可以很快讓你得到一些印象。

《USDA 飲食指南》可以說是全世界第一個以政府立場建議大家怎麼飲食的規範，因此對學校和食品業者有進一步的強制力。《USDA 飲食指南》建議將碳水化合物的食用量增加到佔飲食熱量的 50%、將脂肪熱量比例從 40% 降到 30%，而且要少吃飽和脂肪、多用不飽和的植物油來取代動物性的飽和脂肪，此外也包括了飲酒、運動和減重的建議。

這些標準可以說是現代人飲食健康教育的基礎，很多人也會這麼彼此提醒。但很少人會去問這麼具體的標準是怎麼來的？動用政府的影響力來發布一份供大眾、科學研究、食品業者遵循的飲食指南，有沒有足夠的根據來支持？

儘管如此，1980 年起，《USDA 飲食指南》每 5 年更新一次，至今已經進入第 9 版（2020 ～ 2025）。《USDA 飲食指南》由美國農業部（USDA）和衛生與公眾服務部（HHS）的專家背書，也邀請外部科學家參與制定過程。所引用的科學報告從第一版的 0 頁到後來的 10 幾頁，再到現在的 835 頁、共 2,147 項科學文獻，就好像非要為這份指南建立一套科學不可。

我們去翻閱這 9 個版本，會發現內容離不開前面列舉的 7 個原則，最多是配合社會的轉變，將口吻從限制轉向鼓勵；從所有人適用的單一版本改成了考慮發育階段和特殊疾病族群的多元版本；從只有文字解說到飲食金字塔，然後再改為圖象更直接的「我的餐盤」。經過 40 年演進，《USDA 飲食指南》內容愈來愈豐富，表面看來很有說服力，也是許多營養專家對大眾進行教育所依據的基礎。

當然，這只是給美國人的飲食指南。世界各國有自己的飲食文化，不會立即接受美國的想法。比如法國人講究飲食，吃大量起司與肉類，卻沒有那麼多心血管疾病案例，不見得需要依照美國專家的建議來減少飽和脂肪。

然而隨著現代化成為主流，世界愈來愈習慣追隨西方文

飲食金字塔
（1995 與 2000 年版飲食指南）

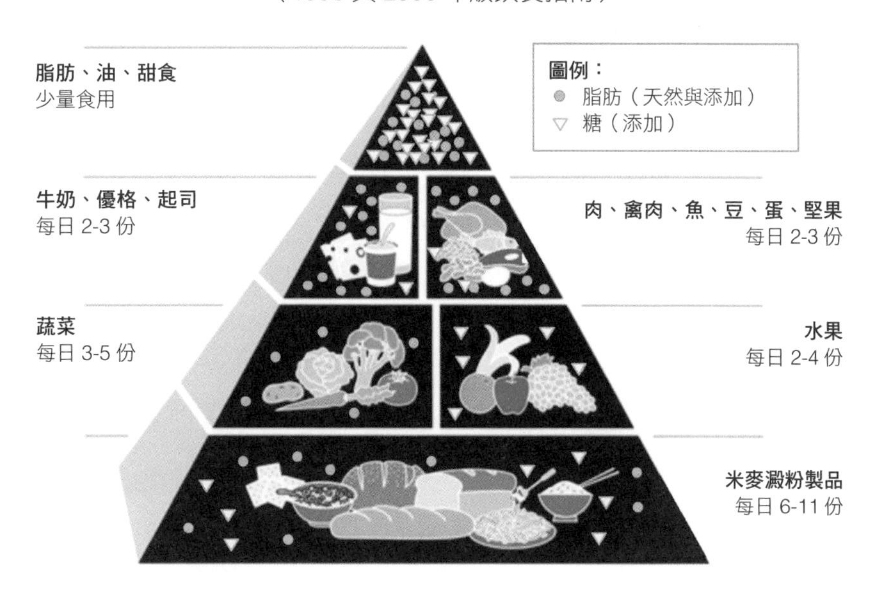

我的餐盤 MyPlate
（2015 年飲食指南）

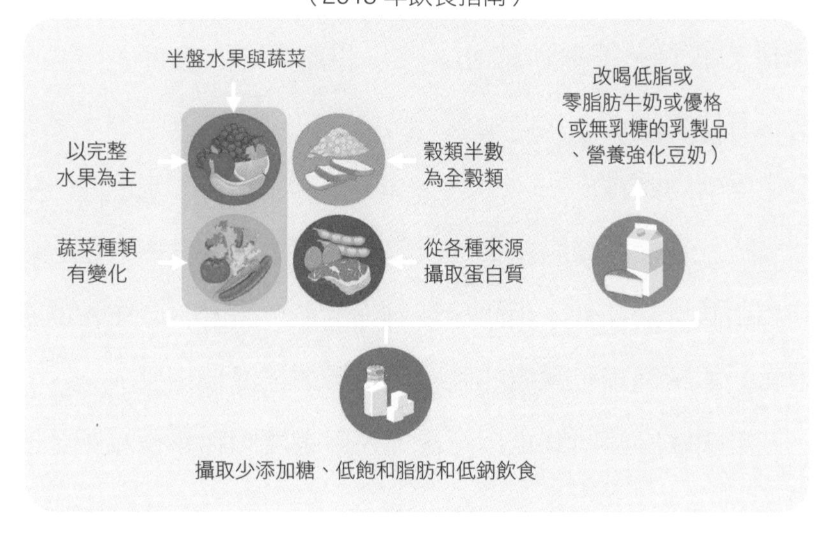

化，包括接受美國的飲食建議。大多數人都看過飽和脂肪導致心臟病的新聞報導、影片和講座，也會彼此勸告不要吃太油，對脂肪的迴避已經成為我們的日常。

現在到處都是低脂或零脂肪的標籤，人們真的吃得更健康、活得更好了嗎？

推動低脂飲食多年後，2010 年的《USDA 飲食指南》列出美國人飲食最主要的熱量來源。沒錯，一般人飽和脂肪是少吃了，就連蛋和肉都吃得少，而精製糖、麵包、麵條卻愈吃愈多。

前 10 項飲食除了被認為是低脂的雞肉之外，幾乎都是甜食和澱粉為主的飲食，牛肉排在第 9，培根等肉製品已經排到了第 16，蛋排到第 20。孩子和成人的飲食都差不多，要說有什麼差別，大概是孩子喝低脂牛奶、大人喝酒，名義上還是低脂飲食。

這就是推廣低脂飲食的成效，從觀念到飲食內容已經將飽和脂肪排除在外。但臨床醫師所看到的，和《USDA 飲食指南》承諾沒有心臟病的健康新世界卻是完全相反。

美國政府提出飲食指南後，人口過度肥胖和極端肥胖的

2010 年美國人最常用的飲食，依熱量排名			
排名	所有人（2 歲以上，平均每日攝取 2,157 大卡）	2-18 歲的兒童與青少年（平均每日攝取 2,027 大卡）	19 歲以上成年人（平均每日攝取 2,199 大卡）
1	穀製品甜食（138 大卡）	穀製品甜食（138 大卡）	穀製品甜食（138 大卡）
2	麵包（129 大卡）	披薩（136 大卡）	麵包（134 大卡）
3	雞肉（121 大卡）	汽水、能量飲料、運動飲料（118 大卡）	雞肉（123 大卡）
4	汽水、能量飲料、運動飲料（114 大卡）	麵包（114 大卡）	汽水、能量飲料、運動飲料（112 大卡）
5	披薩（98 大卡）	雞肉（113 大卡）	含酒精飲料（106 大卡）
6	含酒精飲料（82 大卡）	義大利麵（91 大卡）	披薩（86 大卡）
7	義大利麵（81 大卡）	低脂牛奶（86 大卡）	墨西哥餅（85 大卡）
8	墨西哥餅（80 大卡）	乳製品甜食（76 大卡）	義大利麵（78 大卡）
9	牛肉（64 大卡）	薯片、玉米片等脆片（70 大卡）	牛肉（71 大卡）
10	乳製品甜食（62 大卡）	即食穀類（65 大卡）	乳製品甜食（58 大卡）
11	薯片、玉米片等脆片（56 大卡）	墨西哥餅（63 大卡）	漢堡（53 大卡）
12	漢堡（53 大卡）	全脂牛奶（60 大卡）	一般起司（51 大卡）
13	低脂牛奶（51 大卡）	糖果（56 大卡）	薯片、玉米片等脆片（51 大卡）
14	一般起司（49 大卡）	水果口味飲品（55 大卡）	香腸、熱狗、培根、肋排（49 大卡）
15	即食穀類（49 大卡）	漢堡（55 大卡）	堅果、種籽和醬（47 大卡）
16	香腸、熱狗、培根、肋排（49 大卡）	炸薯條（52 大卡）	炸薯條（46 大卡）
17	炸薯條（48 大卡）	香腸、熱狗、培根、肋排（47 大卡）	即食穀類（44 大卡）
18	糖果（47 大卡）	一般起司（43 大卡）	糖果（44 大卡）
19	堅果、種籽和醬（42 大卡）	牛肉（43 大卡）	蛋（42 大卡）
20	蛋（39 大卡）	非柳橙汁、非葡萄柚汁的 100% 純天然果汁（35 大卡）	米飯（41 大卡）
21	米飯（36 大卡）	蛋（30 大卡）	低脂牛奶（39 大卡）
22	水果口味飲品（36 大卡）	鬆餅、法式吐司（29 大卡）	速發麵食（36 大卡）
23	全脂牛奶（33 大卡）	餅乾（28 大卡）	鮪魚與蝦以外的魚（30大卡）
24	速發麵食（32 大卡）	堅果、種籽和醬（27 大卡）	水果口味飲品（29 大卡）
25	冷肉、午餐肉（27 大卡）	冷肉、午餐肉（24 大卡）	沙拉醬汁（29 大卡）

比例不斷增加。幾個世代迴避脂肪下來，糖尿病、肥胖比例愈來愈高，心臟病發生率不光沒有下降，甚至比過去更高。

我個人接觸過無數探討肥胖和減重的營養學家和專科醫師，從我的角度來看，全世界最沒有資格教人如何飲食、如何對抗肥胖的就是美國。儘管已造出這麼多問題，但現在全球都採用美國的飲食建議。這一點是我覺得最不可思議的。

經過了幾十年，科學家重新檢查安塞・基斯的「飲食脂肪→心臟病」理論，發現它背後的證據並不那麼完整——許多反面證據被略過，有些該做的分析沒有完成。也有愈來愈

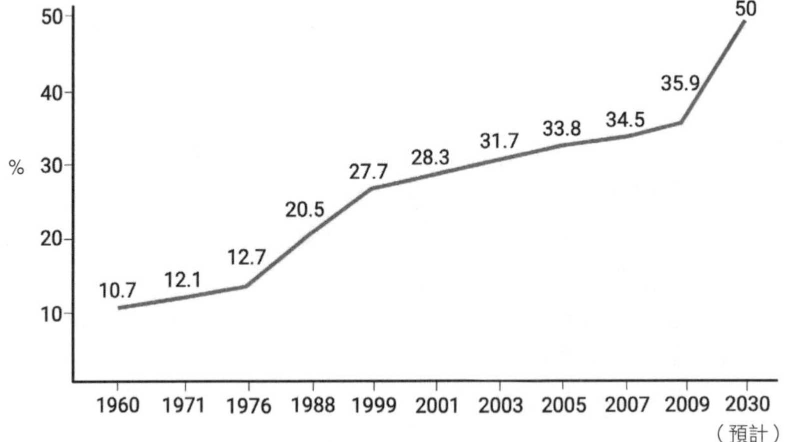

多專家注意到，為了支持安塞．基斯的假設，許多探討其他因素的研究受到打壓，更別說被忽視、被冷凍起來。這個經過已經有很多營養和醫學專家在談，我在此也不再重複。

總之，經過了幾個世代的折騰，被認為可以減輕疾病風險的低脂飲食看來並不等於低體脂飲食。相反的，因為飲食所含的精製糖和精製澱粉比例過高，反而創出了一個前所未有的高肥胖，包括心臟病在內的慢性病高風險世代。

這是怎麼造成的？我在第 2 章會繼續說明。

2 錯用精製糖與油取代飽和脂肪

回頭看這幾十年的文獻，已經有可靠的研究指出：被認定最糟的天然飽和脂肪，其實對健康是有保護力的。攝取足夠的飽和脂肪，心血管疾病發生率、致死率以及一般的死亡率反而會下降。

開始有專家重新面對這個事實：也許脂肪並不像當初大家所想的那麼糟。

2001 年，在美國推動《USDA 飲食指南》20 年後，哈佛公衛學院營養學系系主任沃特・威利（Walter C. Willett）開始對大眾澄清各種常見的錯誤飲食觀念，包括指出《USDA 飲食指南》的偏差，並在《美國營養學院期刊》探討不同飲食脂肪與冠狀動脈心臟病風險的總論[1]提及：「**愈來**

1 Hu FB, Manson JE, Willet WC (2001) Types of dietary fat and risk of coronary heart disease: A critical review. *J. Am. Coll. Nutr*. 20(1): 5-19.

愈多人體認到，推廣低脂飲食的科學根據其實相當薄弱，而可能對我們的健康造出意料之外的後果。」

飲食少了飽和脂肪的保護固然可惜，但也許還不是最糟糕的部份。更嚴重的是——我們遵照專家建議，拿掉飲食的飽和脂肪後，用什麼來取代？這個營養的代償，對我而言，可解釋絕大多數的文明病，就是前面提到的代謝症候群。

如果是自己準備飲食，在減少飽和脂肪與油的前提下，我們自然會提高澱粉類的比例，特別是用更多的麵、飯、麵包等精製澱粉主食來滿足每天的熱量需求。這也符合經濟考量，畢竟精製澱粉通常比蛋白質便宜、容易儲存。

對食品業這更是一個大問題。食品少了奶和肉的飽和脂肪會變得乏味，不可能刺激銷售。然而食品業者還有一個改善口感的方法，也就是用大量的糖。

糖在 150 年前因為種植和產業的進展，開始進入美國人的飲食。在政府單位建議大家採用低脂飲食後，糖的使用量更是不斷增加。

往低脂優格多倒一些糖，消費者就不會那麼在意少了飽和脂肪的滋潤，甚至還感覺更爽口，不知不覺吃更多。然而

天然的蔗糖相對昂貴，供應也不穩定，隨戰爭和氣候有很大的起伏，這對食品業者相當不利。他們需要找到糖的便宜替代品，而且最好容易加工、供應穩定。

1966 年有人將玉米轉化成糖漿，甜度比蔗糖高得多，而且不易結晶、不影響食品的口感。玉米在美國是主要經濟作物，業者得到政府的補貼而可以低價提供。容易加工且便宜的高果糖玉米糖漿，在 70 年代成為食品業的口感改造武器，來因應低脂飲食的風潮。

採用這種糖漿對食品業者還有一個額外的好處：果糖不

太刺激「胰島素」（insulin）和「腸泌素」（incretins），也不會弱化「飢餓素」（ghrelin）的作用。這些都是調控能量代謝和食欲的內分泌，我會在接下來的章節做進一步的說明。重點在於：果糖繞過了人體透過這些內分泌調控飢餓感的機制，自然讓人覺得還能繼續吃，於是吃得更多。

不只食品，許多醬料也採用高果糖玉米糖漿。除了甜味，糖經過梅納反應帶來的焦味和香氣，更有利於強化口感。許多人愛吃的番茄醬、烤肉醬，都少不了這個味道。你大概想不到，就連給小嬰兒喝的配方奶粉，都含有這種高果糖玉米糖漿。

除了用糖來克服口感的障礙，食品工業還有另一個法寶：植物油。畢竟專家也建議用植物不飽和油來取代動物性脂肪，一方面能保持油脂的口感，又避開大眾對動物性飽和脂肪的嫌惡。更後來最重要的是：符合成分標示的規範。

一般人可能以為棉籽油、大豆油、芥花油、葵花油、玉米油這類植物油很健康，但其實從這類種籽提煉油的過程，和重工業從原油提煉各種油品的程序可說是沒兩樣。想想，如果你拿一粒黃豆或玉米往石頭上磨擦，是擦不出什麼油的痕跡的。這類穀物種籽的油量本來就不高，得透過高溫高壓合併有機溶劑萃取的提煉程序，才能把裡頭的油給濃縮出來。這種提煉過程很容易產生意外的化學物質，吃下去會造出代謝的負擔。

1970 年代，這種工業提煉的植物油大量進入飲食，就如下圖所示，添加量甚至比原本動物性飽和脂肪的用量還多。在這之前，這類植物油只用來點油燈或製作肥皂、蠟燭，並不是飲食的一環。但現代人不但吃，而且還會以為這種植物油更健康。

從種籽提煉的植物油相當便宜，但因為含多元不飽和脂

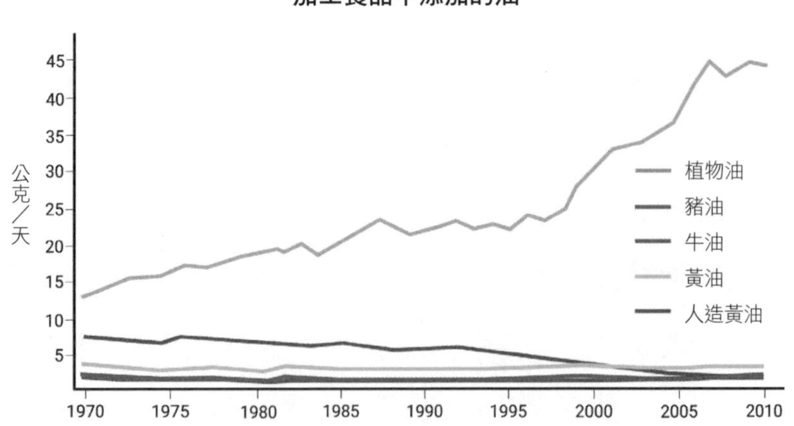

肪酸，容易氧化而產生油耗味，需要經過改造才能作為穩定的食品成分。食品工業經過氫化程序將不飽和植物油改造成飽和植物油，雖然改善了容易氧化的缺點，但過程所產生的反式脂肪，現在大家都知道是更大的問題。

當然，食品業者只是試著降低成本，希望在市場得到生存。我們大多數人也一樣追求最低的成本，希望用便宜的方式得到生存。舉例來說，現代人的生活強調各種方便，包括飲食也要隨手可得、容易保存、價格低廉，這種便利是現做飲食達不到的，也自然讓我們依賴加工食品，而不知不覺得到了過量的糖和次等的脂肪。

這對現代人健康的影響，是想不到的大。

3
過度加工食品
改造人的行爲、腦與身體

一般人若想改成以天然食物為主的健康飲食，馬上就能體會方便帶來的阻力。吃一頓加工食品要比採用健康的原型食物（也就是食物本來的樣貌）便宜多了。要吃加工食品，走到巷口的便利商店就有，也容易大量採購和儲存。微波一份冷凍食品、泡一碗泡麵只要 1、2 分鐘，省下了採買和備餐的時間。更別說食品業者每年都會推出新商品，讓人覺得好像可以隨時變換口味。再加上無所不在的廣告，我們看到名人也吃一樣的東西，而自己的生活原來不孤單。

富含糖、鹽、植物油和其他添加物的過度加工食品，像是冰淇淋、巧克力、甜甜圈、餅乾、蛋糕、糖果、各種甜點；白飯、白麵包、麵條等澱粉類食物；洋芋片、脆餅這類

鹹的零嘴；漢堡、起司漢堡、披薩、薯條這種高油高澱粉的速食；汽水、含糖茶、果汁等等含糖飲料……所改造的對象不只是食品，還包括我們的身體。

大量的糖、植物油、鹽、人工調味料、香精、促進風味的添加物，讓食品嚐起來、感覺起來、看起來很美味。我相信有一定年紀的朋友只要回想，也自然會發現以前的食物做不到這種口味。我們吃下這些食物，不知不覺也被過度加工食品改造──我們愈吃愈想吃，也愈習慣吃；到最後，終於成為食品產業最喜愛的忠實消費者。

這樣的情況說是「成癮」，應該不算過分。

有一位年輕的英國醫師拿自己做了一個實驗，將飲食的80% 轉為過度加工食品，持續 30 天。英國 BBC 頻道將他的個人實驗紀錄公開在 YouTube，任何人都可以看到。在實驗期間，他的三餐完全是速食、微波食品、冷凍披薩、洋芋片。第一天，他一早就吃炸雞，又油又香又酥脆，很令人滿足；接下來只要有點餓，他就順手給自己做一份點心，像是拿現成的麵包、起司或是

BBC 飲食實驗影片連結→

任何很快到手的食材，拼湊出一個可以入口的東西。

沒幾天他就發現，無論入口的是什麼，他都會全部吃光。這很有道理，這些食物本來就是為了讓人一口接一口吃不停而設計的。他原本只是三餐再加一些零食，卻反而讓自己隨時陷入飢餓，愈來愈渴望食物，很難停下來不吃。

雖然這些加工食品的包裝通常會加註健康的字眼或圖樣，但一星期後，他開始便秘、失眠和頭痛。一個月實驗結束，他的體重增加 6.5 公斤、其中 3 公斤是體脂，而 BMI 高出 2，進入了過重的範圍。

他也做了內分泌檢查。結果發現，飢餓素分泌增加了 30%，而通知大腦已經吃飽的「瘦素」（leptin）卻下降。怪不得他總是想吃東西。

飢餓是透過腦部的下視丘來調控，就像右頁這張圖所表達的，是由兩個主要荷爾蒙飢餓素與瘦素來調控，而兩者調控的作用剛好相反。

飢餓素是刺激胃口的主要荷爾蒙，在胃排空時，由胃分泌。作用在下視丘的神經元，刺激飢餓感。胃滿了，就減少合成。飢餓素通常在進食後 30 ～ 60 分鐘達到低點，我們可

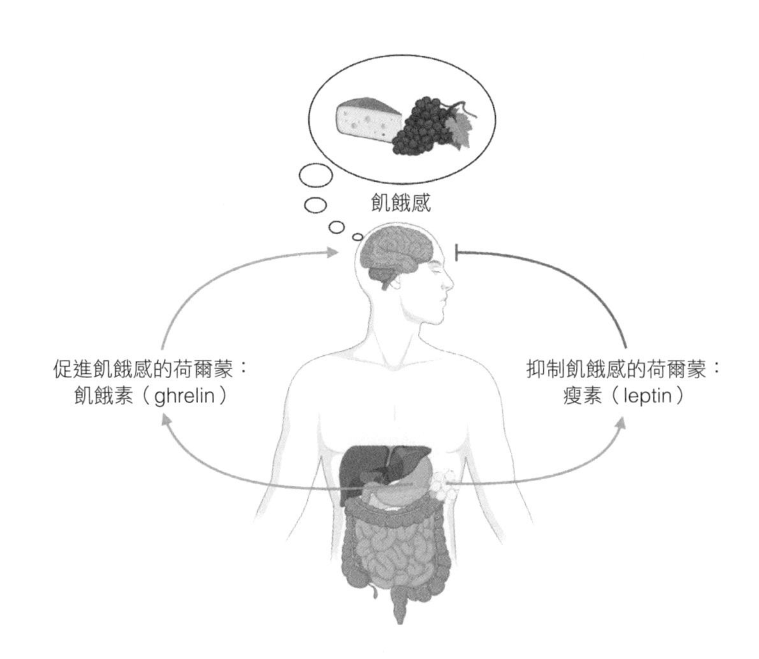

以觀察自己，在餐後 1 小時左右通常最不會受到飢餓感打擾。睡眠不足則會增加飢餓素分泌，讓人容易餓、吃得也比較多。

瘦素是抑制胃口的荷爾蒙，這個荷爾蒙是一個曾經引發風潮的分子。晚我一年的同學弗里德曼（Jeffrey Friedman）發現瘦素時，雖然和我不是同一個研究領域，但那段時間剛好跟我時常交流。

洛克菲勒大學是一個很特別的環境，每年只收十幾位博士生，教授人數比學生還多，而學生本身也已經是各領域的專家。據我所知，至少有兩位校友憑著博士論文就拿到諾貝爾獎（Gerald Edelman, 1972; David Baltimore, 1975）。這樣的例子，我相信在其他機構是找不到的，而且還是在生物醫學這樣的領域。

弗里德曼和我一樣，已經取得醫學博士學位，再到洛克菲勒大學讀博士班。我們常在下午實驗做得差不多時，到教職員俱樂部一起喝點東西，閒聊有興趣的主題。現在回頭看，一些重大的突破，都是來自這種最放鬆的時候所浮現的靈感。

我的研究進展非常快，像打仗一樣很集中，一連解開幾個免疫細胞消滅病原的關鍵機制，找出「穿孔素」（perforin）、「白禦素」（leukalexin）和「保護素」（protectin）[2]，成果也發表在《科學》（*Science*）、《細胞》（*Cell*）這些重要的期刊。

2 Leukalexin 和 protectin 這兩個分子，後來被歸入免疫蛋白的其他命名系統而有了其他名字。我在這裡只是談當時的經過，也就依照原本命名的方式，分別譯做白禦素和保護素。

穿孔素是自然殺手細胞發送的武器，鎖定到病原細胞後，在對方膜上打洞而讓病原解體。白禦素位於自然殺手細胞膜上，和後來發現的「腫瘤壞死因子」（tumor necrosis factor）類似。它在接觸到病原細胞時會引發一個特殊的機制，讓病原細胞知道已經被免疫系統盯上而決定自我毀滅。保護素則與免疫細胞如何辨認自己人和敵人的機制有關，也就是在殺病原細胞時怎樣不會傷到自己。

這些早期的發現集中起來，也就開創出後來稱為「先天免疫」（innate immunity）的領域。先天免疫是所有生物共有的防禦機制，讓生物即使面對從未接觸過的病原，也能有一定的抵抗力。當時我很快將這個主題告一段落，並且接受《科學人》（*Scientific American*）的邀請，寫了一篇〈殺手細胞是怎麼下手的〉（How Killer Cells Kill）向有興趣的科學家和大眾解釋免疫細胞的防禦機制。

帶出一個新的免疫學領域，自然要面對各種挑戰，但也都克服了。其實在許多既有的領域，我的看法時常和許多專家不同，甚至是顛倒的，在免疫學也是一樣。例如面對COVID-19 的 SARS-CoV-2 病毒感染，我一向認為免疫細胞的毒殺能力才是抗病毒的關鍵，倒不是現在疫苗專家一再標榜的抗體高低。

不光 COVID-19 是如此，其他病毒性的疾病也是一樣的。會舉出這一點來談，倒不是為了爭辯誰對誰錯。我想要表達的是：如果能採用正確的觀點來面對疾病和健康，會在公共衛生政策造出極大的不同。我們將有機會更合理分配醫療資源，甚至可以幫助大家事先保住健康，而非事後才來補救。這其實也是我寫這本書的動機之一。

當年在快速切入免疫研究的那一陣子，我常和弗里德曼聊，免不了都在談這些分子。他剛發現一個會抑制小鼠胃口的分子，常聽我講我的 perforin、leukalexin、protectin，於是也想採用 -in 結尾的名字來給他的新發現取名。聊著聊著，leptin 這個字就浮出來了。字首的 lept- 源自希臘文的 *leptos*，意思是「瘦」。Leptin 就是我們現在談的瘦素，當時給探討肥胖治療的專家帶來很大的希望。

身體有愈多脂肪細胞，就會生成愈多瘦素。大腦收到瘦素的訊號，會讓人將胃口降下來，而身體自然就想活動，將能量消耗掉。然而睡眠不足除了前面提到的會讓飢餓素上升，還會使體內瘦素濃度下降、代謝變差，讓人一直覺得餓而容易暴飲暴食。胰島素過高也會阻斷大腦對瘦素的接收，也就是對瘦素產生阻抗。

回到那位拿自己做實驗的英國醫師，除了檢驗內分泌，他還做了 MRI 掃描來比較腦部的變化。從掃描影像看來，過度加工食品為主的飲食，不光已經改變他的內分泌，還改造了他的大腦。腦部受多巴胺調控的獎勵系統已經建立起新的神經連結。

無論從內分泌還是腦部，過度加工食品已經全面改造他的身心，讓他重複同樣的行為來得到滿足和快感。這就是一種癮。

4
我們有機會從飲食的癮脫身

上癮，也只是我們追求快樂的神經迴路被鎖定，讓快樂只剩下少數的幾種可能。

人和動物的演化過程一直保留追求滿足和快感的行為，來促進生存的機會。舉例來說，進食可以幫助個人存活，而性帶來的生殖可以促進群體的生存。大腦有好幾種帶

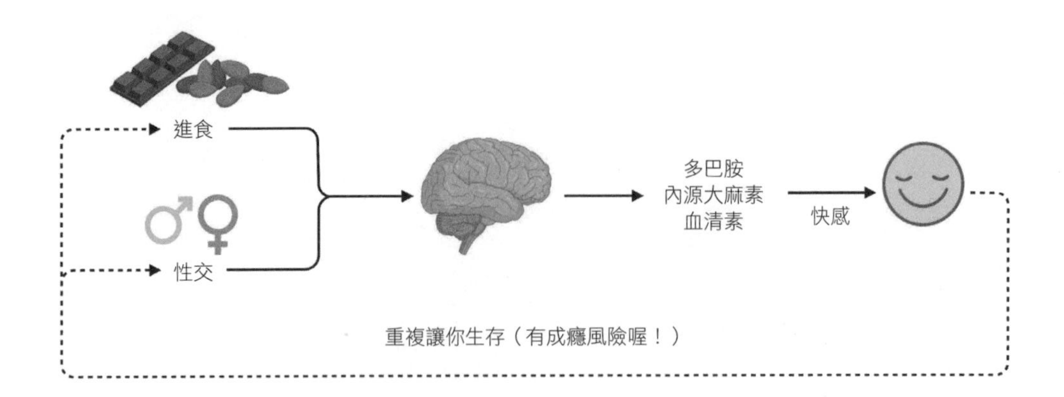

來快感的神經迴路，像是多巴胺可以引發興奮、受獎勵激發的行為，在進食和性交時帶來快感；內源大麻素則與一個人的胃口、痛覺、心情與記憶有關，可以造出一種放鬆而滿足的感受；血清素則調控比較長期的心情、獎勵、學習和記憶。這些帶來快感的神經迴路，也會將訊息送到下視丘。下視丘正是大腦調控飢餓感的所在。

就像第 3 章那位拿自己做實驗的醫師所發現的，過度加工食品已經改變他的大腦——在多巴胺獎勵系統產生新連結，讓「飲食→快感」的迴路變得更堅固。這是很合理的，畢竟過度加工食品通常由大量簡單糖類和脂肪組成，而糖與脂肪會各自透過不同路徑活化多巴胺獎勵系統，同時進行，強化行為的作用特別強。

為了容易儲存和處理，食品在加工時會徹底破壞天然食物的結構。像小麥要將外殼麩皮、胚芽去掉，留下胚乳，再將胚乳磨出來的粉依照蛋白質含量進行分類，而得到製作不同麵食的各級麵粉。這種精製加工的程序等於在食物入口前就完成了大半消化工作，而讓身體對這些食品的反應完全不同。食品的成分會更快被吸收、對多巴胺獎勵系統造出更大的刺激，而讓人很快感受到作用。

在這之中，糖的作用是特別強烈。其實天然的糖在莓果和蔬菜最多也只佔了 1 ～ 2%，所以對甜味的敏感和快樂是一種幫助取得飲食與能量的生存機制，讓人能從周圍的環境很快辨識出能吃的植物。然而精製糖的出現，將飲食裡的糖濃縮了百千萬倍，這對多巴胺獎勵系統造出的刺激強度，是天然飲食不可能達到的。

食品業者大量使用精製糖，帶來更強烈的衝擊。一個腦

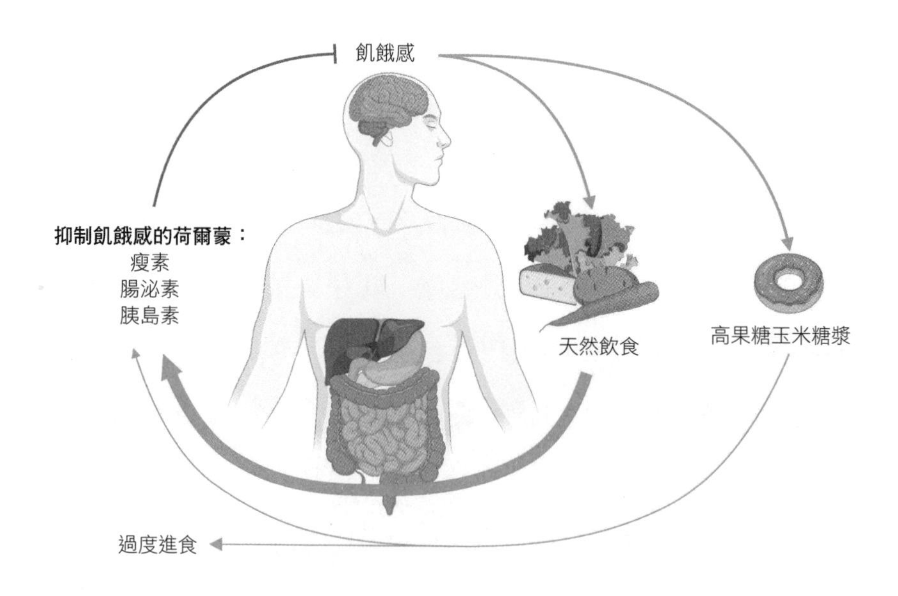

部已經比較固定的大人，短短一個月就足以形成新的迴路；至於腦部還在發育的小孩和青少年，這個迴路可能更快就會成形，讓他們更是離不開這些過度加工食品。

至於對內分泌的影響，就像左頁這張圖所表達的，本來攝取天然飲食會刺激瘦素、腸泌素和胰島素，自然抑制大腦的飢餓感而讓我們停止進食。但高果糖玉米糖漿會繞過這個喊停的機制，造出一個新的吃不停迴路，讓人過度進食。

過度加工食品對神經系統和內分泌造出的雙重刺激，讓人吃了又吃，很難停下來。愈吃愈多、愈吃愈想吃、停不下來、不吃很難受、沒吃到會想吃……面對過度加工食品，我們的行為其實和毒品成癮差不多。

正是因為觀察到全世界低脂飲食風潮和現代化的生活步調所衍生的兩大錯誤：一、排斥天然的動物性飽和脂肪，轉用工業化和氫化的植物種籽油來替代；二、過度加工食品改變天然食物成分的比例，讓飲食成為一種癮，而與健康和療癒愈來愈遠，我才會在《真原醫》帶出新的飲食金字塔。

《真原醫》的飲食金字塔，將傳統的飲食金字塔做了一些修正：

一、強調微量元素的重要性。

二、提醒大家不應排斥脂肪。

三、每餐飲食的50%來自高膳食纖維原型碳水化合物，希望減輕《USDA飲食指南》將碳水化合物佔熱量比例提高的後遺症。

四、區分鹼性和酸性飲食，也就是強調飲食進入身體後對代謝的影響。

當然，這只是一些基本的原則。一般沒有營養學背景的朋友還是想知道該怎麼做？如何開始？做了飲食的調整，接下來身心會有什麼變化？怎麼讓飲食配合個人意識的轉化？

是的，從執行面切入，是這一本書的重點。我會從能量代謝的層面來切入，希望能帶給你一個整體的理解，而能抱持著實事求是的實驗精神，將飲食調整真正落在生活中，帶來全面的健康和快樂。

5
胰島素阻抗：影響代謝和體質的關鍵

關於飲食和代謝，如果要說哪一個觀念最重要，我會說是「胰島素」。如果要再清楚一點，那就是「胰島素阻抗」（insulin resistance）。

一般人只要聽到胰島素，自然會想到降血糖。但其實胰島素最主要的功能，是在身體透過進食取得營養（例如糖分）後，將這些營養送到不同的細胞使用或進一步儲存，降血糖只是一個順帶的結果。

就像下頁這張圖所表達的，**胰島素其實是推動身體轉換營養和能量的核心荷爾蒙**，讓肝臟將多餘的糖分轉成肝糖和脂肪，讓過多的糖進入脂肪細胞來儲存為脂肪。此外還幫助細胞取得胺基酸、合成蛋白質，同時也阻斷蛋白質、肝糖和脂肪的分解。

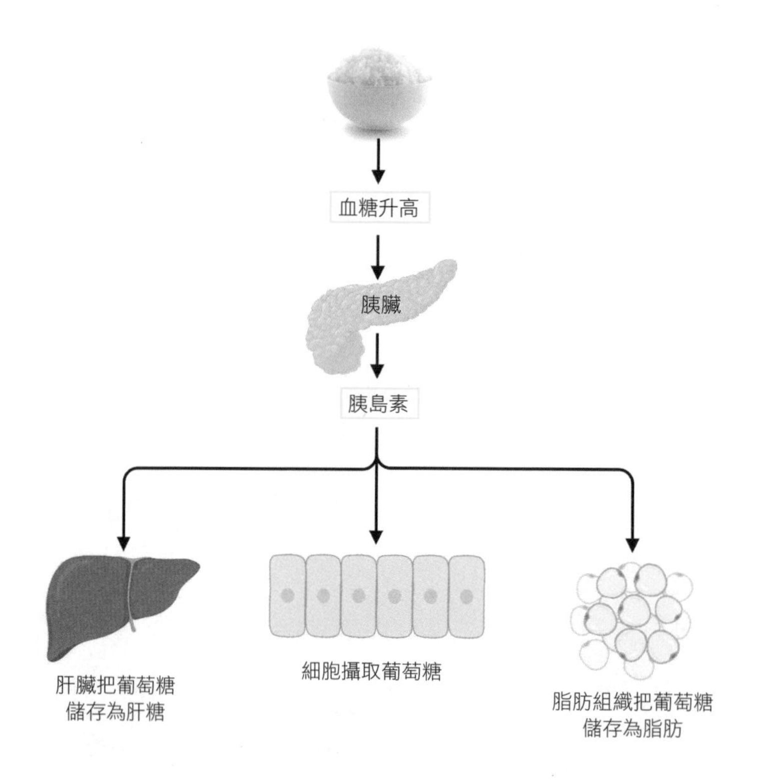

從這個角度來看，胰島素的作用可以說是一種促進生長的荷爾蒙。它就像是**一把能開啟細胞大門的鑰匙，讓營養進入細胞，幫助建立身體的組織，並將多餘的營養轉成肝糖和脂肪存起來**。

身體如果缺乏胰島素，就像我們想回家卻沒有鑰匙，進不了門。一型糖尿病患者就是這種情況：身體缺乏胰島素這把鑰匙，營養進不去細胞。患者會變得消瘦但血糖很高。等他們拿到鑰匙，也就是注射胰島素後，細胞的門重新為糖分而開，血糖自然會下降，人也會胖起來。

二型糖尿病患者的問題則不是缺少胰島素這把鑰匙，大多數患者的胰島素分泌正常，甚至偏高，但身體連最需要養分的肌肉細胞，都不再對胰島素起反應，就像細胞從裡面把大門給反鎖起來，拿著再多的鑰匙也開不了門。進不了細胞大門的糖分愈來愈多，在血液裡累積，早晚導致血糖上升。這種對胰島素不反應的狀態，也就是胰島素阻抗；持續下去，也就讓人得到糖尿病的診斷。

一般人的情況比較像二型糖尿病患者，身體並不缺乏胰島素，但是胰島素被過度刺激。我常看到營養專家提醒一天要用 3 餐，甚至 6 餐。《USDA 飲食指南》還教人怎麼準備零食，鼓勵少量多餐。**頻繁用餐其實對身體造出很大的刺激，讓消化道沒有時間休息，更讓胰島素幾乎是全天在分泌**。長期下來，身體充滿糖，也充滿了胰島素，這在醫學稱為「高胰島素血症」（hyperinsulinemia）。

胰島素除了將糖分轉為脂肪，還會抑制脂肪分解酵素的活性，讓儲存在身體裡的脂肪不會被輕易釋放出來作為燃料。高胰島素血症的患者體重會上升，而**充滿糖和脂肪的身體，早晚不會再對胰島素做任何反應。這就是胰島素阻抗，也就開始了代謝症候群和慢性病的體質**。

「胰島素阻抗」這五個字，幾乎說完了所有後天可能得到的慢性病──無論源頭、病程或結果，都有胰島素阻抗的角色。

胰島素阻抗已經是一個全球的現象，而與癌症、心臟病、高血壓、中風、糖尿病等重大疾病脫離不了關係。身體對胰島素的敏感度和阻抗程度，可以看作一個連續譜，是從反應相當靈敏到對胰島素完全不反應（二型糖尿病）的漸進過程。

據估計，全世界約有 4 億 6 千 3 百萬人患有二型糖尿病，10 億人口進入糖尿病前期，差不多 22 億人口處在胰島素阻抗的邊緣。這樣的數字，比任何大規模的傳染病都更驚人。

一般人會將血糖當作是胰島素相關疾病的指標，但胰島素阻抗初期其實不容易從空腹血糖看出來。相對地，腹部脂肪多、高血壓、血中低密度脂蛋白（LDL）過高、高密度脂蛋白（HDL）過低、三酸甘油酯偏高，更是胰島素阻抗初期的徵兆。如果不及早關注這些徵兆，等到空腹血糖數值出現明顯的異常，這時離二型糖尿病也只剩兩年左右了。

也許你會想問：有這麼多的疾病，為什麼特別重視胰島素阻抗和糖尿病的問題？讓我用美國的例子來說明。2020 年，美國醫療體系在糖尿病的支出高達 4 兆美元，平均每個病人一年花費 1 萬 2 千美元。不光是美國，我相信只要去查各國的醫療支出，都會看到類似的困境。儘管耗費大量資源在糖尿病治療，但二型糖尿病患者人數仍然愈來愈多，更別說沒完沒了的併發症如心臟病、風濕性關節炎、高血壓、失智等等。

現代醫療這麼先進，為什麼還會走到這個地步？投入這麼多的專業人力和物力，情況卻沒有好轉？從我的角度來看很簡單，**如果我們只盯著血糖、血壓、血脂、體重這些表面症狀不放，卻沒有真正去改善疾病的原因，再怎麼努力去做，也只是離真正的解答愈遠。**

6
胰島素阻抗：從保護機制變成疾病

雖然從這本書的序開始，我就一直在談代謝症候群，而代謝症候群指的就是一些在日後會導向糖尿病、心臟病、中風的徵兆，包括高血壓、高血糖、腰圍脂肪過高、三酸甘油酯數值異常。但坦白說代謝症候群其實是個誤導的用詞。

「代謝」這個詞的英文 metabolism，來自希臘文的 *metabolē*，意思是「改變」。改變什麼？

一、將飲食營養的能量改變成細胞運作可以用的能量。

二、將飲食營養的成分改變成可以組織身體的成分，像是蛋白質、脂肪、核酸、碳水化合物。

三、將代謝的廢物排除出去。

總體來說，身體發生的所有生化反應，都是代謝的一部份。

代謝本身並不是疾病，也不會有什麼症候群，是我們長期用不良的習慣和飲食去折騰身體，讓身體無法用原本的方式回到平衡，而必須延伸出一個極端的狀況，來面對生活習慣所累積的壓力，才有所謂的代謝症候群。

就像下方這張圖所表達的，**身體本來有它運作的規律，但面對擋不住的代謝壓力，身體只好改變平衡的方式來應對**。是這樣才有所謂的代謝症候群，也是這樣我們才可能去調整體質而得到新的健康設定點。

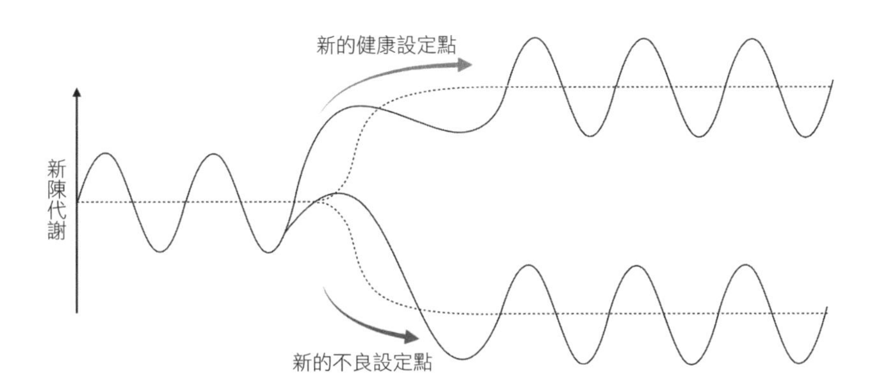

一個人長期採用高碳水化合物、高脂肪、高熱量而缺乏膳食纖維的飲食，像是過度加工食品，也就容易導致胰島素

阻抗。這和體內代謝紊亂、慢性發炎，或壓力過大、久坐不動的生活方式脫離不了關係。

然而，就像前面談到代謝症候群是身體應對的一種方式，胰島素阻抗也一樣，原本是為了保護細胞而有的一種機制。

細胞要進行能量轉換，是在細胞內的粒線體進行。粒線體就像發電廠，將細胞取得的燃料（也就是帶熱量的營養素，像糖和脂肪）轉成能量來使用，讓細胞發揮各種功能。

細胞得到糖，就會把糖送進粒線體，利用這個發電廠的生產線（例如下頁圖裡的電子傳遞鏈）不斷產生 ATP。ATP 是細胞最基本的能量分子，就像細胞帝國發行的貨幣，可以用來推動各種不同生化反應，讓身體能夠順利地運作。

如果細胞裡的糖太多、超過發電廠的負荷，它的生產線反而會倒過來轉而製造自由基。所造出來的自由基本身就是一種訊號，一方面促使細胞合成更多的粒線體、加開更多生產線來處理過多的糖，另一方面則去改變細胞膜上胰島素受體的狀態，讓細胞不再回應胰島素的要求，不要再打開大門讓糖進來。

我在前面提過，當身體裡糖分太多，就連最需要能量的肌肉細胞都不再理會胰島素的訊號，不再讓糖分進來。像這樣在細胞層面的局部胰島素阻抗其實是一種保護細胞的機制，讓細胞內的運作不再被更多營養給轟炸。

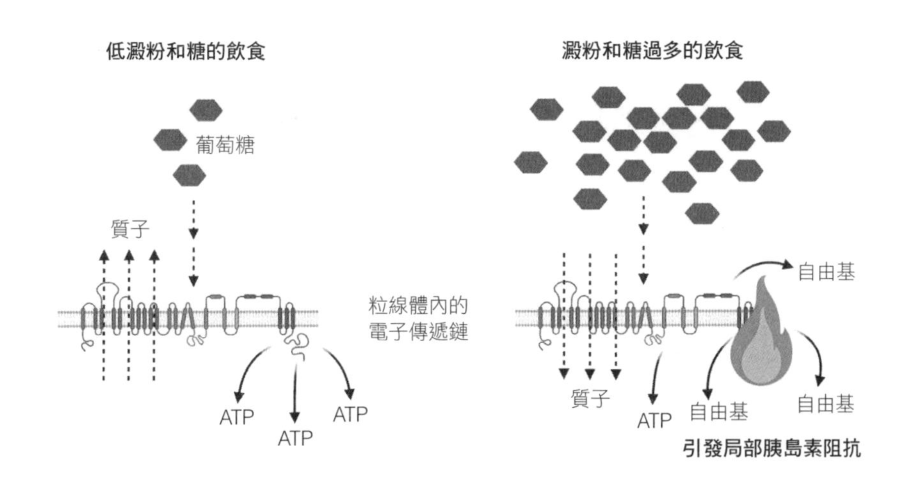

飽和脂肪也有類似的作用。身體在大量飽和脂肪出現時，也會產生局部的胰島素阻抗，並降低腦部的飢餓感，讓我們不會再吃更多。然而不飽和脂肪（像前面提到的植物油）不會那麼快啟動這個保護機制，於是脂肪細胞會繼續把血液裡的養分帶進細胞，讓細胞被「撐」得更胖，身體察覺到吃進來的營養仍有地方可去，也就不會降低飢餓感，而讓人繼續進食。

用生活裡的例子來說，吃奶油烤馬鈴薯（飽和脂肪加上澱粉）比較容易讓人覺得膩而停下來；倘若吃炸薯條（不飽和的植物油加澱粉），反而會額外吃上許多熱量才停手。你可以想像，改用不飽和植物油取代飽和脂肪，再加上大量的碳水化合物，這種被認為「比較健康」的飲食方式帶來的熱量，對代謝造出了多大的壓力。

過多營養素在身體流竄，超過細胞可以運用的量，會先個別啟動胰島素阻抗的機制來應對。身體裡的糖和脂肪再多到一個地步，脂肪細胞的容量也會到達臨界點，不可能再撐得更大了。這時脂肪細胞不再接收從血液來的三酸甘油酯，同時還會反過來把脂肪酸釋放到血液。這些無處可去的脂肪酸沉積成內臟脂肪，而內臟脂肪會分泌促進發炎的細胞激素，擾亂胰島素對肌肉和肝臟的作用，再進一步也就導向全身性的胰島素阻抗和慢性發炎。

簡單來說，**胰島素阻抗反映的是體內長期營養過剩的情況**。

一個人如果隨時都在吃糖、吃澱粉類的食物，胰島素自然會高起來，但身體撐到一個地步，也就不再接受胰島素的訊息。他的體重會上升，並且逐漸發展出代謝症候群——高血壓、高血糖、高血脂。

有些人雖然知道自己有肥胖的問題，但還是停不住地一直吃，而且沒有精力活動，這或許不是減重意志強弱的問題，而可能是大腦接收不到身體發出的飽足訊號。

這和胰島素過高其實也有關係，胰島素過量會阻斷大腦接收瘦素「已經吃夠了」的訊息。正常情況下，我們吃飽了，脂肪細胞會分泌瘦素，讓大腦知道營養已經足以支應身體活動需要的能量，而可以去動、去消耗。但如果大腦被胰島素遮蔽而「聽不見」瘦素的訊息，哪怕全身都是滿滿的脂肪，大腦仍然會認定身體還在飢餓狀態，應該要繼續吃、減少活動。

在胰島素阻抗的階段，胰臟還會設法繼續增加胰島素的分泌來維持血糖的穩定，如果連這樣都無法守住血糖，也就成為二型糖尿病。多到無處可去的糖跟著尿液一起排出，這個糖尿的症狀也就是最初診斷糖尿病的標準。

專家以健康名義推廣低脂飲食，將飽和脂肪改為不飽和植物油，提高碳水化合物的攝取量，最後帶著所有人過重、代謝失衡、進入慢性病體質。這是我覺得現代營養學最不可思議的一個錯誤。

如果能改善胰島素阻抗的情況，我們就有機會阻止或延緩肥胖、二型糖尿病、脂肪肝、心血管疾病、癌症、神經退化疾病、失明、截肢、腎衰竭、免疫功能低下、慢性發炎、呼吸道嚴重感染、老化的發生。這不光減輕整體的醫療負擔，更能大幅改善個人生活的品質和幸福感。

7
透過飲食和生活調整
改變體質、共病與健康

我準備這本書的時間點，正是全球 COVID-19 大流行期間。病毒一再變異，對醫療系統造成很大的負擔，世界各地的經濟都受到衝擊，而人受感染後的長期後遺症（long-COVID）的影響仍屬未知。這裡所談的胰島素阻抗、代謝症候群和慢性病體質，對於一個人受到 SARS-CoV-2 病毒感染的後果，可以說有決定性的影響。

一般健康的人受到病毒感染，可能是無症狀或輕症。症狀主要如咳嗽、頭痛、疲憊、發燒，和嚴重的流行性感冒差不多，雖然很不舒服，但自然會恢復健康。當然，現在有專家觀察到對腦部和身體各部位可能會有長期影響。對我而言，這離不開血管的發炎反應，而可能和單核球所引發的自

體免疫有關。還是一樣地，更需要透過體質調整去因應。

我用下頁這張圖來表達一個人的體質、健康程度和感染後果的關係。沒那麼健康的人受到感染，可能會發展成所謂的中度症狀，像是肺炎、嚴重咳嗽、發高燒、呼吸困難、失去嗅味覺而需要住院治療；有些人能恢復健康，有些人則會留下長期的後遺症。至於慢性病、老化的族群，則可能會惡化成需要進加護病房甚至插管治療的重症，像是缺氧、呼吸衰竭、肺纖維化、休克、多重器官衰竭；有些人能恢復、但免不了後遺症，有些則撐不過去而死亡。

從數據來看，一個人如果有過重、憂鬱、焦慮、肥胖、高血壓、糖尿病，也就是從胰島素阻抗延伸出來的各種症狀和疾病，有 15% 的機率會發展成需要住院的重症，甚至死亡。如果沒有這些情況，則只有 0.1% 的機率。可以說，一個人如果本來就不健康，已經有代謝症候群，他感染後的風險比健康的人高出 150 倍。

其實不只 COVID-19 是如此，普通如流行性感冒或其他疾病都是一樣的。一個人如果同時有代謝症候群或其他疾病，重病和死亡風險自然都會提高。這一點正反映了體質對

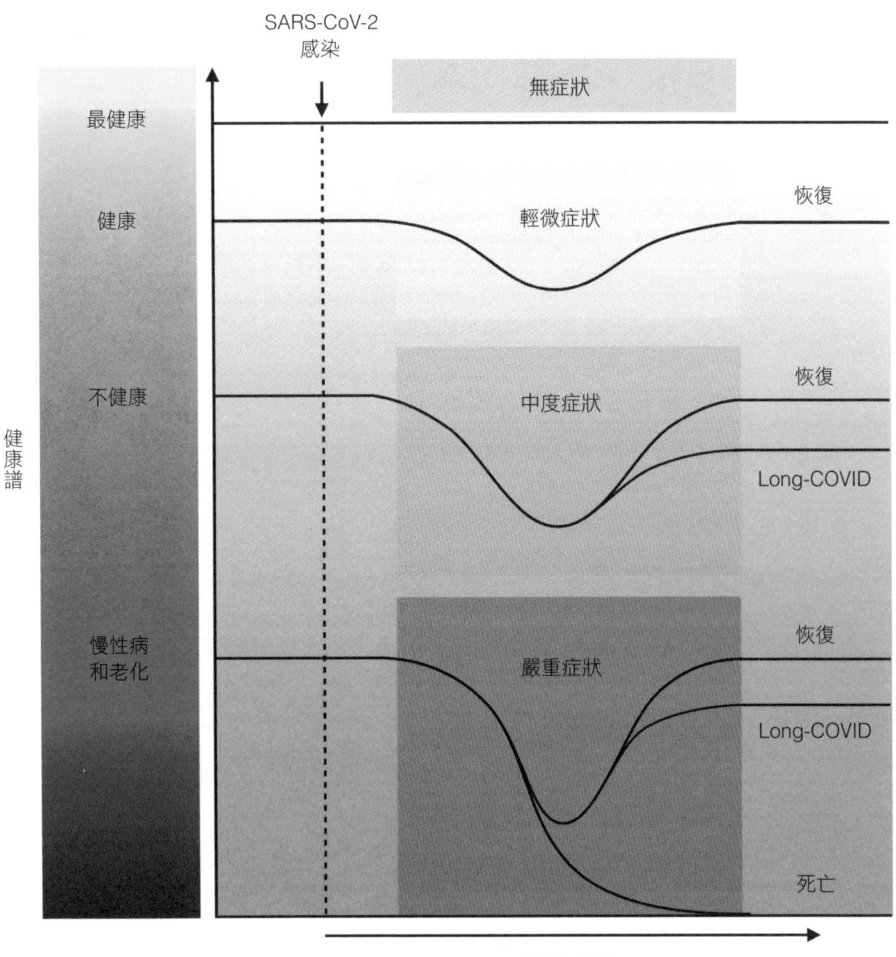
SARS-CoV-2
感染
無症狀
最健康
健康
恢復
輕微症狀
恢復
不健康
中度症狀
健康譜
Long-COVID
恢復
慢性病
和老化
嚴重症狀
Long-COVID
死亡
感染後時間

健康、對抗病能力的影響，而是預防醫學可以著手之處。

我們每一位都可以**透過飲食和生活習慣的調整來改善體質，將自己從不健康帶回健康**。本來遇到疾病可能是重症甚至死亡，但由於體質改善，症狀變得輕微，甚至沒有明顯的症狀也就度過了。

當然我也要提醒：飲食的內容是主要，但不是唯一導致胰島素阻抗的因素。情緒、環境、作息也會刺激胰島素分泌。有些專家認為身體活動量不足、夜間接觸過量藍光、打亂日週期、慢性發炎導致老化或某些基因的影響，也可能導致胰島素阻抗。

另一個和代謝異常相關的因子是皮質醇。皮質醇又稱為壓力荷爾蒙，也會影響血糖的代謝。一個人如果長期處於壓力反應，身體總是在分泌皮質醇，讓血糖上升而不斷刺激胰島素分泌，長期下來也會促進胰島素阻抗。我們如果想要調整體質、控制體重，也不能不留意自己的壓力反應。

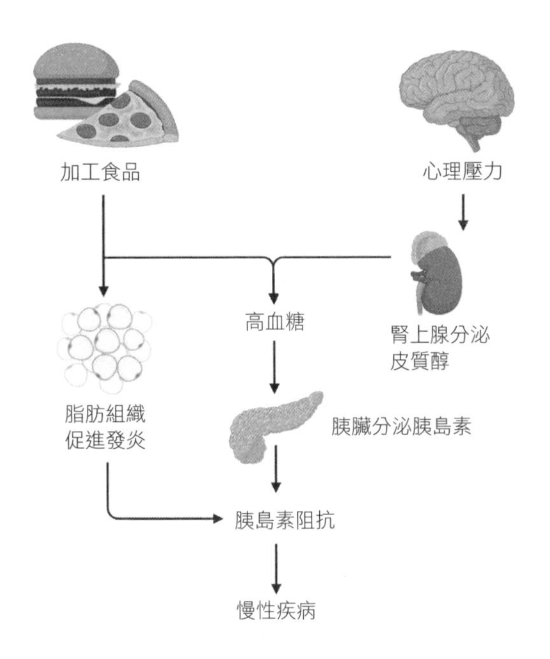

我在這裡希望用最直截了當的方式，為困擾現代人的慢性病指出問題所在，然而更重要的是提出一個可以執行的解答。就像上方這張圖所表達的，導致胰島素阻抗有兩大路徑，我們可以試著從飲食和壓力反應來調整，不再走上通往胰島素阻抗和慢性病的道路。

接下來，我希望先從怎麼調整飲食，減輕胰島素阻抗著手，並從運動和壓力管理切入，搭配飲食和營養素的調整，陪伴你得到健康。

8
從代謝和營養，回顧常見飲食法

在過去，這些健康資訊是只屬於專家的權利，大多數人也把自己的健康交由專家來掌控。但這十幾年來，我發現不光是教育提高，讓更多人有能力接觸到進階的健康資訊，同時也有一股講究透明、親自嘗試的風氣開始流行。

我還記得有一次在外地出差，遇到車子有狀況，就近找了一個地方修車。在等待時，一位很壯碩的男士來接待我。

我看他的身形，問他是不是喜歡健身，而飲食以肉食為主？聽到我問，他很熱心向我分享他所嘗試的各種飲食法。只要曾經流行的、找得到資料的，他都試過。是到後來用純肉飲食，他的身心狀況才穩定下來。

在談話的過程中，他講得頭頭是道，對細節的描述和掌握，醫師聽到都會佩服。像他這樣，親自實驗不同的方法後重新得到健康，對自己所掌握的知識和觀念是不會輕易動搖的。我最多也只能提醒他，長期還是要減少肉類的攝取，來減輕身體的負擔。

或許你和這位男士一樣嘗試過不同的飲食法，也可能你還不太清楚究竟有哪些飲食法，畢竟從小學、中學開始，學校教的、媒體談的健康飲食，基本上就是美國的《USDA 飲食指南》。大多數人也是家人準備什麼就吃什麼，不見得仔細評估過飲食的搭配和選擇。絕大多數是因為身體有狀況，像體重、血壓、血脂和血糖不對勁了，才會想調整飲食。這時問題就來了：要從何調整起？哪種飲食法比較適合？

在這兩章，我會把幾種有代表性的飲食法介紹出來。你會發現有些飲食法是依照吃什麼或地區來定義，像是純肉飲食、原始人飲食、地中海飲食、標準美式飲食和素食；而有些飲食法則是一開始就從碳水化合物、脂肪、蛋白質三大營養素的比例出發，像生酮飲食、低醣飲食、美國《USDA 飲食指南》。

當然，飲食法不只這些，有些短暫流行或已經過時的飲食，我就不單獨拿出來談。有些飲食則可以歸類到這些飲食之下，我也就不再一一列舉。

你可以想像，光是定義方式的不同，就影響到它們是否能落實、是不是能夠互相比較。舉例來說，地中海飲食以區域為特色，但有人以為餐餐吃一大盤義大利麵就算是地中海飲食，卻沒有想過在地中海地區的人是不是真的這麼吃而得到健康。

一個人吃素，可能是白飯和麵條為主的高碳水化合物飲食，也可能是大量生菜為主的生機飲食。雖然都是素食，但從營養組成和健康後果來說，根本不能算是同一種飲食。

在這裡，延續第 1 章下來的脈絡，讓我先從每 5 年修訂一次的美國《USDA 飲食指南》開始，接下來再一一介紹這張圖裡的其他飲食法。

既然剛談完胰島素阻抗和代謝症候群，我也會將這些飲食法，盡量依照營養學家整理出來的碳水化合物佔熱量比例，由高至低排列。當然這個比例只是理論上的情況，而在具體執行時，依個人理解和落實的程度，是會有些不同的。

《USDA 飲食指南》：是一種低脂肪、高碳水化合物的飲食，建議脂肪佔飲食熱量 30%，碳水化合物 50%，而蛋白

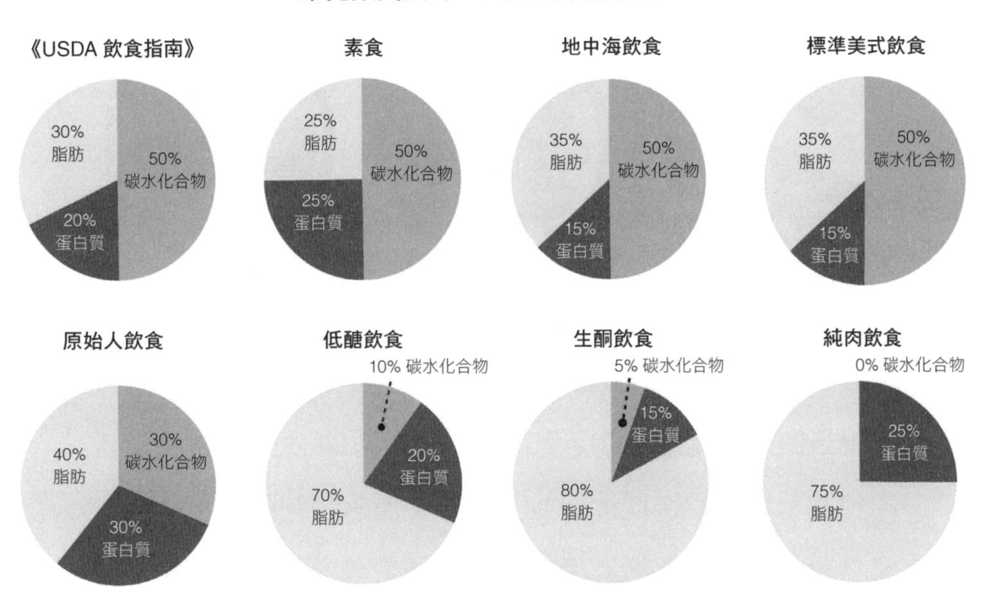

質約 20%。《USDA 飲食指南》注重飲食的營養密度（也就是飲食裡有多少營養素），也鼓勵採用多元化的食物種類，建議大眾少吃含有添加糖（低於每天熱量 10%）、鈉（每日小於 2,300 毫克）、反式脂肪、飽和脂肪（低於每天熱量 10%）的飲食，盡可能多吃蔬菜水果、豆類、澱粉類、乳製品、全穀類與瘦肉。至於酒則是盡量少喝，男士一天最多 2 杯，女士最多 1 杯。

《USDA 飲食指南》

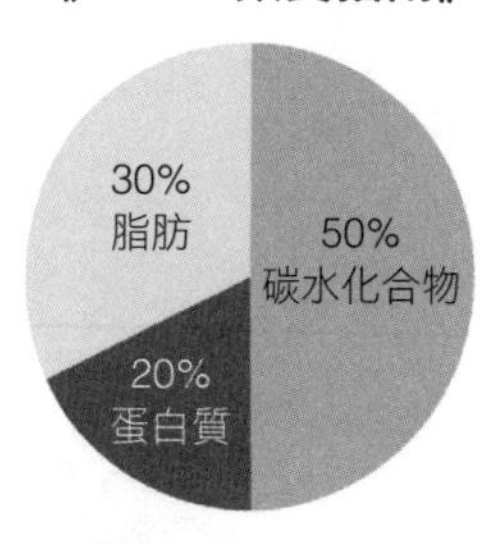

有些人認為，美國農業部發布的《USDA 飲食指南》與其說是為大眾健康著想，其實更是為了照顧農業和食品業者的利益。坦白說這種批評並不過分，看看制定飲食指南的專家名單，就會發現超過半數和相關業者有各種利益關係。

我在第 1 章已經談過，美國的《USDA 飲食指南》反映了一種希望降低心血管疾病發生率的理想，但這個理想所根據的觀念是已經過時的看法，像是認為飽和脂肪與膽固醇會導致心血管疾病，或將不同營養素的熱量等同視之而忽略它們對代謝的作用並不相同。照著這種低脂高碳水飲食的指南來吃，反而讓人容易轉成高體脂、代謝症候群、慢性病的體質。

素食／蔬食：許多朋友是為了愛護生命，或是有宗教信

仰，或想保護地球環境，或為了健康而不吃動物的肉。有些朋友只吃純粹來自植物的飲食，有些則會加上蛋和乳製品。從營養的角度來說，如果完全不接觸動物性的飲食，建議每天補充維他命 B_{12}，這是只在肉或蛋奶才有的營養素。

少了肉類的脂肪，素食和《USDA 飲食指南》一樣屬於低脂高碳水飲食，但脂肪更低僅約 25%。這時碳水化合物與脂肪的品質就是不能忽視的關鍵。雖然有研究指出長期素食可以降低死亡率和糖尿病、肥胖、心血管疾病和憂鬱症等慢性疾病的發生率，但一個人如果因為忙碌或不重視飲食，吃素反而容易過度依賴精製米麵等主食，少吃天然蔬果，更別說吃不到夠多的好脂肪。這種脫離蔬食的素食，對健康的傷害和第 3 章所談的過度加工食品其實沒兩樣；而長期缺少飲食脂肪，對女性的內分泌和情緒健康都有不利的影響。

關於素食和健康，我會在接下來談減醣、脂肪、蔬菜和過敏的章節多談一些。畢竟吃素是對生命很大的善意，我當然希望吃素的朋友能夠吃得健康。

地中海飲食：希臘、土耳其、義大利、西班牙這些位於地中海周圍的國家，當地飲食採用大量橄欖油、豆類、未經精製的穀類、蔬菜、水果、魚，適量的乳製品（起司與優格）和紅酒，對紅肉和奶油的攝取並不多。

地中海飲食少不了風味濃郁的橄欖油與起司，脂肪佔飲食熱量比例約 35%，碳水化合物比例雖然偏高，約 50%，但是是以蔬果和未精製的穀類為主的高品質碳水化合物。富含地區特色的飲食風格，再搭配少量（15%）以海鮮、魚類為主的蛋白質，有很長一段時間被認為是健康飲食的代表，或

地中海飲食

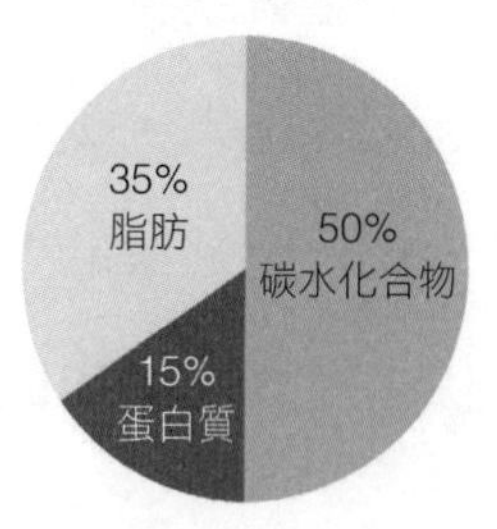

者說反映了營養專家在充滿過度加工食品的標準美式飲食文化裡，希望回歸自然飲食的理想。我在第 1 章提到鼓吹低脂飲食以減少心臟病發生率的安塞・基斯，這位專家正是這種地中海飲食風格的愛好者。他後來甚至買了一間希臘小島上的別墅，作為美國之外的另一個家。

地中海飲食以新鮮的原型食物為主，活潑的配色和清爽的烹煮方式，確實是吸引人接觸健康飲食的好起點。研究也已經發現，地中海飲食與比較低的總死亡率、比較低的慢性病發生率（例如心臟病、肥胖、癌症）有關。

我過去請台北身心靈轉化中心的同仁，透過提供地中海飲食，讓有興趣的朋友能接觸到好的生菜、好水與健康的烹調方式，並鼓勵他們進一步回家去實踐。會這麼做，最主要是希望示範天然完整的原型飲食，特別是將橄欖油的抗氧化和生菜這種充滿生命力的活飲食帶給大家，而不是單純為了推廣一種異國飲食而已。我相信接觸過地中海飲食的朋友，在讀完這本書之後，會更能夠掌握健康和美味的重點。

標準美式飲食：經濟發達的國家如美國，一般人大量採用經過加工的現成飲食，像是精製穀類、紅肉、加工肉品、含糖飲料、速食、糖果、甜點和油炸食物，而少吃天然的蔬菜、水果、全穀類、魚和堅果。

標準美式飲食的熱量相當高（估計一天 2,300 ～ 3,600 大卡），並不是專家會推薦的飲食，一般也認為和許多慢性病有關。這種飲食的問題不只在三大營養素的熱量比例，總攝取量也過多，而且吃的全是空有熱量、缺乏天然營養的過度加工食品。在營養學圈子裡，標準美式飲食，包括它的縮寫 SAD（剛好是英文「悲傷」的意思），已成為一種形容詞。營養學家談 SAD 不只是指稱美國人的飲食，更是用來反諷——現代社會愈富足，人們反而吃得愈糟的可悲現象。

介紹完這 4 種常見的飲食法，我相信可以讓你想起過去所接受的營養知識和說法，也自然會想知道一些比較新而可能對你有用的調整方式。接下來，我會繼續談下去。

標準美式飲食

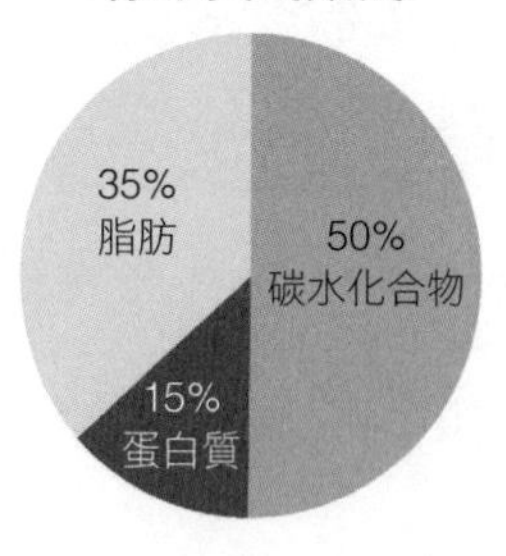

9
新時代的飲食調整
更著重於修正和修復

前面談到一些常見的飲食法，這一章會介紹近代才出現的飲食調整，如原始人飲食、低醣飲食、生酮飲食和純肉飲

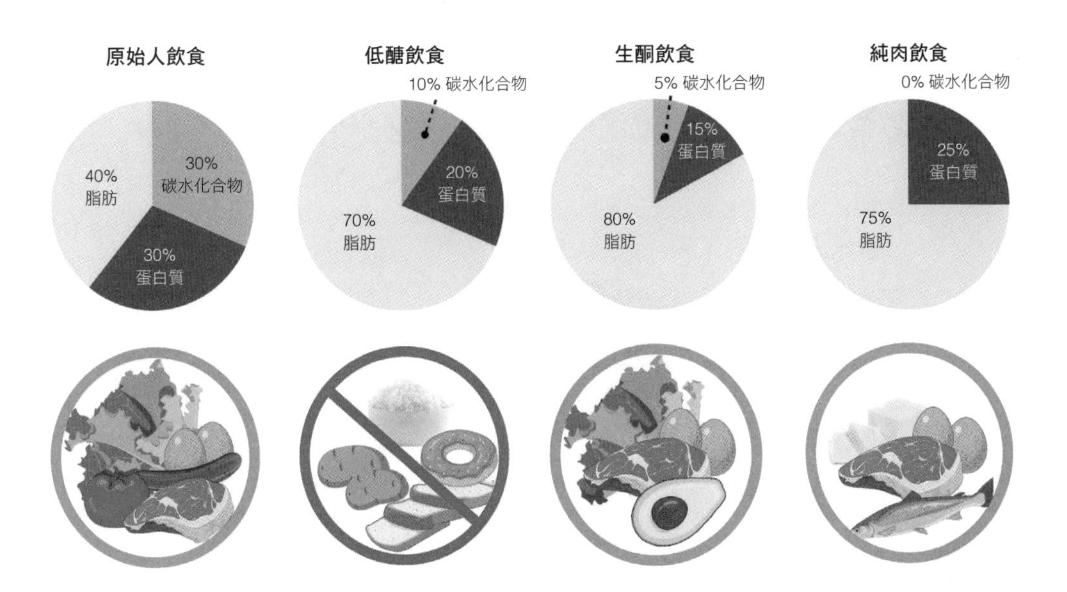

食。從某個角度而言，這些飲食法帶有革命性的意義。雖然有些方法的長期效應還有待觀察，但如果能針對個人的體質來採用，有機會在短時間內為個人帶來體質的調整。

原始人飲食：相較於標準美式飲食是現代社會的產物，有一種看法則是認為，我們應該延續人類從幾萬年、甚至幾百萬年前的舊石器時代就採用的天然飲食，包括蔬菜、水果、肉類、動物內臟、蛋、種籽、堅果、根莖類這類原型食物，而避開人類進入農業社會後和近代才出現的穀類、豆類和加工食品，也避免糖、乳製品、精製油、鹽、酒和咖啡。

進入農業社會，可以讓人穩定過上吃飽的日子。我們一般會當作是一種人類智商的成就，自然沒有想過這種進展可能對健康帶來傷害。舉例來說，古埃及文明是一個剛採用農

原始人飲食

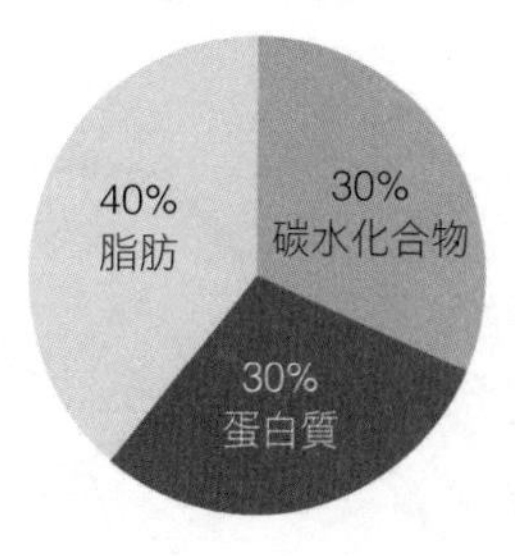

業生產的文明，人們以小麥和麵包為主食。但考古學家解剖木乃伊發現，當時的人除了普遍有蛀牙問題，頸動脈和冠狀動脈也有明顯的脂肪沉積和發炎受損跡象。從我的角度看來，這和人類突然大量攝取碳水化合物脫離不了關係。

原始人飲食的主張不只是一種單純的回歸原始的訴求，它背後其實含著生物學的道理。主張原始人飲食的人認為，人體消化食物的機制是經過千百萬年，在採集和狩獵為主的生活方式下演化而來的。這一套機制擅長處理跟人類共生存比較久的飲食，像是綠色蔬菜和十字花科的蔬菜，而不擅長消化比較近代才浮出來的食物項目，像是穀類和加工食品。回歸原始人的飲食，一方面減少了現代過度加工食品帶來的負擔，同時也和我們身心的機制比較吻合。

低醣飲食：是一種依照主要營養素比例來定義的飲食，也就是將碳水化合物的攝取降低到佔飲食總熱量的 10%，而飲食總熱量的 70% 來自脂肪、20% 來自蛋白質。更精確一點來說，是一種低醣高脂飲食，並且鼓勵多採用天然的原型食物。

低醣的醣，包括了嚐起來甜的糖，和含高量碳水化合物

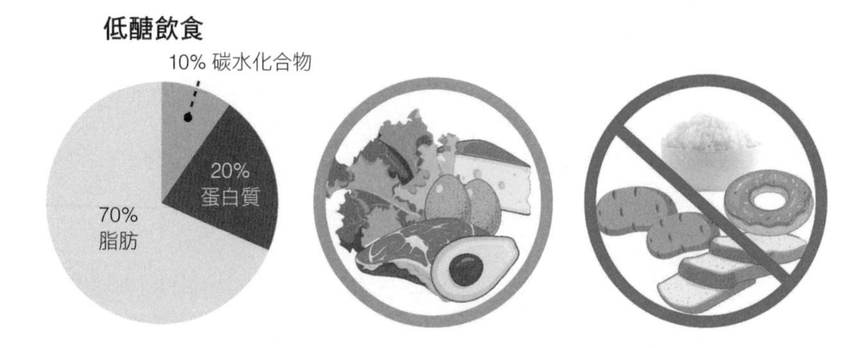

的飲食，像是富含澱粉的蔬菜（例如胡蘿蔔、馬鈴薯、玉米）、水果、米飯、麵食、麵包與甜點。低醣飲食，就是少吃、甚至不吃上述這些食物。水果和過度加工食品因為含果糖，也在限制之列。低醣飲食要減少這些含醣類的項目，但鼓勵多吃脂肪和膳食纖維，並適量吃蛋白質。

採用低醣飲食，可以用來減輕體重、預防胰島素阻抗，而進一步預防肥胖、二型糖尿病、發炎、心血管疾病與癌症。因為它對改善代謝症候群有著關鍵的作用，我在這本書會用多一點篇幅，從第 12 ～ 18 章一步一步示範如何從減去精製糖、減去精製澱粉，到進入低醣飲食。

生酮飲食：生酮飲食可以看作是更嚴格的低醣飲食，將

生酮飲食

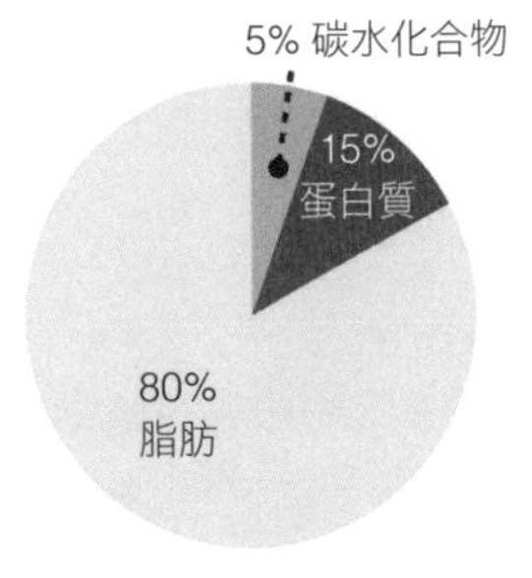

含醣的項目降到低於每天熱量攝取的 5%。至於蛋白質因為在體內的代謝到最後也會轉為糖分，所以也要少吃。生酮飲食嚴格低醣、少吃蛋白質、讓飲食熱量有 80% 來自脂肪，是更名符其實的低醣高脂飲食。

常見於生酮飲食的食物通常包括堅果、鮮奶油、酪梨、奶油、椰子油、肉類、蛋、乳製品。一般人為了避開蔬果裡的糖，可能會吃不到足夠的膳食纖維，這要特別注意，需要用含糖量低的蔬菜來彌補。

生酮飲食早期用來治療幼年癲癇患者，可以降低癲癇發作的頻率。也有人嘗試用來治療阿茲海默症、漸凍人症、巴金森氏症與癌症。這一點，和生酮飲食促進身體將脂肪轉為

「酮體」（ketone bodies）脫離不了關係。酮體可以被身體細胞和腦細胞當作能量來直接使用，透過改善身體運作的效率而可能使症狀減輕。

現在，一般人談到生酮飲食，就會連想到減重。這是因為生酮飲食嚴格限醣的特色，讓身體早晚能消耗掉體內的糖和肝糖，而進入燃燒脂肪作為能量來源的代謝路徑，達到減重的效果。要提醒的是，一般人在嘗試生酮飲食嚴格限醣的同時，或許因為不習慣高脂肪的飲食，而無意間用太多肉來替代，長期會造出腎臟負擔，同時也使飲食蛋白質過量而轉化成糖，降低生酮的效率。

純肉飲食：純肉飲食和素食剛好相反，是只吃動物性的食物，例如肉、蛋、奶，而不吃任何蔬菜、豆類與穀類。肉、蛋和奶的營養素以脂肪和蛋白質為主，雖然我在這裡將它的碳水化合物假設為零，但真正的食物裡還是有少量的碳水化合物。

一般人會採用純肉飲食，是希望減輕因為植物性飲食帶來的過敏症狀，像是發炎、疲憊、脹氣、關節疼痛等等。這種過敏並不是每個人都有，但隨著現代人腸道不健康也逐漸

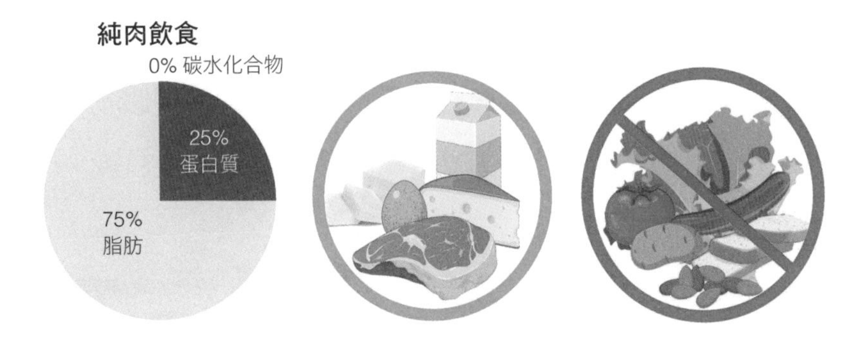

普遍起來，我會單獨用一個章節來談這種過敏的主題。值得注意的是，純肉飲食雖然可以在短時間就修正這種過敏的問題，但就像前面提到的，長期吃太多肉對代謝是有負擔的。這是想採用純肉飲食的朋友應該注意的。

——・——

我用兩章來談完這些飲食法，嚴格來說，素食、地中海飲食和標準美式飲食並不能算是一種飲食調整的方法，最多只是反映了幾種常見的飲食型態。《USDA 飲食指南》、原始人飲食、低醣飲食、生酮飲食、純肉飲食，才是帶著調整目的的飲食法。

不同的飲食法，當然有它各自的背景、前提、假設、適用／不適用的人群、執行方式、所承諾的結果。坦白說，沒有哪一種飲食法是萬能的。

為了修正《USDA 飲食指南》50% 碳水化合物的標準可能帶來的後遺症，我在《真原醫》談到飲食金字塔，建議一個人吃碳水化合物應該以原型高膳食纖維的食物為主，例如全穀類和蔬菜。而且高膳食纖維的蔬菜至少要佔一半以上，如果能採用帶有活酵素和活成分的生機飲食是更好。這目的就是用不含熱量的膳食纖維，替換掉會帶來熱量的淨碳水化合物，希望減輕以醣類為主的《USDA 飲食指南》對能量代謝造成的負擔。

此外我還建議多吃好脂肪、適量蛋白質。實際執行起來，《真原醫》所建議的飲食三大營養素比例，約在這兩章所談的地中海飲食和生酮飲食之間。

為了修正飲食導致的代謝問題，這些年流行的原始人飲食、低醣飲食、生酮飲食、純肉飲食，共通的特色是大幅度減少，甚至完全不採用醣類，以快速達到減重與體質調整。

當然，長期採用純肉飲食和生酮飲食的效果還有爭議，但確實能在短期讓一個人的代謝從危險的糖尿病前期轉出來，對於健康肯定有它的貢獻。

當然，要調整飲食，需要更具體的執行方法。舉例來說，雖然前面在介紹飲食法時，已經指出了每種飲食中三大營養素的熱量比例。但對一個要執行其中一個方法（例如低醣飲食）的人來說，還需要先知道自己一天適合吃多少熱量，而又該吃多少碳水化合物、蛋白質和脂肪？

你不用擔心，我們下一章會一起進入熱量的世界。

10
計算飲食的熱量

每個想調整飲食的人，都會提到熱量。但「熱量」這個詞到底是什麼意思？我們吃下去的明明是一盤蔬菜、肉類和米飯，有時候還吃冰淇淋，怎麼會轉成熱？

熱量是一個物理學的觀念，也就是帶來熱的一種能量。冰淇淋的溫度（也就是被感受到的熱度）很低，但裡頭蘊含的能量可以在燃燒後轉化為熱。為了方便比較和計算，物理學家將能夠讓 1 毫升的水上升攝氏 1 度的熱能定為 1 卡。我們一般講飲食的熱量用的單位是「大卡」，1 大卡等於 1,000 卡。

當然，要測量熱量，必須在封閉的環境測量，不然我們永遠不知道溫度的上升或下降，是來自於要測量的東西或是環境的變化。這個測量熱量的設備長得像炸彈，科學家稱它為

「彈卡計」(bomb calorimetry)。你不用為科學家擔心，彈卡計並不是真正的炸彈，只是將這個過程比照炸彈引爆來處理——在耐高壓的反應槽裡進行，以應付燃燒反應前後的壓力變化。我們可以將待量測的食物項目放在裡面，通電引起燃燒，然後從周邊水上升的溫度來計算這個食物項目所含的熱量。

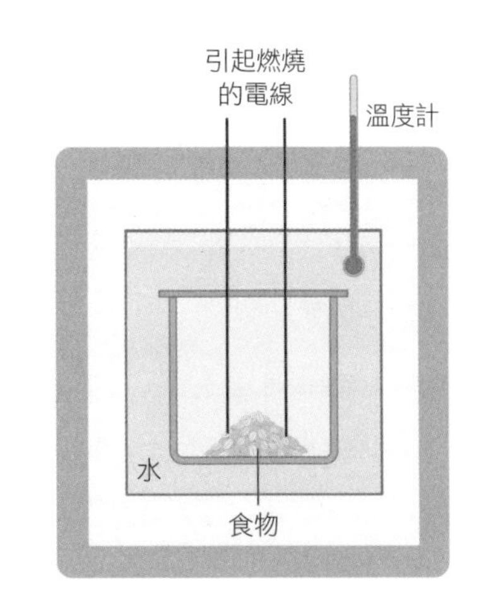

也許你會想，用這種方式測到的熱量，不見得能真正反映食物進入我們身體後的能量轉換情況。你想的沒錯，身體不是焚化爐，並不是吃什麼就會把什麼燒得一乾二淨。但科學家還是運用了類似的模式，把身體當作一個效率比較低落的焚化爐，透過燒完的殘渣來反推飲食裡有多少熱量被身體所用。

1900年代，美國科學家阿特沃特(Wilbur Olin Atwater)用彈卡計測量了一般人在吃下一定份量的食物後，糞便裡還有多少熱量。他將飲食理論上帶有的熱量，扣除在糞便樣品裡量到的熱量，所得的值當作飲食能被身體消化吸收的熱量。

這種估計飲食熱量算法所得到的數值，稱為「阿特沃特熱量換算因子」，也就是我們一般所知道的脂肪、碳水化合物、蛋白質這三大營養素的熱量。到現在，任何飲食的成分與熱量標籤，都是用阿特沃特熱量換算因子來計算的，我相信你也用過這個算法：

每公克脂肪 9 大卡

每公克碳水化合物 4 大卡

每公克蛋白質 4 大卡

從這個熱量換算因子來看，我們會發現同樣都是 1 公克的營養，脂肪卻可以帶來 9 大卡的熱量。相較於碳水化合物與蛋白質，**每公克脂肪所帶的熱量高得多，可以說是典型的「高熱量密度」飲食，而能以比較少的份量為身體運作帶來保護**。這一點對於我在這本書所要談的飲食調整相當重要，我會進一步從代謝和生理運作的層面來談。

當然，只要我們仔細去看，就能體會到阿特沃特做的是一種單一條件的估算，可能連平均值都稱不上。舉例來說，他的估算可能沒有再進一步考慮，身體消化吸收飲食的能力是會變動的。我們都知道，天涼的時候，身體要產生更多的熱來禦寒，自然會從飲食取得更多的能量，這會讓阿特沃特在糞便所量到的殘餘食物熱量變少。運動也會讓身體發熱，提高身體消化和吸收的能力，而且這種效應可以持續到運動後幾小時甚至幾天。一個人身體的產熱效率或代謝能力，也有遺傳的差異。

雖然阿特沃特熱量轉換因子不見得有絕對的代表性，但專家們還是繼續再推估下去。我們這個世代的飲食知識大樓，就是這麼蓋起來的。一個人如果想知道自己該吃多少，會讀到專家建議每公斤體重每天需要 25 ～ 40 大卡，或者再簡化一點，成年男性大約每天2,500大卡，女性約2,000大卡。

我在這裡，將前面談到的主要飲食法，套入男性每日攝取 2,500 大卡、女性每日 2,000 大卡，以及阿特沃特熱量轉換因子（碳水化合物 1 公克 4 大卡、脂肪 1 公克 9 大卡、蛋白質1公克4大卡）來計算三大營養素熱量和重量，如下表。

三大營養素佔熱量比	碳水化合物	脂肪	蛋白質
《USDA 飲食指南》 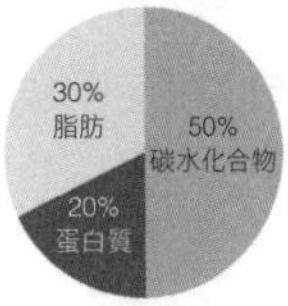 30% 脂肪 50% 碳水化合物 20% 蛋白質	1,000 大卡 250 克 1,250 大卡 313 克	600 大卡 67 克 750 大卡 83 克	400 大卡 100 克 500 大卡 125 克
地中海飲食 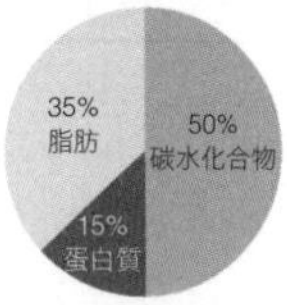 35% 脂肪 50% 碳水化合物 15% 蛋白質	1,000 大卡 250 克 1,250 大卡 313 克	700 大卡 78 克 875 大卡 97 克	300 大卡 75 克 375 大卡 94 克
原始人飲食 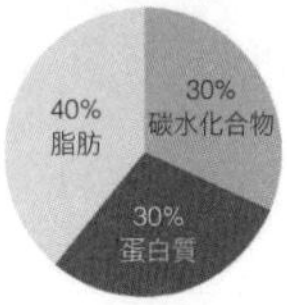 40% 脂肪 30% 碳水化合物 30% 蛋白質	600 大卡 150 克 750 大卡 188 克	800 大卡 89 克 1,000 大卡 111 克	600 大卡 150 克 750 大卡 188 克
低醣飲食 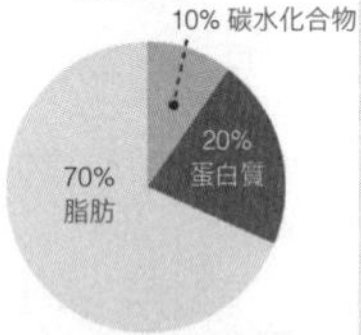 10% 碳水化合物 20% 蛋白質 70% 脂肪	200 大卡 50 克 250 大卡 63 克	1,400 大卡 156 克 1,750 大卡 194 克	400 大卡 100 克 500 大卡 125 克
生酮飲食 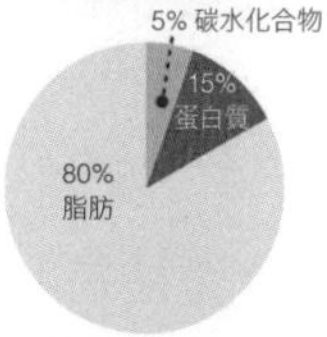 5% 碳水化合物 15% 蛋白質 80% 脂肪	100 大卡 25 克 125 大卡 31 克	1,600 大卡 178 克 2,000 大卡 222 克	300 大卡 75 克 375 大卡 94 克
純肉飲食 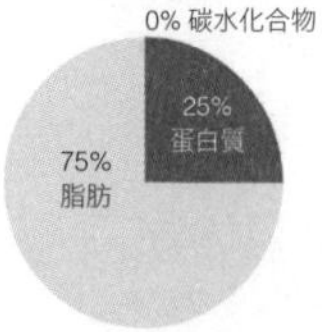 0% 碳水化合物 25% 蛋白質 75% 脂肪	0	1,500 大卡 167 克 1,875 大卡 208 克	500 大卡 125 克 625 大卡 156 克

註：綠字為女性（以每日 2,000 大卡計算）
　　藍字為男性（以每日 2,500 大卡計算）

當然，這是一種理想化的計算，畢竟阿特沃特熱量轉換因子已經抹平了個體消化與吸收能力的差異，也沒有哪一項食物是百分之百的碳水化合物或脂肪或蛋白質。真實世界的食物更是不會完全一致，舉例來說，同樣是牛肉，牛小排和里肌肉的含脂量與蛋白質量，也是相當不同。

我還是要再提醒，我們不可能樣樣都用彈卡計去量測熱量，也不會一一去檢查每個人的糞便來扣除身體沒吸收的熱量。透過這些表格，再怎麼精算，都還是將真實世界經過簡化的計算法。

但這個計算值還是可以作為參考，搭配一些現成的食物營養比例表（現在透過網路很容易查到），在調整飲食的初期帶來一些方向感。

舉例來說，如果一個人要採用生酮飲食，想知道最多能吃多少米飯，他在網上可以查到一碗白飯大約是 50 公克淨碳水化合物。對照前一頁的圖表，以女士來說，一天能攝取的碳水化合物的量 25 公克，就是約莫半碗白飯的份量，而男士可以吃 31 公克，比半碗再略多一些。

當然這沒有考慮個人體型和活動量的差異，也還沒有估計到其他食物例如肉類、乳製品、醬料等所含的少量碳水化合物。對嚴格執行生酮飲食的人來說，將這些少量碳水化合物都算進去之後，能吃的白飯可能連一口都不到。

生酮飲食的熱量來源主要來自脂肪，脂肪佔熱量比達80%。假定女士每日要攝取 2,000 大卡熱量，也就是其中 1,600 大卡來自脂肪，那是相當於 178 公克的油脂。認真說起來，絕大多數人吃不了那麼多油，需要透過蔬菜、肉類和乳製品把油脂吃進身體。有些採用生酮飲食的人，發現胃口自然會降下來，因為油脂不刺激胰島素，比起澱粉和糖更容易讓人覺得吃飽了而停下來。

如果同樣 1,600 大卡熱量來自碳水化合物，那得要吃上 400 公克，約當於 8 碗白飯的份量。和澱粉與糖這類碳水化合物相較，脂肪的確是非常高熱量密度的飲食，也更容易帶來飽足感。

生酮飲食所採用的油脂，並不是單獨攝取，主要是來自動物性飲食如奶、蛋、肉類，也可以是植物性的飽和脂肪。然而調整飲食讓身體進入「酮態」（ketosis）的關鍵，不完全在於吃油，最主要還是將碳水化合物降到極低，讓身體改用體內本來就有的脂肪做為能量來源。這方面的原理，我會在這本書接下來談飲食調整的章節多談一些。

對我而言，**在飲食調整的初期，謹慎是必要的**。畢竟不去控制的話，也很難徹底扭轉代謝。就像前面生酮的實例，如果不控制碳水化合物的量，吃再多油也不會帶來生酮的效果，更不可能在短期內對代謝和體質帶來調整。

但長期的飲食，與其斤斤計較數字架構出來的熱量，更重要的是以天然的原型食物為主，用高營養密度和高熱量密度的飲食將自己餵飽，同時不去過度刺激胰島素，不要害怕飽和脂肪。心安理得從健康飲食得到滿足，這本身就是好生活習慣的一部份。

飲食的處理方式也影響了熱量是不是更容易被身體吸收，所以我一再強調要吃天然的原型食物，避開過度加工食品。舉例來說，同樣都是玉米，墨西哥薄餅的玉米是經過精製的玉米粉，對身體而言不需要經過太多步驟就可以消化，能被身體吸收的熱量比例，會比原型玉米高得多。

基礎代謝也會影響。基礎代謝指的是身體維持基本運作所需要調動的能量。你吃得多時，身體的基礎代謝率會高一些。當你吃得太少，身體的基礎代謝率會下降。從某個角度來說，這就像是身體預留的一種保險機制，當周邊飲食不夠時，盡量省著用，爭取更高的生存機會。

年紀大的朋友代謝和活動力都下降，身體能量需求降低，會讓他們更容易將所吃下的飲食轉為脂肪來儲存，而導致體重上升。

此外，身體的消化和代謝系統，都是白天的作用比較旺盛，夜裡的作用就降下來。太晚進食，身體消化和代謝的效率都不夠，長期下來也會讓體重增加，容易導致慢性病。

我們也不能忽略一個事實：飲食調整離不開個人的心理和生理。我見過無數的人，明明已經吃飽了，但也許是因為煩惱、無聊或焦躁，還不斷地將飲食往嘴裡塞。也有些人因為長期失衡，身體代謝已經失控，不斷地吃下超過所需要的份量。這時能針對個人失衡的情況著手，就是好的飲食調整方法。

我們需要營養學與熱量的工具，幫助我們重新調整飲食，恢復代謝的靈活性，把健康找回來。但考慮食物本身的差異、個人體質、代謝等等因素，食品包裝印出來的數字並不完全等於身體會從這份食物所取得的熱量。如果一個人減重只靠著包裝上的熱量來計算，也有可能會誤導自己。

關於如何透過飲食調整來減重、得到健康，我們需要一個整體的方法，我會在這本書接下來多談一些。

11
飲食調整，是爲了恢復代謝靈活性

前面談到代謝症候群，也就是代謝僵化而帶來種種症狀，如高血脂、高血糖、高血壓和腹部脂肪多等等，長期下來會延伸出二型糖尿病等等慢性病。

代謝靈活性則是剛好相反，是代表一個人的健康和彈性。我所談的飲食調整和生活習慣的轉變，沒有一項不是為了恢復代謝的靈活性，也就是為了調整體質。我甚至考慮過用「代謝靈活性」作為這本書的書名，可以想見我對這個觀念的重視。

讓我用白話一點的例子來表達。其實大多數人都曾經體會過代謝靈活性這個觀念：一個人的代謝如果是靈活的，不光是健康而精力充沛，可以承受繁重的體力和心力勞動，而且就算累了一整天也很快能休息過來。

代謝的靈活性也就是在表達，身體能配合環境變化而做不同程度的調整，並且很容易調整回來。但如果失去了這種代謝的靈活性，像是長期只在某種條件下運作而讓身體反應僵化，那麼能隨環境變動而調整的幅度就變得有限，有時連應付眼前的需要都有困難。

就像下面這張圖所表達的，有好的代謝靈活性，面對壓力或變化，身體可以配合著做反應，而隨著壓力結束，也可以很快恢復過來，回到原本的狀態。但一個人如果代謝失去了這樣的靈活性，就需要更長的時間才能恢復，甚至有時怎麼都恢復不了。

大多數人也是一樣，不知道從什麼時候開始，好像比以前更容易疲憊、熬夜後精神恢復不來、再怎麼少吃都不會

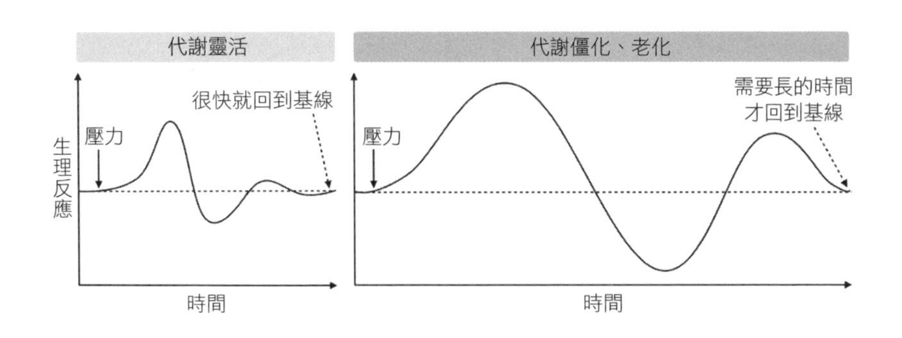

瘦。通常也就是這時候，才意識到自己已經不再那麼健康。

我在《真原醫》談心率變異，和代謝靈活性其實是同一個觀念。心率變異，指的是心臟跳動速度的變化幅度。健康的情況是，你想全力奔跑，心跳可以配合狂奔；你安安靜靜地坐著，心跳可以穩健而舒緩。不健康的情況則是，你希望全力衝刺，心臟卻怎麼也配合不了；等你可以休息了，心臟卻還撲通撲通地急速跳動。心率變異大，也就是心臟的反應是靈活而有彈性，不光可以針對眼前的狀況來加速，也很容易恢復休息的狀態。

飲食也是一樣的，**一個人的能量代謝如果健康，不要說吃什麼都可以，就連不吃都不是問題**。畢竟身體本來就能用體內的脂肪當作燃料，並不是一點時間都不能沒有飲食。早期人類有時幾天吃不到東西，在這種狀況下，儲存在腹部和大腿的脂肪是最有效率，也最方便攜帶的燃料，而不至於影響一個人的活動。

現代人代謝失去靈活性的情況，可以說是吃出來的，前面提到，長期熱量過剩，讓身體進入胰島素阻抗，而長時間過度依賴高碳水化合物的飲食，則讓內分泌錯亂到一個地步，變得不吃不行、但愈吃反而愈容易餓。

但其實身體不是只有依賴燃燒醣類這個路徑，**現代的飲食調整，少吃碳水化合物正是一個重點**。而調整的重點也就在於**挪開對於碳水化合物的絕對依賴，將另一條燃燒脂肪的路徑調動起來**。低醣飲食和生酮飲食都是從這裡切入，而希望幫人恢復健康。

從另一個角度來說，**要恢復代謝的靈活性，我們也同時要從「非吃不可」的心態轉到「可以不吃」的心態**。現代人的問題不在於吃不夠，而在於過量。已經過量了還要繼續吃，只是說明了我們給自己的制約有多重，重到連代謝都異常了，還要繼續依賴不健康的飲食。**一個人轉到「可以不吃」的心態，從身體最重的制約放鬆下來，才有機會扭轉代謝，來配合個人的轉變**。

讓我再強調一次，一個人不用擔心不吃。**從心態上可以輕鬆接受「不吃」，或說取消對「不吃」的恐慌**，是我在這本書希望達到的。會用一整本書來談飲食調整，並進一步進入斷食，為的也就是幫助大家恢復代謝的靈活性。

一個人少吃碳水化合物，但多吃好的脂肪，這樣的調整法讓人不容易覺得餓，也會吃得少，三餐自然變成兩餐，甚至一忙也就忘了用餐，吃或不吃不再是多大的問題。等他適應低醣的飲食，身體從內分泌、神經迴路和能量的運用，都得到了重新的整頓，代謝也自然會恢復彈性。

進行飲食調整，並不是說非要一生守住哪一種飲食法不可。一個人可以從不同的飲食得到營養，也可以斷食，這就是代謝靈活性的觀念。

最重要的是，**在飲食調整的過程中，要懂得採用熱量密度足夠的食物，不要讓自己挨餓**。一挨餓，身心當然會反彈，任何飲食計畫都很難成功。

接下來，我會多用幾章來談怎麼透過飲食調整，特別是低醣飲食，來幫人走出愈吃愈不健康的困境，化解胰島素阻抗、脫離慢性病體質。很有意思的是，即使一開始的出發點不是減重，但不知不覺也會瘦下來。就好像身體裡一組運作失常的環節得到修正之後，其他部位的負擔開始減輕，而能重新恢復正常運作。

少吃碳水化合物，以原型食物為主，對現代人就是有這麼關鍵的作用。

12
分享：一個月的斷糖實驗

要離開「飲食→不健康」的循環，是有方法的。我們可以重新設定神經迴路，讓腦可以接受天然的、真正的食物。

首先，意識到自己原來一天到晚都在吃加工食品，而且愈吃愈多，精神卻愈來愈不好。我們需要做一點不一樣的事，來打破腦部已經上癮的迴路。

2021 年，我透過網路帶領「沒有路的路」共修，在美國的管理工作也同時在進行，而且因為疫情，其實比往年都更忙碌。然而共修期間，我還是會斷食，讓自己身心淨化。

我在美國的同事如果這段期間和我一起出差，遇到用餐的時段，畢竟還在工作，不會多吃，也自然會好奇我怎麼會斷食。既然如此，我乾脆鼓勵他們和我一起調整飲食，而且最好能持續一個月。這兩年疫情最大的影響，就是讓人活動量變少，而很多人都發胖，正是調整飲食的好機會。當然我並不建議他們立即斷食，而是從**不吃精製糖，並且吃大量的蔬菜**開始，也就是採用**斷糖的生機飲食**。

一個人只要能夠斷掉糖，尤其是精製糖的攝取，已經可以得到許多健康的好處。糖，算得上是一種荷爾蒙，不光是作為提供能量的燃料，就像前面提到的，它本身也在刺激神經，而帶動多巴胺的獎勵系統。

前面提過，多巴胺的獎勵系統是一個期待系統，而這樣的期待系統影響生活的方方面面，推動我們努力工作，期待得到獎勵。這樣的期待系統會被糖所驅動，所以如果本來習慣了糖，卻突然不吃糖，頭幾天會非常難受，人會變得無精打彩，甚至沮喪。

這時如果忍不住去吃糖，會吃得特別多。從享樂適應的道理來看，從糖得到的滿足感和快樂，很快就讓人習以為常，下次要吃更多糖才能達到和上次相同的滿足感。這自然會讓人不吃糖就感覺好像少了什麼，甚至非要吃到糖才過癮。這強度和毒品幾乎是一樣的。

當然，如果你沒有親自嘗試過斷糖，大概也難以想像它的強度。

一個人在斷糖的時候，其實需要一些照顧和提醒。然而所謂的照顧和提醒，倒不是整天勸他別吃糖，而是要**幫助他找到新的營養、建立新的迴路，讓新的迴路能穩定下來**。

新迴路之一：好的脂肪

對我來說，這個新的迴路在營養上就是脂肪，尤其是好的飽和脂肪。接觸過《真原醫》的朋友都知道，我並不主張肉食，但有些同事沒辦法一下子完全改成以蔬菜為主的生機飲食，也不習慣我常推薦給朋友的橄欖油、椰子油、亞麻籽油，這時他們還是可以從帶著比較多脂肪的肉類（像是牛腩、牛小排、沙朗、肋眼肉）來取得這個新的營養。比起糖，脂肪和蛋白質更能帶來飽足感。

當然，也有些同事為了健康，或是希望對生命友善而長期吃素。對於不吃肉的同事，我也請他們準備核桃、胡桃、榛果這類含油和蛋白質的堅果，以及將酪蛋白過濾掉的澄清奶油（ghee）、冷壓椰子油、冷壓亞麻油、特級初榨的橄欖油和酪梨油。這都是配合大量蔬菜生機飲食的好脂肪，遠比玉米油、葵花油、芥花油、大豆沙拉油、棉籽油好得多。

大多數人聽過蛋白質有必需胺基酸，但**我們的身體其實也需要必需脂肪酸**，像抗發炎的 omega-3，和參與發炎反應的 omega-6 這兩大類脂肪酸，都是身體運作所必需。膽固醇也一樣，**所有細胞都需要膽固醇**來維持細胞膜的結構，才能發揮各種功能。

我會建議需要吃肉的同事去找草飼牛，而不是吃玉米和黃豆作為飼料的穀飼牛。牛所吃的食物，一方面影響牛本身的健康，另一方面也影響它所含的不飽和脂肪的比例，特別是 omega-3 與 omega-6 的比例。

穀飼牛所吃的玉米和黃豆，正是產業提煉植物油的原料。這些由植物種籽提煉的植物油，是 20 世紀才有的新成分，過去是拿來製作用品或當作燃料，現在卻大量進入我們每一個人的飲食。

這類種籽油主要是多元不飽和脂肪酸，本身容易氧化而產生有害物質，促進發炎的 omega-6 含量也偏高。穀飼牛肉的脂肪酸比例，則會反映植物性多元不飽和油 omega-6 偏高的問題，而且因為透過飼料長期累積，比例會更失衡。

對健康而言，這兩種脂肪的理想比例是 1 份 omega-6 對上 1 份 omega-3。草飼牛的 omega-3 比例比穀飼牛高得多。普遍有慢性發炎問題的現代人，如果需要攝取動物性飽和脂肪，草飼牛的奶油與肉搭配生機飲食是比較理想的選擇。不吃紅肉的人，也能從亞麻籽油、藻油和魚油等取得omega-3。

我在下方這張圖簡單列出一些飲食的脂肪酸比例，你比對自己的飲食，或許就足以幫助自己調整。一般西式飲食大

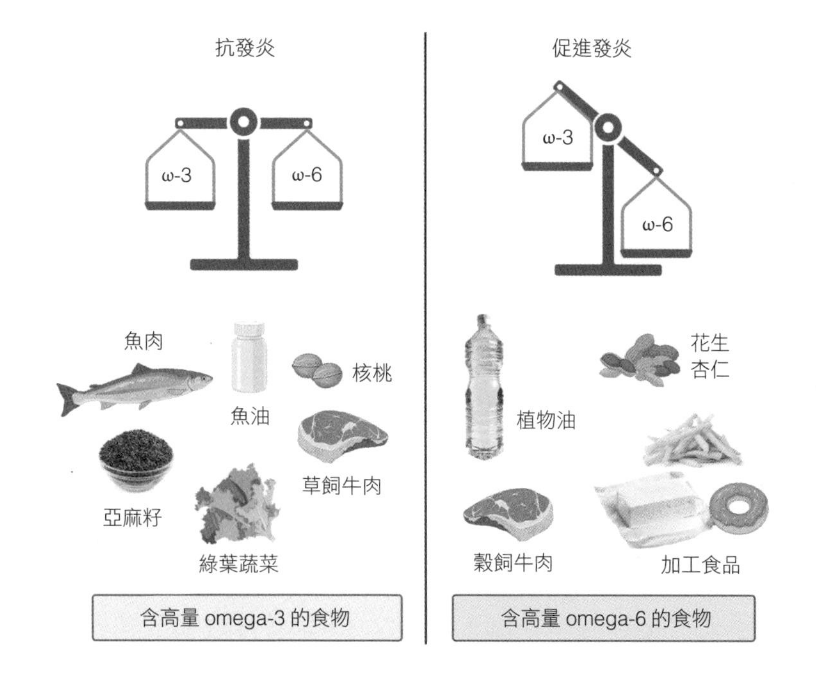

量仰賴種籽油，omega-6 對 omega-3 的比例可以高達 15:1。光看這數字，我們就會明白為什麼現代人發炎體質愈來愈嚴重。有些發炎相關的疾病，只要將這個比例降到 2 ～ 3:1 左右，就會有明顯的改善。

新迴路之二：運動

我帶給這些同事另一個新的迴路，是運動。我在共修期間常常到附近的小溪旁錄音，這些同事也會好奇。他們不見得熟悉全部生命的觀念，但會靜靜跟著聽。錄音後，我帶著他們在溪水裡運動，主要是做一些有氧健身的動作。

運動有重新設定代謝和內分泌的效果，包括降低胰島素阻抗。我也提過，運動對於心情有障礙的朋友是最好的藥，可以從代謝、內分泌和情緒層面帶來支持。關於運動，我會在這本書的第 34 ～ 38 章多談一些。最重要的，也就是找到適合自己的運動。

其實，帶著大家做運動，和吃脂肪一樣，是在建立一個新的迴路。一個月下來，雖然目標是斷糖，但大家的注意力放在嘗試脂肪、適應不同的運動，根本沒有時間去糾結吃不吃糖的問題，也就這樣從舊的迴路走了出來。

13
飲食調整也要減輕代謝負擔

在這一個月的斷糖期間，我也勸同事不要喝酒。一方面是對我同時還在主持共修的一種尊重；另一方面，酒精除了對神經系統造出衝擊，對肝臟代謝也帶來相當大的負擔，而所含的熱量最後只能轉為脂肪。有些葡萄酒還含有大量的糖，如果要達到斷糖的效果，不喝酒會比較有效。

為什麼要特別強調斷糖？除了前面提到的上癮之外，其實糖對身體的作用很廣。吃糖會讓血糖上升而刺激身體分泌胰島素，我讓同事斷糖，是為了讓胰島素降下來，幫助解開胰島素阻抗的困境。

一般所稱的血糖，指的是血液裡的葡萄糖。葡萄糖是 6 個碳環狀結構的單醣，可以直接進入細胞作為燃料。澱粉則是由葡萄糖組合而成的多醣，經過消化吸收後以葡萄糖的形式進入血液。至於我們常吃的砂糖，也就是蔗糖，其實是由1個葡萄糖分子和1個果糖分子所組成的雙醣。加工食品添加的高果糖玉米糖漿，則約有一半是果糖。

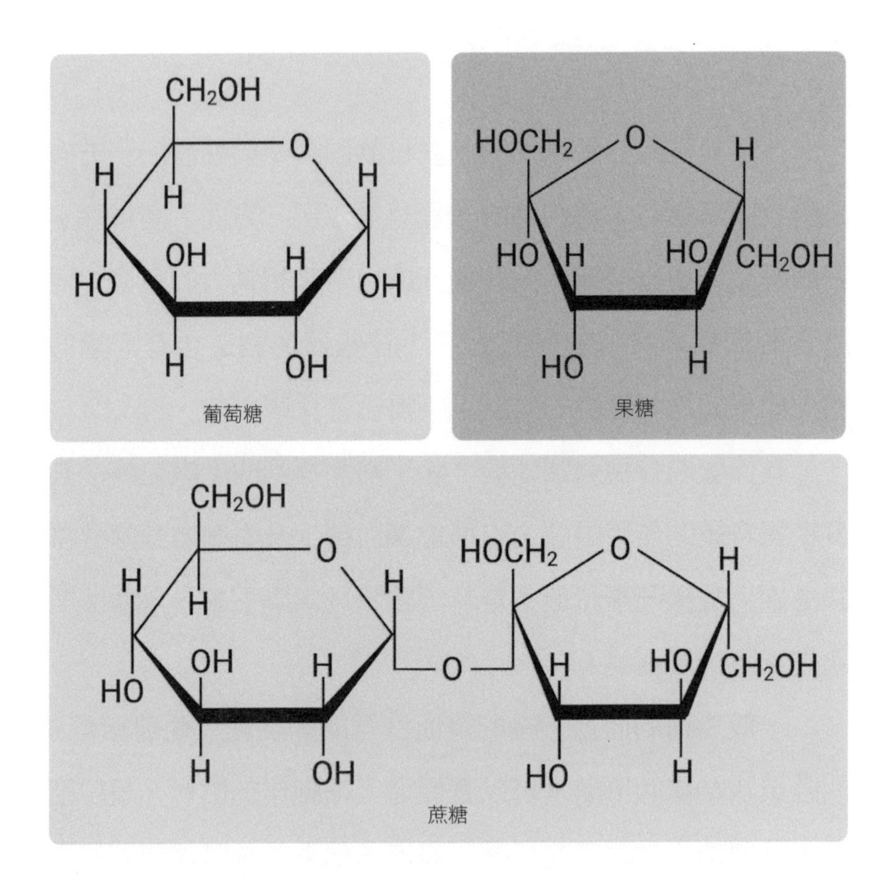

葡萄糖

果糖

蔗糖

果糖曾經被當作是一種健康的糖來推廣，畢竟本來是存在水果裡的天然糖，加上不太會刺激胰島素的作用，不會讓血糖上升，乍看之下好像是無害的糖分。但果糖的結構和葡萄糖不同，它是5個碳的環狀分子，無法直接被身體細胞當作燃料，只能全數進入肝臟來代謝，透過脂質新生的程序轉為脂肪。

我們現在聽到轉成脂肪就會開始擔心，也會連想到更多的慢性疾病。但如果我們是早期的原始人類，在難得的果實季節盡量多吃水果，並將水果裡的糖分盡快轉成脂肪儲存，其實是一種確保生存的優勢。

確保生存的機制還在，只是我們的生活步調和環境變了。早期人類只能在夏秋季節吃到水果，但現在我們是一年四季都在吃水果，有些人還用水果來取代蔬菜。這麼大的攝取量，即使水果所含的果糖是天然糖，但帶來的效果可能和所期待的健康是剛好相反。

一般人都不知道，果糖與酒精在代謝上相當接近，差別只是果糖不會刺激中樞神經系統，所以吃果糖不會醉。但果糖進入體內後，和酒精一樣全部進入肝臟代謝，大量攝取會對肝臟造出非常大的負擔。

果糖吃多了，容易導致非酒精性脂肪肝，此外果糖的代謝還會產生尿酸，對腎臟造出負擔，也和高血壓與痛風都有關係。果糖將蛋白質糖化的能力，也高於葡萄糖許多，攝取太多果糖，會提高體內蛋白質被糖化的程度，而在身體造出發炎與老化，這是值得注意的。

如果飲食真的需要一點甜味，可以用少量的蜂蜜。我會請朋友去找一種特殊的沙漠蜂蜜，這種蜂蜜含水量很低，容易保存，並且含有沙漠植物帶來的特殊植化素和微量元素。因為它的蜜源植物生長在沙漠，根延伸到地下深處而自然會得到土壤中純淨的營養。

順帶一提，鹽也是一樣的。與其用精鹽，我會建議朋友用喜馬拉雅山、沙漠，或其他未曾受過污染的鹽礦區所開採出來的岩鹽。用這樣的蜂蜜和鹽，不光得到甜和鹹的調味，也順道得到乾淨的營養，特別是其他產地土壤所缺乏的微量元素。

我通常建議最多從適量的新鮮水果得到果糖，這樣至少還能同時得到一些膳食纖維、維他命與植化素，但不應該把它等同於蔬菜而大量食用。至於含有高果糖玉米糖漿的過度加工食品，徒有熱量，缺乏營養，還造出代謝的負擔，應該完全避開。

此外，許多人吃素會以麵、白飯、麵包等澱粉類為主食。但大量精製澱粉一吃進身體馬上轉化為血糖，對身體的影響和糖沒兩樣。吃完沒多久就會餓，反而容易吃太多。以澱粉類為主的素食，不要說脂肪不夠，蛋白質也不足，反而容易讓代謝和內分泌失衡。

大量用糖、澱粉和果糖來取代脂肪的低脂飲食，經過代謝反而變成了身體裡的脂肪。這些脂肪沉積在肌肉和內臟，長期下來也就導致胰島素阻抗、代謝症候群、慢性病體質。這樣的結果，對講究健康的人是多麼大的諷刺。

其實我們只要不吃精製糖，胰島素馬上會下降。飲食的能量不再只往儲存脂肪的方向走，而身體裡的脂肪也有機會作為能量來源。這是從能量代謝機制來轉化體質，最有效的方式。

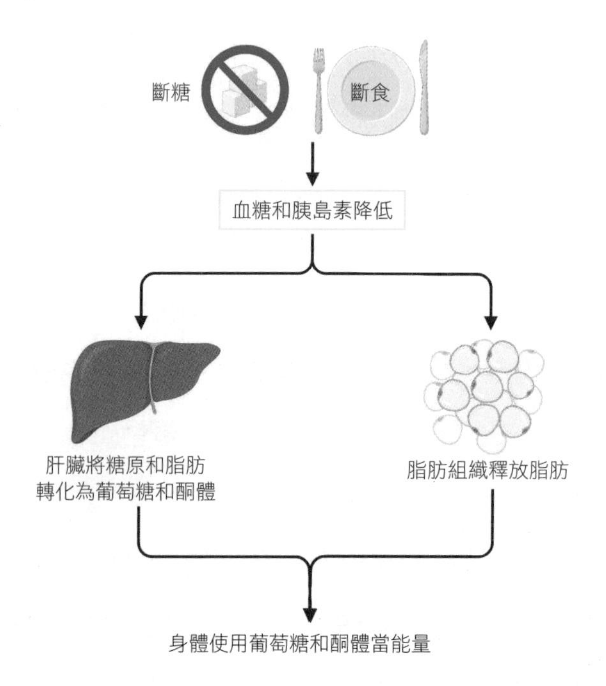

不光如此，就像上方圖所表示的，如果斷糖足夠徹底，或透過斷食和運動將血液裡的糖，以及肝臟和肌肉的肝糖耗盡，脂肪細胞自然會將儲存的脂肪或游離脂肪酸釋放出來，交由肝臟代謝成為酮體，作為肌肉和腦的能量來源。

此外「腦源性營養因子」（brain-derived neurotrophic factor）還會上升，支持我們重新建立神經迴路。這對正在建立新生活習慣的我們，會是一個很大的幫助。

14
少吃一餐，深化飲食調整的效果

前面提到，斷糖時要用脂肪建立一個新的營養迴路。你可能會想問：為什麼不用蛋白質取代糖，而是用脂肪？其實我們吃蛋白質也會刺激胰島素，而**脂肪對胰島素的刺激是最低的。脂肪對於我們情緒的穩定還有很好的保護效果**，而這正是一個人改變習氣時所需要的協助。

斷糖期間，我們不太需要擔心會吃太多油，搭配大量的好蔬菜，身體的飽足感機制會讓我們該停的時候就停下來。大多數人的三酸甘油酯和膽固醇指數自然會下降，體重也會減輕。如果能夠一天只吃一餐，作用更快。

回到斷糖生機飲食的實驗，我帶著同事這麼進行了至少一個多月。除了不吃精製糖之外，大多數人也改成一天兩餐，也就是至少減去一餐。有些人乾脆一天只吃一餐。最明顯的變化是：大家的時間和精神不再被飲食綁住，增加的體重消失了，而一整天頭腦都是清明的。

有些朋友有胃病和其他障礙，讓他一下子直接斷食是不可能的。但是，如果能用這本書所談的方式來進行，從少吃一餐開始，再加上適當的飲食調整來修復代謝和腸胃，也就有機會逐漸適應而能輕鬆進入斷食。

不吃精製糖很重要，減少進食次數更是一個關鍵。在富裕的地區，人從早到晚都可以取得食物，包括零食、隨手可得的含糖飲料。有些人從早上起來到半夜可以吃上十餐。太常吃、太晚吃，都是問題。

隨時都在吃，讓身體不斷處在受胰島素刺激的狀態，還需要為吃進的能量找到地方儲存。到了晚上，身體有一肚子食物等著消化，連休息的空檔都沒有。**我們不吃的時間太短，沒有機會燃燒身體儲存的能量，於是體重不斷增加，肥胖才會那麼普遍**。

身體的消化與代謝功能都是在白天比較活躍，到了傍晚和夜裡作用比較低。吃得太晚，飲食反而成了身體的負擔，抵銷了原本可以帶來的滋養。身體本來有一個生理時鐘，讓我們白天面對生活，夜裡休息。**太晚進食或吃宵夜的習慣，讓身體的運作與生理時鐘脫節，不光運作起來更費力，長期下來更是容易加劇胰島素阻抗、糖尿病和肥胖的問題。**

光是減去一餐並停掉零食和宵夜，讓身體至少持續十幾個小時沒有飲食的負擔，就有機會得到更長時間的修復。

身心全面的變化

有些同事原本皮膚有痘子、氣色比較灰暗，在不吃精製糖，採用有好脂肪的生機飲食後，這些情況也消失了。這反映了飲食調整帶來的淨化。如果是一天一餐，不吃的時間夠長，自然會讓身體進入自噬作用而開始清理與療癒。這一點，我會在這本書後半多說一些。

他們去做健康檢查，結果也相當好。血壓、脈膊都降下來，血糖、血脂和代謝相關的內分泌指數都正常了，而且心情打開，整個人活潑起來了。大家都知道在美國醫療非常昂貴，絕大多數人是依賴工作提供的醫療保險，才能在失去健康時得到治療。然而如果我們走在前面，主動安排飲食、運動、生活習慣來把握健康，一開始也許要費一點心力，但對一生的作用，會遠比被動等著醫療保險補救來得更好。

很有意思的是，我鼓勵同事們斷糖、每天減掉一或兩餐，但偶爾還是需要在外頭應酬用餐。我發現他們外食時會留意這個醬汁有糖、那個食物成分也含糖。有些人味覺變得很敏銳，會覺得某些調味料過度刺激或食物不夠新鮮，還能感受到加工食品不自然的添加劑，而不會想去用。

有了自己的心得，他們也會跟其他人分享。我不需要再跟他們談什麼是活的飲食、鹼性飲食。到了這個地步，他們自然會去選擇好的飲食。

有些同事一看就知道從來沒有做過菜，也開始進廚房。聽他們討論怎麼整理食物櫃和冰箱，如何選擇天然的調味料和食材，我知道他們正在生活裡一點一滴建立新的迴路，整個生活習慣改了。

同事們一起出差，我會提醒大家連咖啡都不要加糖。有一位同事曾經有過嚴重的產後憂鬱症，一斷糖，過去折磨她的種種感受都浮了出來，讓她看什麼都很負面，幾乎就像憂鬱症復發一樣。她特別渴望冰淇淋和甜點，隨時都想挖一勺來吃。

她自己當然擔心，而會跟我反映。我也只能盡量鼓勵，讓她堅持下去。這種身心反彈在頭兩天最強烈，第 3、4 天還有不少影響，差不多一星期後就沒聽她再提起了。

她回家後也自己嘗試各種方法，包括改成一天一餐。2 個月後，我再見到她，發現她氣色都亮了起來，體重至少減了 3 公斤。4 個月後，幾乎變了一個人，外表年輕許多。不光斷糖，連咖啡和酒都戒掉，體重又再往下降了 2、3 公斤。這時我反而提醒她要守住體重，不要再降下去。

對她而言，斷糖最明顯的好處是精神變好，比較有活力，而且變得穩定。即使面對各種心理的難關，但她不再被情緒隨時帶走，而有一個空間可以度過。還有一位同事告訴我，他覺得頭腦很輕鬆，整個人很清爽，不像以前那麼沉重。他們這種生活習慣和心情上的改變，在面對 COVID-19 疫情和大環境的變化，就是對自己最大的幫助。

不吃精製糖，對內分泌、新陳代謝、頭腦帶來的效果，就像換了一個全新的身體來運作。只要能執行一段時間，不光是體重降下來，注意力和精神也不再隨著進食起伏，各項慢性病的指數都會改善，而頭腦會感覺到相當清晰，心情與情緒也不容易受到負向的干擾。

一開始，也只是試試看能不能一星期不吃精製糖。然後，兩個星期、三個星期、一個月，甚至一生都不吃糖。

就這麼簡單，可以改變許多人的一生。

15
搭配斷糖的健康飲食原則

減去飲食添加的精製糖，讓胰島素降下來而逐漸改變內分泌和腦神經的迴路，從身體轉化能量、搭建器官組織和發揮作用的分子代謝層面著手，可能是現代人自我療癒和改善體質，最容易也最有效的起點。

在第 12 章，我分享了帶領同事一個月的斷糖計畫，主要是提醒他們**不要吃添加精製糖的飲食**，包括醬料、咖啡、飲料都不要有糖。至於含有天然糖類的飲食像是水果，還是可以吃，只是要適量。而且要吃完整的水果，不要用果汁來替代。要大量採用蔬菜，而且最好是能帶來活酵素與活成分的生菜。至於麵、飯、麵包這類澱粉類主食，只要沒有添加額外的糖，也可以適量採用。

我也介紹他們**吃好的脂肪**，盡量**一天吃兩餐或一餐**，而且**先吃蔬菜、脂肪和蛋白質，最後才吃一點澱粉類主食**。重點在於**吃飽，但減少對胰島素的刺激**。同時也帶他們運動。

當然，減少胰島素刺激也有不同的強度可以選擇。代謝還有一定靈活度的人，單單**不吃精製糖**，已經讓身體得到一些空間而可以修復、可以療癒。對於多少已經有代謝症候群的人，減醣的力道可能要再加強，從不吃精製糖，再加**不吃精製澱粉**，或乾脆改為**低醣飲食**，進一步控制糖和澱粉量。

要用怎樣的強度來執行，是由個人的代謝靈活性（或說胰島素阻抗的程度）來決定。如果不太清楚自己是什麼情況，可以先從不吃精製糖開始，1、2 個星期後看看自己的反應，也許繼續不吃精製糖就行，也可能必須加強減醣的力道——不吃精製澱粉，或者採用淨碳水化合物低於 50 公克的低醣飲食。

由於減醣在調整體質有關鍵的重要性，接下來我會用更多章節來介紹這三種減醣的方案。此外**這三種減醣方案是可以長期持續的飲食習慣**，無論長期不吃精製糖、長期不吃精製澱粉，或長期採用低醣飲食，都是行得通的。有些朋友會採用每天淨碳水化合物 25 公克以下（不帶熱量的膳食纖維仍應該多用）、脂肪佔飲食熱量 80% 的**生酮飲食**，在短期內進行更徹底的調整，調整後再回到低醣或不吃精製澱粉的飲食，這也是一種方式。

但無論採用什麼方式，原則都是一樣的：需要你充分理解方法，堅持進行一段時間，至少幾個月，觀察結果再進行修正。最重要的是輕鬆快樂地進行，用正向的心情來加持自己的努力，而自然得到正向的結果。

唯一要注意的地方是：如果正在吃降血糖藥或用胰島素，因為用藥劑量和飲食的糖量有關，如果糖或澱粉減了，藥沒有減，可能導致血糖過低。**減醣，其實是糖尿病患最需要的生活調整**，但是**請務必和醫師商量，請他協助你調整藥物的劑量或給予建議**。

最重要的是：無論採用什麼飲食，我都會提醒身邊的朋友依照以下的健康飲食原則來進行。我先將這些原則一一列出來，至於背後的原理，我會在接下來的章節一一打開。

・盡量採用完整、天然的食材，吃食物本來的樣貌，也就是以原型食物為主。

- 要懂得採用熱量密度足夠的食物，不要讓自己挨餓。
  舉例來說，脂肪的阿特沃特熱量轉換因子比碳水化合物與蛋白質都高，富含脂肪的食物也就是熱量密度足夠的食物。
- 調整飲食的比例：以前可能是吃一點菜配很多飯，現在改成吃很多菜，最後配一點飯。
- 飲食的順序也很重要：從脂肪、蛋白質、蔬菜開始，最後才吃澱粉類。能幫助吃飽而又不會過度刺激胰島素。
- 每一餐要有大量的葉菜類，能生吃是最好。新鮮蔬菜除了含有豐富的維他命和植化素，還可以提供膳食纖維，減緩飲食熱量吸收的速度，也能改善腸道的微生物種類。
- 和蔬菜一起搭配大量的好脂肪，像是澄清奶油、椰子油、酪梨油、橄欖油、堅果、奶油、起司。脂肪不太刺激胰島素的分泌而可以減少血糖起伏，也讓人不容易感到飢餓。
- 補充適量的蛋白質，像是豆類、堅果類、肉、魚、蛋。全蛋的營養利用率是很好的，蛋黃甚至比蛋白更重要。選擇小型的野生魚，像是沙丁魚、鯖魚。肉類則可以選用放養雞和草飼牛的肉。蛋白質需要較長時間來消化，能維持更長久的飽足感。

- 礦物質和微量元素是體內生化反應的催化劑。許多朋友會不斷地想吃點東西，很可能是因為身體很需要微量元素，適當補充可以讓進食的欲望安定下來。
- 蘋果醋、酸菜、泡菜、納豆這些發酵食品裡的糖，和一些可能帶來過敏的物質，在發酵過程中已經被微生物消化掉，而對腸道健康有幫助。菇蕈類的食物則含有豐富多醣體、蒟蒻也有大量甘露糖，都是腸道微生物所需要的食物。
- 水的重要性並不亞於我們每天所攝取的食物。好水，指的是來自天然，經過流動而更具生命力的泉水，不經人工處理，也沒有各種人工化合物的添加。喝好水能讓體內的化學反應在潔淨的環境中進行。

16
不吃精製糖

有人說過「糖有50個名字」，也就是說在食品標籤上，名字看起來不像糖、但其實是糖的成分竟然有 50 種之多。一個人要不吃精製糖，在不熟練時確實可能犯錯，但知道了，把不適合斷糖期間採用的飲食挪開就好。這也是適應過程的一種學習。

也正是因為如此，我帶同事斷糖時，會鼓勵他們自己準備飲食。一樣地，你如果能自己準備飲食，就能更好的掌握自己吃了什麼，而從各方面做好管控。

這裡所指的糖，主要是額外添加的精製糖和果糖。

×糖，包括糖果、甜點、冰品、各式零嘴。

×含糖飲料，包括天然和還原果汁、運動飲料、能量飲料、調味牛奶、豆漿、米漿、燕麥奶。

×各種糖漿、糙米糖漿、麥芽糖、高果糖玉米糖漿。

×各種含糖的醬料（一般帶甘味的醬，例如番茄醬、美乃滋、五味醬、醬油膏、花生醬、果醬的製作過程，都需要加大量的糖）。

提醒：可以用含有天然糖類的飲食，像是少量的水果、蜂蜜。盡量不要使用代糖，即使不帶熱量，甜味本身會引發腦部和消化道的作用，反而讓斷糖變難。

你的無糖行動：

✓試試看，先花一點時間規劃，整個星期都自己煮，不要叫外送或外食。

✓清理冰箱和廚房，看看哪些食材、醬料和調味料有糖，把這些食材先擺到一旁或送人。

✓不要在家裡儲存現成的加工食品。

✓留意哪裡可以買到新鮮而品質好的天然食物，也許是農夫市集、有機超市或當地的市場。

你的行動無糖方案：

- ✓ 在家用餐，吃自己親手做的食物，可以參考第 15 章〈搭配斷糖的健康飲食原則〉來準備飲食。
- ✓ 如果外食，可以依照同樣的原則盡量點葉菜類為主的飲食，搭配適當的蛋白質，補充足夠的好脂肪，略過甜點和加糖的飲料，並盡量少用現成的醬料。有些朋友會用便利商店的生菜沙拉、水煮雞肉、茶葉蛋和地瓜，搭配奶油或自己用小罐分裝的酪梨油或橄欖油，這也是一種方式。

斷糖一開始可能會讓人覺得不對勁，也許是覺得沒有精神，或本來並不特別在意吃什麼，但一說要開始斷糖，就滿腦子都是糖，隨時想吃糖或澱粉類食物。這一方面是因為我們多少有了糖癮，另一方面也是身體的內分泌和代謝需要時間來適應，一般大約需要 3 到 4 天。等身體可以轉過來，就不會那麼依賴糖。

糖癮比較重的朋友也不用懊惱，我們的腦天生就有可塑性，神經迴路是可以改的。身體的動可以提高腦神經的可塑性，也會刺激腦源性營養因子，而對腦部的修復很有幫助。

斷糖時，我們可以透過溫和的運動來改善心情，轉移非吃糖不可的衝動。如果一個人對生活裡的人事物常感到壓力，壓力荷爾蒙偏高，也會提高血糖而刺激胰島素，長期下來一樣會導致胰島素阻抗。除了運動，也可以透過靜坐、放鬆、瑜伽，來學習管理自己的壓力反應。

有些朋友會把斷糖當作一個機會，在心理層面做一個清理，去面對自己的人生問題。我們都知道壓力、衝突、無聊、寂寞，都可能讓人會想靠食物來解決。透過斷糖，我們可以對自己內心做一個重新的認識和清理。

如果你體會到斷糖的好處，也懂了血糖和胰島素過高可能帶來的問題，而希望更徹底改善代謝症候群體質，你可以進入第二階段——試著少用或不用精製澱粉。

17
不吃精製澱粉

一般人的三餐是以白飯或麵食為主，大多數人可能根本想都沒想過要少吃麵或飯。甚至提到不吃飯，還會擔心營養不均衡。

前面提過，吃了白飯、麵食這類由精製過的澱粉所組成的飲食，很快就會轉成血糖，而去刺激胰島素。這對內分泌和神經系統造出的衝擊，其實是和吃糖差不多的。

營養專家也因此提出了升糖指數（glycemic index, GI）的觀念，來代表一項食物在吃進身體後，對血糖數值提高的影響力。一般會把吃下 100 公克葡萄糖後 2 小時內的血糖增加值當作 100，而其他食物吃進去後 2 小時血糖增加值和它比較，也就是這個食物的升糖指數。

我相信許多朋友都聽過所謂的低 GI 飲食。飲食愈少加工、膳食纖維含量愈高，升糖指數愈低。生菜低於煮熟的蔬菜；完整的水果比打成汁的水果，升糖指數低；全穀類的升糖指數低於白米飯，而白米飯又低於稀飯。

相反地，如果一個食物很容易消化吸收，而讓血糖升得很快，這就是高升糖（高 GI）的飲食，自然也會快速刺激胰島素，被過度刺激的胰島素可能又讓血糖下降太快。這種血糖的高低震盪，會讓人的精神與心情也跟著飲食起伏，不要說不舒服，甚至會影響工作、學習與生活的注意力，個人表現也難以穩定。

一個人懂得採用低 GI 的飲食，不光對個人的穩定度有幫助，對於胰島素阻抗或已經有血糖問題、糖尿病，都會有好處。

回想第 15 章的健康飲食原則，你也會發現，**如果能採用天然的原型食物，以蔬菜為主，少吃或不吃白飯和麵食這類精製澱粉，並守住先吃脂肪、蛋白質與蔬菜的進食順序，其實已經大致符合低 GI 飲食的原則，也就是減少對血糖和胰島素的刺激。**

要進入減醣第二階段的不吃精製澱粉，你的「不吃」名單如下：

×精製糖，包括第 16 章談到的各種糖。

×白米、麵包、麵條、糕餅、各種米麵主食（包括冬粉、米粉、麵皮）。

這個階段可以用全穀類如糙米，根莖類如地瓜、芋頭、菊芋這類同時富含膳食纖維和澱粉的食物，來代替原本所使用的白飯、麵條等精製澱粉類主食。

許多朋友聽過一個說法，糙米、地瓜、芋頭煮過放涼後，裡頭的澱粉會變成抗性澱粉。抗性澱粉經過消化而轉成血糖的比例比較低，也有膳食纖維的作用。

你可能還記得，前面提過澱粉是由葡萄糖所組成的。澱粉類食物在煮過之後，澱粉分子和水分子結合，而在進入身體後，到胃和小腸被酵素接觸到而消化，並以葡萄糖的形式進入血液，讓血糖高起來，胰島素也跟著升高。

煮過的糙米、地瓜、芋頭放涼之後，裡頭一些本來和水分子結合的澱粉分子，又回到原本的狀態，帶著比較多的抗性澱粉，也就是吃進身體後不那麼容易被胃和小腸吸收，所帶來的血糖值和熱量自然比較低。飲食中的抗性澱粉會比較完整地進入大腸，被微生物當作膳食纖維一樣來運用。整體來說，是一種比較低熱量而同時對腸道友善的食物。

但即使如此，全穀類、根莖類和抗性澱粉，都不要攝取過量，雖然轉成血糖的比例比較低，過量的澱粉還是會造出過量的血糖，也就抵銷了你斷糖的效果。

此外，有些朋友會因為睡不夠而吃得多。這從內分泌的角度來說是合理的。前面提過，一個人如果沒有睡飽，身體分泌的瘦素會減少。大腦收不到足夠的「吃飽了」的訊號，也就會繼續進食。這時候需要的可能不是吃飽，而是睡飽。

當然，每個人代謝僵化的程度不同。有些朋友可能會發現即使不吃糖、也不吃精製澱粉，帶有抗性澱粉的飲食還是會讓你飯後昏沉，或者血糖、胰島素的指數仍然是高的，也可能你還需要再減幾公斤的體重，那麼你大概需要進入第三階段的低醣飲食，更進一步控制澱粉類飲食的量。

18
低醣飲食

這裡所談的低醣飲食，有人會稱為低碳水化合物飲食或低碳飲食，透過比較嚴格的限制，更徹底去改善胰島素阻抗和對糖上癮的情況，而能調整體質。

低醣飲食的原則，和前三章所談的大致相同，以天然、原型的食物為主，唯一的差異是把糖和澱粉減到一天 50 公克以下，大約是 1 碗飯的份量。

我在下一頁列出一些常見飲食的碳水化合物含量，我們回想一下自己一天的飲食，大概就可以估算出目前的攝取量，而可以評估哪些食物應該減量，改用大量的蔬菜搭配含有好脂肪的飲食，例如椰子油、澄清奶油、堅果、橄欖油、酪梨油、起司、蛋、魚、肉類。當然也可以在不同的主食做選擇，比如說，如果當天吃了麵食，就不要再吃白飯；或吃

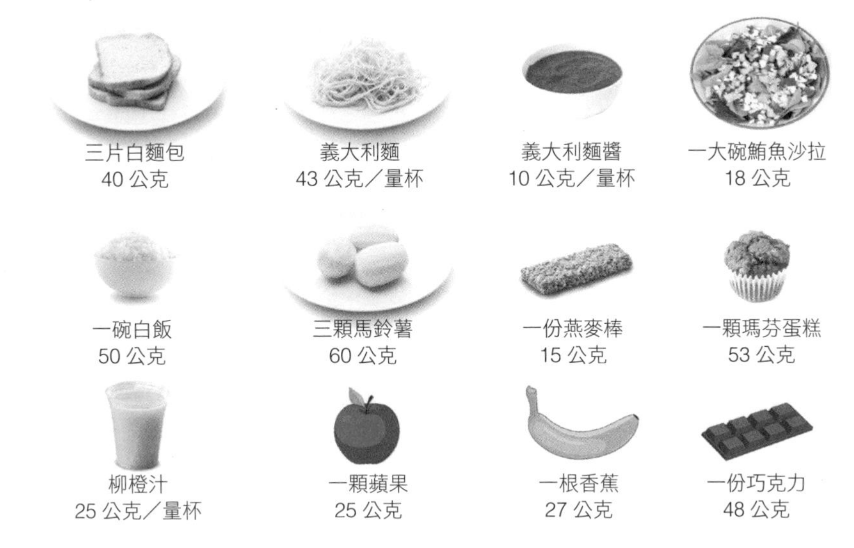

了甜食就要略過白飯，反過來也是一樣的。

用餐順序和前面談到的一樣，先取用搭配好脂肪的蛋白質和蔬菜，吃到滿足後，如果只是不吃精製糖，就將澱粉類留到最後吃；如果是低醣飲食，這最後的澱粉類主食要留意份量。這樣的進食順序能幫助我們減少對胰島素的刺激，至於少刺激胰島素可以帶來哪些健康的好處，我相信經過前面幾章，你已經明白了。

我一再強調，飲食調整要吃飽，也要吃得好。調整飲食時，如果一下子減去太多熱量，造出很大的熱量赤字（吃進去的熱量比消耗少很多），這對身體是一種危機，而它自然會將一些不那麼緊急的功能給減緩或停止，與生殖有關的功能就是一例。有些女士的體質對熱量赤字很敏感，生理期可能會受到影響。

所以我才會介紹那麼多方法，幫助**在斷糖、低醣飲食期間，補充大量的好脂肪。一方面是為了帶來飽足感和滿足感，而減輕飢餓感的不適，另一方面也是讓身體正常運作，包括女士的生理週期得到保護**。

前面談到在減醣的第一個階段，不吃添加的精製糖，還可以吃適量的完整水果。但進入低醣飲食，是為了更嚴謹地控制對胰島素的刺激，不光水果的份量要謹慎，所有的糖和澱粉都在控制之列。

每個人原本的飲食習氣不同，有些人可能覺得少了飯麵主食就不太對勁。這樣的朋友還有一些口感近似但低醣的天然飲食可以搭配，像是白花椰米、蒟蒻米、蒟蒻麵、豆腐麵。這些食材不光熱量很低，所含的膳食纖維和葡甘露聚醣，更是對腸道微生物友善的成分。

要注意的是，有些人會以為低醣飲食或說低碳水化合物飲食，要控制所有的碳水化合物，包括膳食纖維。這觀念其實是錯的，**要控制的其實是糖與澱粉，這都是會帶來熱量、刺激胰島素的淨碳水化合物**。

雖然膳食纖維也是一種碳水化合物，但基本上不能被人體作為熱量使用，不會納入淨碳水化合物來計算。所以葉菜類的飽足感沒有熱量負擔，所含的膳食纖維也是維持腸道健康的重要營養，我一向都鼓勵調整飲食的朋友優先採用。

大多數人一生對麵、飯主食的依賴相當重，要進入減醣第三階段的低醣飲食，一般人都會擔心。但即使完全不吃糖和澱粉，身體仍然有足夠的肝糖和脂肪可以作為能量來源，肝臟也還有製造糖的能力。這些體內本來就有的糖，在身體切換到燃燒脂肪之前，還夠維持好一陣子。身體一旦開始燃燒脂肪，就有豐富的體內脂肪和飲食脂肪作為燃料，更是不需要擔心。

低醣飲食調整期間，需要注意的事項和前 3 章是一樣的，也要守住第 15 章講的健康飲食原則。

其他需要注意的是：每個人代謝失衡的程度或代謝靈活

度不同，有些人只要不吃精製糖就有明顯的變化，有些人可能要進展到低醣飲食才能感受到以下的好處。通常堅持過前3、4天，就會開始感受到：

○ 不那麼隨時想吃東西，因為胰島素不再隨進食而高高低低，斷糖讓胰島素分泌降下來，血糖也變穩了。
○ 體重下降。
○ 比較少感受到飢餓。
○ 心情變好，比較不焦慮，也不那麼容易憂鬱。
○ 注意力更能集中，頭腦更清明，做事效率更高。
○ 精神變好。
○ 吃東西會覺得味道不太一樣，因為腦建立了新的迴路，讓你能嚐出天然的真食物的味道，而過去很享受的甜點，現在變得太甜，反而會覺得膩。

長期下來：

○ 身體開始燃燒脂肪，使用酮體作為能量來源，並進行修復。
○ 三酸甘油酯、血糖數值都會下降，一般用來診斷糖尿病的指標糖化血色素 HbA1c 的數值，也會得到改善。

◯ 身體少了糖，各種蛋白質（包括血色素）被糖化的程度都會降低，可以減緩各種老化的現象，包括發炎。

◯ 膽固醇的指數會得到改善。

◯ 血壓下降。

◯ 脂肪肝變輕微。

◯ 可以逆轉二型糖尿病。

◯ 整體健康好轉，心臟病、中風、癌症、失智、腎衰竭的風險都降低。

◯ 改善免疫功能，更能面對各種病原的威脅。

19
脂肪與膽固醇：長期受到誤解的必需營養素

雖然我前面提到，在減醣的時候應該大量用好的脂肪，讓脂肪在飲食調整的過程帶來保護，但可能到現在，你還沒有意識到脂肪是多重要的營養素。

這是難免的，畢竟有那麼多專家、媒體、廣告甚至朋友和家人都在告訴你，要遠離飽和脂肪與膽固醇，才能保護你的心血管。

但是，這是真的嗎？

大多數人在給這些建議時，其實沒有意識到即使低脂飲食成為主流，飲食也用植物多元不飽和油取代飽和脂肪，但肥胖、代謝症候群、糖尿病、心血管疾病，並不像當初專家所期待的消失，甚至在某些國家還愈來愈嚴重。

低脂飲食的建議，不只讓人走向以醣類為主的飲食，造出肥胖和胰島素阻抗，需要透過斷糖或低醣飲食來做修正，也讓現代人的發炎體質愈來愈顯著，帶來各種莫名的疼痛與不舒服，讓身體組織長期受損而提早老化。

其實脂肪和膽固醇是組成我們身體的重要成分。每一個細胞都需要脂肪和膽固醇才能建立細胞的邊界，並且讓細胞膜上的蛋白質和分子發揮作用，調控物質和資訊的進出。而且就算完全不吃膽固醇，身體還是會不斷合成，來執行必要的生理功能。膽固醇過低還會影響壽命，也讓頭腦退化。

說到底，大眾對脂肪和膽固醇的恐懼和排斥，是來自一些過度或片面的推論。我在第 1 章簡單談過美國社會排斥飽和脂肪、推廣低脂飲食的由來，在這裡就從膽固醇開始。

1985 年，我參加第三屆的懷特海生物醫學研究所研討會（Whitehead Institute Symposium）。懷特海生物醫學研究所是由 1975 年諾貝爾生醫獎得主巴的摩爾（David Baltimore）於 1983 年在麻省理工學院創辦的研究中心。巴的摩爾後來也擔任過洛克菲勒大學校長。懷特海生物醫學研究所是一個財務運作完全獨立的研究中心，集結生物醫學領域的菁英，而這個研討會更是生醫領域的一大盛事。

這一屆的研討會有一個小插曲。當時正是宣布每年諾貝爾獎得主的季節，每年誰會得獎，都是學術頂尖領域閒聊時的話題。研究膽固醇代謝調控研究的布朗（Michael S. Brown）和戈爾茨坦（Joseph L. Goldstein）也在熱門人選之列。研討會期間，他們剛知道自己得到諾貝爾獎，其中一位激動到讓刮鬍刀刮傷了臉，下巴還貼著 OK 繃。我和他們都是研討會的講者，雖然現在記不得是哪一位刮傷，但這件事自然在心裡留下很深的印象。

我還記得，這一屆研討會被頂尖的《科學》期刊特別報導[3]，這並不是一般學術研討會能得到的待遇。報導提到他們的膽固醇代謝調控研究，也談到我的研究。當時我還很年輕，是去講免疫細胞怎麼消滅腫瘤細胞的機制。能與兩位諾貝爾獎得主在報導裡並論，也說明了科學界對於腫瘤治療和免疫研究的重視。

回到這兩位專家的研究，家族性高膽固醇血症是一種罕

---

3 Marx, J. (1985). A potpourri of membrane receptors. *Science*, 230(4726), 649–651.

見遺傳疾病，患者血液裡的膽固醇很高，手腳會有明顯的脂肪沉積塊，在很小的年紀就有心臟病和各種心血管問題，這兩位學者因為解開這個疾病的機制而得到諾貝爾獎。他們發現如果細胞上的低密度脂蛋白受體（LDL 受體）不夠，無法將血液裡的低密度脂蛋白 LDL 和其上的膽固醇帶走，就會讓人有這種很特別的高膽固醇血症。後來延續他們的研究，也就有了斯達汀類（statins）降膽固醇的藥物。

這個罕見疾病是在 1940 年代發現的，再加上 1910 年代早期一些不成熟的動物實驗結果指出，餵食大量的膽固醇會導致動脈粥狀硬化，讓 1950 年代急著找出原因解釋美國心臟病發作率為什麼不斷提高的學者有了一個說法，也就是認為飲食膽固醇過高，會導致心血管疾病。

這些現象確實存在，然而，將結論套用到人類飲食，其實是過度推論。首先，那些初期的動物實驗並不理想，無論執行或規劃都有重大的缺失。當時的科學家不太會處理膽固醇，餵食給動物的往往是已經氧化的膽固醇，後來才知道攝取氧化後的膽固醇更容易造出發炎。此外，雖然是實事求是的想探討飲食膽固醇和動物的心血管反應，但所採用的實驗模型卻是以草食為主，不會代謝肉類膽固醇的兔子。這個選擇在模擬膽固醇代謝上就已經失真，也難怪這些實驗動物負荷不了所餵食的劣化膽固醇，造出了血管的問題。

另一方面，作為範本的人類遺傳疾病，是一個相當極端的情況，所累積的膽固醇量跟一般人根本不在同一個範圍。更重要的是，這種疾病是患者先天性膽固醇代謝異常，跟飲食攝取完全沒有關係。

一般情況下，我們用餐後，飲食的脂肪和膽固醇經過消化，會包裹成乳糜微粒進入血液，將脂肪酸和膽固醇送到需要的組織使用，或帶到肝臟去處理。

就像右頁這張圖所表達的，乳糜微粒被肝臟吸收後，會轉成含有 90% 脂肪的極低密度脂蛋白（VLDL），VLDL 密度很低、體積大，基本上漂浮在血液裡，不會沉澱在血管壁內皮細胞的縫隙。隨著脂肪酸在血液中釋放，VLDL 在「脫脂」後成為含有 80% 脂肪的低密度脂蛋白，將膽固醇帶給需要的細胞。LDL 經過一再地「脫脂」，密度變高，也就成為含有 40 ～ 65% 脂肪的高密度脂蛋白，將膽固醇載回到肝臟回收再運用。

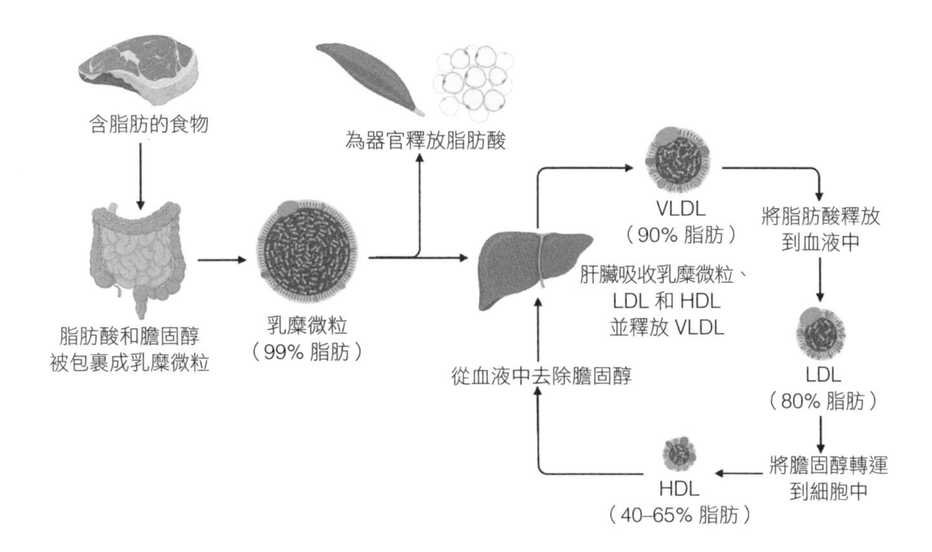

一般人會將高密度脂蛋白 HDL 稱為「好」膽固醇，而將低密度脂蛋白 LDL 稱為「壞」膽固醇。但 HDL 和 LDL 就像上圖所表示的，只是運送膽固醇的載體，它們和膽固醇都是身體所需，本身並沒有好壞之分。

HDL 主要將膽固醇送回肝臟去回收，而 LDL 則是承載膽固醇，由肝臟出發前往身體各處去修復組織，說膽固醇是救命的分子，一點都不為過。過去的專家只因為 LDL 會在發炎的地方出現，就把它認定是「壞」的膽固醇，這種說法就像把出現在火場救火的消防隊員當作放火的現行犯，完全是錯誤的標籤，倒果為因。

就正常的生理運作來說，膽固醇對於修復細胞膜的完整和功能是必需的。現在也有愈來愈多研究發現，身體受病毒感染時的激烈免疫風暴，和少了膽固醇的作用，有很大的關係。

身體如果有發炎的情況，LDL 自然會提高，這是因為身體修復而需要，這時需要的是找出發炎的原因，幫助身體減輕發炎反應。一些抗氧化的飲食，像是含有微量元素硒的巴西堅果，或有各種多酚類的薑黃、薑、羽衣甘藍、亞麻籽、印度醋栗都可以幫助身體降低發炎的負擔，反而能讓 LDL 膽固醇降下來。

身體如果轉向採用脂肪作為熱量，像是斷食或生酮飲食，也會提高總膽固醇的數值，這是進入脂肪代謝自然的現象。但我們並不需要為個別項目數值提高而擔心，重點還是比例，總膽固醇與 HDL 的數值比例就是一個可以參考的實例。無論個別數值高低，兩者的比值小於一定數值（例如 3.5 或 4，要同時考慮性別和其他風險因子），就代表還在安全範圍內。若三酸甘油酯高，HDL 低，那麼心血管疾病風險是高得多。

另外，也要注意 omega-6 和反式脂肪偏高的情況。已經有研究指出，比起膽固醇，用一個人血液中 omega-3 與 omega-6 的比例作為指標，可以更好地預測心臟病發作或致死率。

現在一般人只注意單一項目的數值，一看到總膽固醇或 LDL 的數字偏高，就想用藥物把數字降下來，而忽略了整體的狀況，甚至因此造出肌肉和肝臟更多的損傷、二型糖尿病、記憶退化、乳癌等問題。

只從單一指標看健康，就像從鑰匙孔想看清門外的全貌。是的，你所看到的現象是真的有，但是不是有足夠的代表性？在整體的角色又是什麼？這樣的問號一定要保留在心中，才不會讓自己走偏。

幾十年來，為了大眾的健康，我需要不斷做這麼長篇大論的解釋，只能感慨現代的飲食指南竟然可以錯到這個地步，為了一個輕率的「飲食脂肪→心臟病」假設，把這麼重要的營養素排斥在健康飲食之外。

人類認為自己的努力可以克服自然，這種一廂情願的觀點，並不符合事實。我們已經看到一個世代的人為了克服疾病，造出一整套飲食指南，結果不但沒有帶來解答，還將錯誤面擴散得更廣，也許幾個世代都修正不回來。

回到科學的討論，研究結果本身不是什麼問題，問題是我們想要將一個複雜多層面的現象簡化到單一個層面，甚至希望簡化成單一個因子，也就當然造出扭曲，甚至擴大成時代的誤解。

這三張圖，分別是 1984、1999 和 2014 年《時代》雜誌的封面。透過媒體的聚焦，反映專家在不同年代對膽固醇和飽和脂肪的看法。

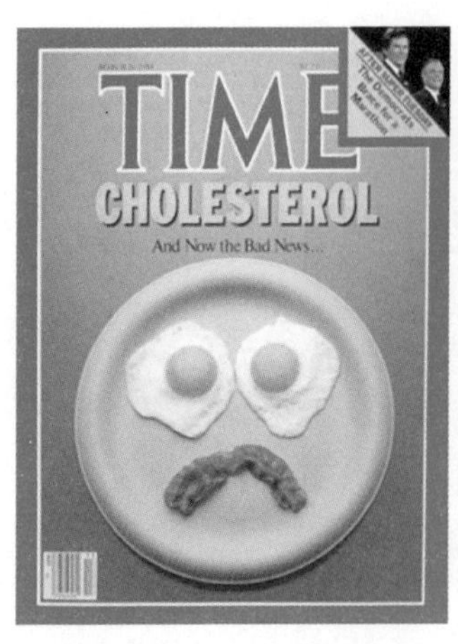

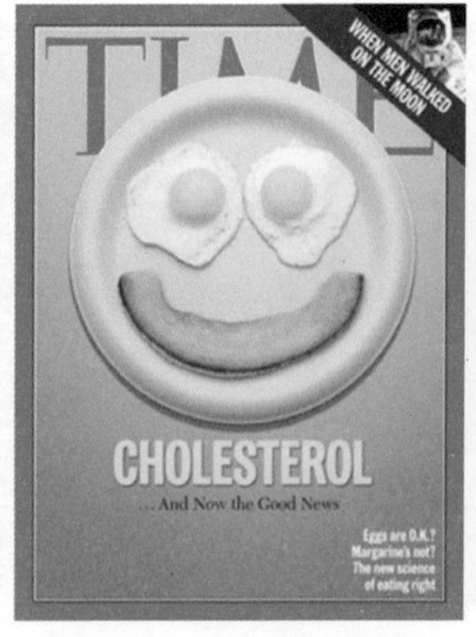

美國的專家從 1960 年代開始，排斥動物性飽和脂肪，1980 年透過政府發布飲食指南，到了 1984 年透過媒體提醒大眾別再吃蛋和培根。1999 年，膽固醇首先得到平反，《時代》雜誌封面提示我們可以安心吃蛋。到 2014 年，主流媒體開始意識到，或許過去對脂肪的想法全都錯了。

然而 5、60 年留下的印象，並不是一夕之間能消除的。當時我回到台灣，和在美國面對的情況一樣，許多專科醫師對於我鼓勵攝取飽和脂肪，不需要害怕膽固醇的說法，非常不以為然。現在又經過了這麼多年，有些醫師已經在默默修正自己的觀念，但還是有些醫師仍然堅持自己的觀點。

專業人士都已經是如此，根深柢固落在大眾心裡的觀念要修正，更是需要時間。我才會放慢腳步將這些論點一點一點陳述出來，你只要願意拿自己做實驗，觀察自己健康的變化，早晚會得到你自己的結論。

20
Not All Fats Are Created Equal
不是每一種脂肪都是平等的

膽固醇是如此，脂肪的作用，從能量轉化到內分泌，更是方方面面在支持我們的生命。

脂肪很重要，但並不是所有脂肪都是等價的。談到脂肪，許多朋友可能會以為我要推薦大家多吃植物性不飽和油，但其實不是這樣的。我更注意大家所攝取的飽和脂肪是不是足夠，最多是提醒盡量採取純淨來源的脂肪，像是冷壓初榨的椰子油或草飼的有機奶油。

同樣來自植物的油，果實油（如椰子油、橄欖油、酪梨油）與種籽油（如玉米油、大豆油、棉籽油、葵花籽油、芥花油）的營養價值完全不同。如果你還記得我在第 12 章的提醒，就會知道果實油比種籽油健康許多。

接下來我會提一點生化的名詞，但你不需要緊張，這些知識最多只是反映脂肪的一些化學特性，以及在能量代謝上的意義。你只要有印象，知道這些名詞能幫助你區分不同的脂肪，也就夠了。

一般談到脂肪，多少會提到脂肪酸的長度，大致的區分有**短鏈脂肪酸**、**中鏈脂肪酸**和**長鏈脂肪酸**。簡單來說，**愈長的脂肪酸帶有愈多能量，也愈不溶於水，而需要包裹成乳糜微粒，才能從腸道運送到血液**。

飲食含的脂肪主要是中鏈和長鏈脂肪酸；而飲食裡一些非脂肪的成分，經過腸道微生物的代謝，可以產生一些更短的脂肪酸，例如膳食纖維經過微生物的作用，可以產生 4 個碳的酪酸（butyrate），被結腸壁細胞作為能量使用。

下面這圖就是酪酸這個短鏈脂肪酸的分子結構。為了簡化，鏈上的碳原子不會特別標示出來，我們只要看到折點就是碳原子的位置。這一條折線，化學家稱為碳鏈，也就是一連串的碳。

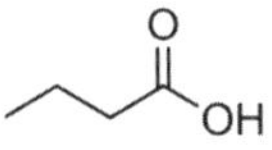

O
OH
酪酸（4 個碳）

許多人都聽過中鏈脂肪酸，市面上的**MCT油**（medium-chain triglycerides）**就是中鏈脂肪**。這是一種經過純化、長度適中（6～12個碳）、既溶於水也溶於油的脂肪。**MCT油在攝取後不需要經過乳糜微粒運送，可以直接進入血液到肝臟代謝成酮體，作為腦和身體細胞的能量來源。**

在天然油脂中，椰子油含有豐富的中鏈脂肪酸，如8個碳的辛酸和12個碳的月桂酸。冷壓的椰子油沒有經過太多的純化步驟，還保留了其他天然營養，是很乾淨的中鏈脂肪酸來源。正因如此，十幾年前我在台灣特地請同仁提供最純淨的冷壓初榨椰子油，來支持神經醫學專家為兒童癲癇設計的生酮飲食治療方案，後來也發現許多小朋友的癲癇發作都有所改善。

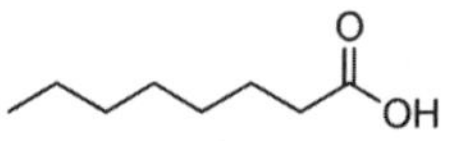

辛酸（8個碳）

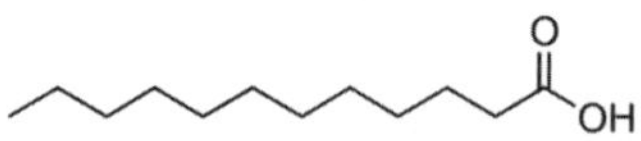

月桂酸（12個碳）

除了碳鏈長度，談脂肪會提到的另一個特質就是有沒有雙鍵，一般用飽和、不飽和來表達。雖然這種飽和不是吃飽的飽，但如果你還記得，我在第 6 章提過，飽和的油會比較快讓人覺得吃飽，這是蠻有意思的巧合。

飽和，指的是脂肪酸碳鏈中，碳原子可以連結氫原子的位置全佔滿了；如果還有些碳沒有足夠的氫原子，碳和碳之間就是雙鍵，而稱為不飽和脂肪酸，分子構形會多出一個彎度。綜合碳鏈長度和雙鍵這兩個特點，像棕櫚酸這樣 16 個碳長的飽和脂肪酸，會標示為 16:0；而棕櫚油酸這樣 16 個碳、帶有一個雙鍵的單元不飽和脂肪酸，則標為 16:1。這兩

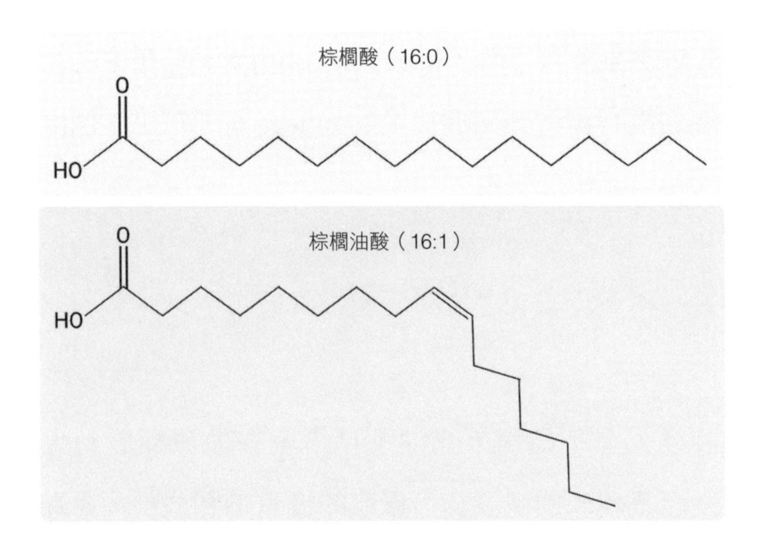

種脂肪酸都是長鏈脂肪酸。

像棕櫚油酸這樣帶有單一雙鍵的脂肪酸，稱為**單元不飽和脂肪酸**；如果帶有多個雙鍵，就是**多元不飽和脂肪酸**。雙鍵愈多，脂肪愈容易被氧化。我們會在一些植物種籽油開瓶一段時間後聞到氧化的油耗味，不光味道不佳，對身體也帶來負擔。這是我們前面談到植物多元不飽和油並不那麼健康的原因之一。

也有人會用雙鍵的位置來區分脂肪酸。前面我們談過 omega-3 和 omega-6 對發炎體質的不同影響，3、6 這類數字就是代表雙鍵出現的位置。Omega（ω）指的是從甲基端（$-CH_3$）數過來的方向，抗發炎的 omega-3 是在甲基端數來第 3 個碳後有雙鍵，而促發炎的 omega-6 則在第 6 個碳後。

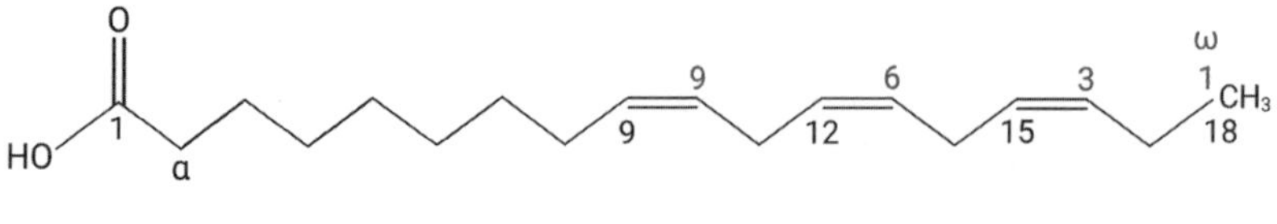

許多人並不知道，吃油不見得會在血液裡看到大量的油，反而是我們透過飲食所攝取的過量糖和澱粉，會在肝臟

轉化為「三酸甘油酯」（triglycerides），而透過乳糜微粒進入血液。一般健康檢查會量測的血脂肪，就是血液中的三酸甘油酯，這是碳水化合物代謝後的產物。吃碳水化合物過量的人，血液是渾濁的，也就是有許多三酸甘油酯在裡面的緣故。**一個人如果能減少碳水化合物的攝取量，也就能改善血脂和體脂過高的情況**。

三酸甘油酯的結構，就像下面這張圖所表達的，是由一個甘油分子與三個脂肪酸分子結合成的酯類。如果裡頭的脂肪酸分子是長鏈的飽和脂肪，因為容易排列整齊，室溫下為固態；如果是中短鏈的飽和脂肪或不飽和脂肪，則主要是液態。

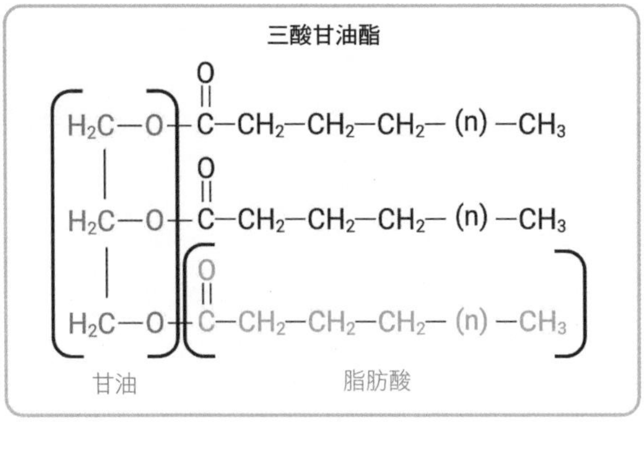

三酸甘油酯

$$H_2C-O-\overset{O}{\overset{\|}{C}}-CH_2-CH_2-CH_2-(n)-CH_3$$

$$H_2C-O-\overset{O}{\overset{\|}{C}}-CH_2-CH_2-CH_2-(n)-CH_3$$

$$H_2C-O-\overset{O}{\overset{\|}{C}}-CH_2-CH_2-CH_2-(n)-CH_3$$

甘油　脂肪酸

三酸甘油酯在經過酵素水解後，所得到的脂肪酸可以進入細胞的粒線體燃燒，而產生細胞所需要的能量。我在前面也提過，脂肪酸愈長，帶有愈多的能量。你不用擔心剩下來的甘油分子會被浪費掉，它還能被身體進一步轉換成葡萄糖，一樣可以在體內燃燒而得到能量。

脂肪燃燒的第一個步驟，是「β- 氧化作用」（beta oxidation）。讀到這裡，我相信大多數朋友都沒想到科學家還會去區分不同的氧化方式，特別指出是β- 氧化作用。其實這種精確，正是推動科學技術發展的動力之一。

如果你有勇氣繼續，可以搭配圖來讀這一段。這種被細

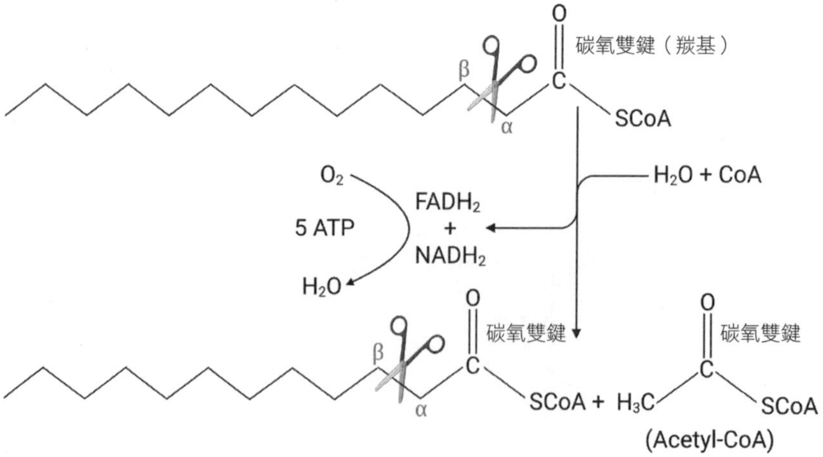

胞拿來取得能量的氧化作用，會從脂肪酸的「碳氧雙鍵」（羰基 carbonyl group）開始切掉兩個碳，剩下的碳鏈的「頭」，就是從原本碳氧雙鍵數過來第2個碳，也就是β碳，而這個β碳會再被氧化成碳氧雙鍵。知道了這一點，你可以說自己已經在通往專家的路上了，畢竟這就是這個氧化作用名稱的由來。

β-氧化作用每切一次，就會得到能量分子ATP，所得到的電子和其他產物還能再送到粒線體的另外兩條生產線

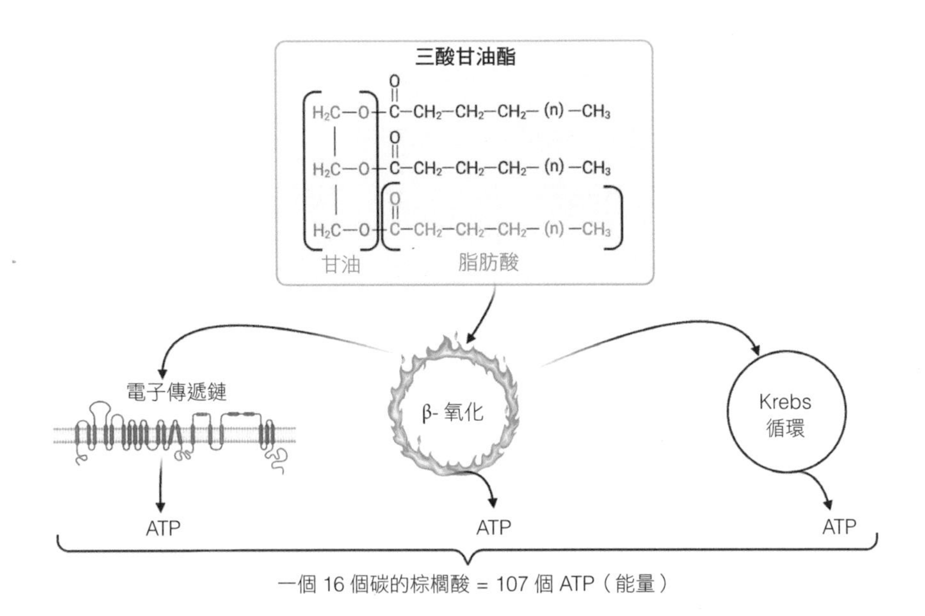

（上頁圖左的電子傳遞鏈、圖右的 Krebs 循環）進行二次燃燒，產生更多能量分子 ATP。是這樣，粒線體才會被稱為是細胞的發電廠，可以提供細胞運作的能量。

一個 16 個碳的棕櫚酸，可以產生 107 個 ATP。碳鏈愈長，β- 氧化作用能切愈多次，得到愈多可以燃燒的材料，取得更多能量。

因為分子形狀不同，飽和脂肪與不飽和脂肪進入粒線體燃燒的效率並不一樣。飽和的棕櫚酸進入代謝，β- 氧化作用可以沿著碳鏈一路進行下去；而不飽和的棕櫚油酸碳鏈上帶有一個雙鍵，粒線體必須額外投入其他酵素，來調整眼前的脂肪酸結構，才能繼續進行 β- 氧化；如果是帶有更多雙鍵的多元不飽和脂肪酸，燃燒的過程會需要進行更多額外的步驟。

從身體取得能量的角度來看，飽和脂肪的燃燒比不飽和脂肪直接而有效率。這是生化上的事實，但大多數人受到專家鼓吹不飽和油的影響，根本連想都不會想一下飽和脂肪的好處，甚至還把飽和脂肪當作「壞」的飲食營養，這真是不可思議。

你大概會很驚訝，一本談飲食的書為什麼要談這麼多生化反應的細節，幾乎讓你想起了中學時期沒完沒了的考試。放心，我不會出題來考你，但對於講究理性的朋友，我相信這些說明能幫助你了解，為什麼飽和脂肪能幫助你得到健康，而安心從飽和脂肪得到能量和保護。

許多朋友都聽過反式脂肪對健康有害，但坦白說這並不是眼前需要特別關注的重點。畢竟反式脂肪已經成為大多數地區的管制項目，由法規來強制食品業者必須標示，所以除非是製造來源不明的食品，否則不用過度擔心。

現在要留意的不良脂肪，反而是一些表面看來健康的油，像前面提到的植物種籽油，以容易氧化的多元不飽和脂肪酸為主，促發炎的 omega-6 比例偏高，萃取過程複雜，高溫烹調都可能造出的額外化學產物，這才是更需要關注的。

儘管如此，從下頁的圖可以看出，反式和順式還是一個說明分子形狀對生化反應影響的好實例。天然不飽和脂肪酸是順式，也就是雙鍵前後的碳原子是位在同一側，而讓脂肪酸分子多出一個彎度；反式脂肪在雙鍵前後的碳原子位於不同側，不會造出彎度。這種沒有彎度的雙鍵，是人體酵素無

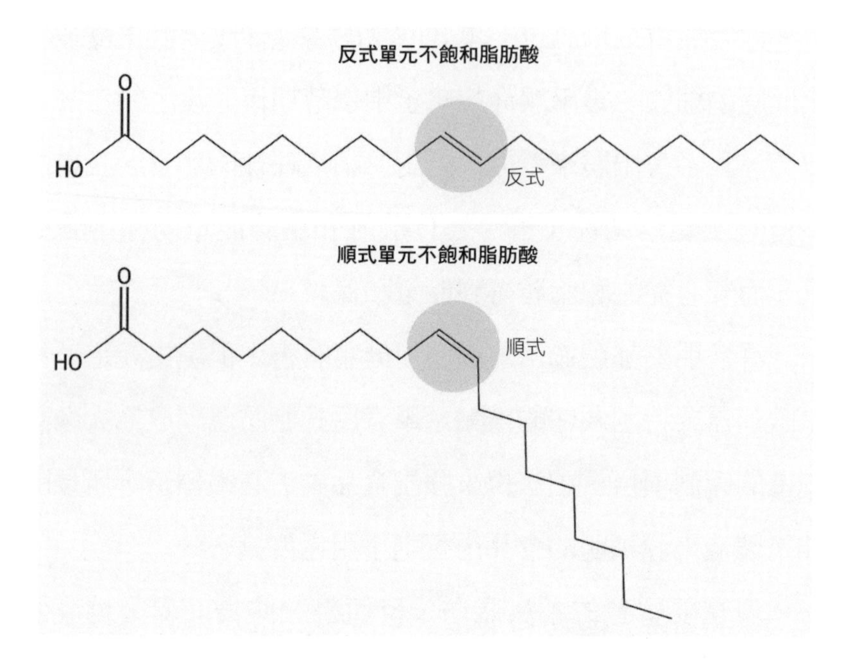

法處理的，β- 氧化作用會中斷，殘留下來的脂肪酸只好繼續囤積在身體。

看到這裡，我相信你已經明白，其實根本不需要一味地排斥脂肪，重點是**懂得善用穩定而乾淨的飽和脂肪與單元不飽和油，並避開會導致發炎、容易氧化、造出代謝負擔的 omega-6、多元不飽和油與反式脂肪**。這麼做，能讓我們從飲食脂肪得到保護的效果。

21
脂肪的保護力

前面談過，和碳水化合物與蛋白質相較，脂肪是一種高熱量密度的營養素。這一點，也許和我們之所以是現在的我們有關。

有科學家從能量和代謝的數據，推算每種動物的體型和器官比例，並從腦部的比例來解釋，為什麼早期的人類可以在艱困環境勝出，經過演化存活下來，成為現代的我們。

有一種解釋是這樣的：腦的運作很耗能，一個生物要吃得到足夠能量，才足以支持腦充分發揮作用。在採集和狩獵的年代，如果能透過一些肉類和脂肪取得足夠熱量，是早期人類得以支持腦的運作而取得生存優勢的條件。畢竟從身體構造來看，人類的腸道比起牛、羊、馬等草食動物偏短，腹部空間比起同為靈長類而完全素食的黑猩猩也小得多，無法讓夠多的植物纖維在腸內發酵，來取得足夠能量。

這種說法很有趣，不能說人類演化是為了來吃肉的，而是反過來，演化過程一點偶然的發生，讓原始人類靠著肉類和脂肪得到了生存的優勢。

當然，現代人的生活條件和早期人類完全不同。人類靠著智商，早已脫離要躲避野獸獵食的日子，現代社會大多數人也不再需要大量的體力勞動，不必汲汲營營於熱量，反過來還要留意營養過剩的問題。

但經過演化留存下來的生理代謝機制，並沒有多大改變，身體和大腦要運作順暢，保持體力、精神和心情穩定，還是少不了膽固醇和飽和脂肪。

Lucy 是我多年前在一個大場合認識的一位女士，當時她正進入更年期，熱潮紅的症狀很強烈，時常半夜發作，又熱又癢，十分不好受。但最嚴重的是，感覺頭腦不像往常一樣清晰，就好像總被一層霧遮著，昏昏鈍鈍的。她想採用荷爾蒙補充療法，想知道我從專業會怎麼看。

對我而言，透過荷爾蒙補充療法，調整黃體素和雌激素的比例來克服更年期的症狀，並沒有不好，但我跟 Lucy 說可以先從飲食調整開始，作用會比較全面。

由於她很明顯體重過輕，體內脂肪緩衝不夠，荷爾蒙變化造成的感受落差更是明顯。這是我在台灣女性身上常見到的情況，台北身心靈轉化中心的同仁，和一些有腫瘤的朋友，都聽過我一再提醒這一點。我跟她說可以採用月見草油，裡頭含的一些脂肪酸和其他成分，可以幫助改善發炎和更年期症狀，對女士生理期的各種不舒服也有緩解的效果。另外我也建議她多攝取一些脂肪，不需要達到生酮飲食熱量有 80% 來自脂肪的地步，只要多攝取一些就夠了。

當然我也問 Lucy 是不是吃素，畢竟對素食的朋友就不需要談從肉類補充脂肪，最多是建議用椰子油這類植物性飽和脂肪，而少用平常炒菜、油炸的植物種籽油。但她沒有什麼特別不吃的，也剛好愛吃肉。我告訴她可以多吃點肉，尤其是脂肪多的草飼牛的肉。當場還有其他醫師，我看得出來他們對這樣的建議相當驚訝。

3、4 個月之後，我們在其他場合又見到面，很明顯，她體重增加了一些，比較圓潤。她見到我非常高興，告訴我她熱潮紅的症狀已經不再，頭腦又恢復往日的清楚，生理期也恢復正常。可見脂肪的保護，對女士是相當重要的。

脂肪就是這麼重要的營養素，除了是重要的熱量來源、細胞膜的重要組成，也是許多內分泌和體內訊息調控分子的前驅物。一套強調健康的飲食指南，竟然將這麼重要的成分排除在外，以後的人回顧起這段歷史，一定會覺得不可思議。

只要遇到女士正在更年期的轉換階段，我幾乎都會提醒她們脂肪的重要。我還遇過一位在娛樂圈很知名的女士，也跟她這麼建議。此外她也規律用跳床做運動，很輕鬆就讓身體的淋巴循環活絡起來。當時她已經 54、55 歲，生理期仍然正常，而外表看來就像 30 幾歲。

我從《真原醫》開始，希望帶給大家的也就是這些抗老化的生活習慣，只要照著做，自然活得健康愉快，即使上了年紀仍然靈活而精力充沛。這些生活習慣調整能帶來的好處，近年也得到了分子醫學的證據。這說明了從習氣改變著手，是可以從身體最基本的分子層面得到轉化。

22
蛋白質很重要，但不是每天都需要

脂肪、蛋白質、碳水化合物這三大營養素雖然都帶來熱量，但進入身體後的反應是截然不同的。**吃過多的碳水化合物反而讓人容易餓，脂肪比較能帶來飽足感，而蛋白質是最快讓人感覺吃飽的飲食**。在飲食調整時，脂肪加上少量的蛋白質，是一個能很快止飢的方式，而澱粉和糖類這些碳水化合物，則是最容易讓飢餓感反撲的選擇。

這也是為什麼我在前面帶著同事斷糖實驗時，會讓他們多用脂肪和適量的蛋白質來搭配大量的蔬菜，畢竟能吃飽、吃好，身體才有足夠的能量進一步調整代謝，而不會在飲食調整的過程中一直被飢餓感打擾。

然而，我也時常提醒身邊的朋友，不要把蛋白質當作飲食主要的熱量來源。和脂肪與碳水化合物相比，蛋白質的結構複雜得多，身體需要耗用更多能量，才能完成蛋白質的消化與代謝。舉例來說，身體將尿素從飲食蛋白質分離出來就需要耗能，這讓從蛋白質得到的 100 大卡，只剩下 70 大卡能真正被身體所用。我們吃進去的蛋白質，要被用來汰換掉皮膚的角蛋白、更換維持細胞形狀的細胞骨骼。超過這所需的蛋白質會轉為葡萄糖、肝糖和脂肪，作為能量來儲存。

大家現在都知道上了年紀肌肉流失（肌少症）的嚴重性，自然會提醒年紀大的朋友要多吃蛋白質。這個觀點大致是正確的，但可以說只是部份正確。

正確的部份在於，是的，**對於運動量非常大的健身家，補充蛋白質能快速讓肌肉長出來；然而，對於年紀大的朋友而言，鍛鍊比補充更重要。只有透過運動，才能留住飲食裡的蛋白質。**

對我而言，**運動的目的是調整代謝**，倒不是為了培養巨大的肌肉。許多追求健身的朋友，認為從飲食取得蛋白質的效率不夠高，會補充乳清蛋白或其他蛋白粉。這裡我想提醒，牛奶的蛋白質是很多人的過敏原，自己要懂得留意。此外，大多數人並不需因為多做幾組健身動作就額外補充蛋白質，坦白說，就連一般飲食的蛋白質都可能已經過多。

其實正常飲食的情況下，一般人是不會吃下太多蛋白質的。吃多了，自然感覺到不太好消化而會停下來。有些專家認為這是身體在和我們打招呼，不要因為吃下太多蛋白質而造出代謝的負擔。

如果真的因為飲食缺乏而需要補充蛋白質，別忘了雞蛋。雞蛋所含的蛋白質，是比較容易被身體運用的。有些專家會用「營養運用效率」來表達，也就是說蛋白質被吃進身體後，有多少比例能被轉為身體組織的一部份。

以營養的運用效率來說，吃一顆全蛋，48% 的蛋白質可以被用到身體裡去建造肌肉和必要的組織，肉類的利用率是 30%，豆製品 17%，乳製品包括乳清蛋白是 16%，而螺旋藻是 6%。值得注意的是，如果略過蛋黃只吃蛋白，少了脂肪和膽固醇的輔助，蛋白質利用率反而下降到 17%。

當然，營養運用效率只是其中一個層面。從別的角度來看，植物蛋白有相當多的好處，我知道許多優秀的運動員和健身專家是素食主義者，透過植物就得到足夠的蛋白質和各種營養；對於已經有腫瘤問題的朋友，我也會建議他們採用植物蛋白質，減少動物蛋白質帶來的刺激。

如果沒有特殊的健康或其他顧慮，好的雞蛋，例如放養雞（而非籠飼雞）的蛋，是很好的選擇，不需要另找昂貴的替代品。只是一般人因為觀念錯誤而排斥膽固醇，都以為應克制每天吃蛋的數量，也就忽略了這容易取得的蛋白質來源。

回到補充蛋白質，一天要補充多少呢？首先，身體雖然需要蛋白質，但就連人體無法自行製造的必需胺基酸都**不需要每天補充，身體會先從汰換下來的組織回收蛋白質來利用**。再加上每個人身形大小不同，所需要的蛋白質量也不一樣。一般來說，70公斤的人每天約需20～30公克的蛋白質。

以一顆含7公克蛋白質的全蛋來計算，即使只依賴雞蛋作為蛋白質來源，一天4顆蛋就足以滿足大多數人對蛋白質的需求。如果攝取更多，從蛋白質吸收率和各種代謝指數來看，並沒有更多的益處。我們所攝取的**蛋白質倘若無法轉化為身體組織，會經由糖質新生作用而轉為糖類。沒有消耗掉的糖，只好再轉為脂肪來儲存**。

我在第12章的斷糖實驗，鼓勵同事用大量脂肪取代糖，至於蛋白質適量就好，並不強調要多用。一方面是因為前面談到的，身體對蛋白質的需求量其實不高，過量反而造出腎臟負擔；另一方面正是因為蛋白質還是會刺激胰島素，而過多蛋白質早晚會轉成糖、肝糖或脂肪，反而抵銷減醣的效果。

攝取蛋白質除了要搭配運動，也不應該讓蛋白質變成主要的熱量來源。長期的高蛋白飲食並不是身體的常態，還會造出代謝的負擔，加速老化。吃太多蛋白質也和二型糖尿病、心臟病和癌症脫離不了關係。這一點，值得採用原始人飲食、低醣飲食、生酮飲食和純肉飲食的朋友特別注意。

還有，現代人因為飲食失衡或長期用藥，已經普遍有腸道受傷的問題，也就是我之前提過的腸漏症，過量的蛋白質反而會讓腸道更失衡。這時更應該考慮先用更多的蔬菜，少用會刺激身體甚至導致過敏的食物，來改善腸道的健康。

我帶著同事們做斷糖實驗，除了建議他們用脂肪取代糖，也配合大量蔬菜的生機飲食，盡量吃生菜或減少烹調的程度，保留完整的酵素和營養素，而且最好是綠色的葉菜類，以及花椰菜這類十字花科的蔬菜。大量蔬菜不光是讓人有飽足感，所含的多酚類、植化素還有膳食纖維，也能幫助我們建立好的腸道環境。這一點，我會再用一個章節來打開。

將代謝從消耗性的異化代謝（catabolism）轉向合成身體組織的同化代謝（anabolism），主要是為了活力不足和年紀大的朋友，幫助他們移動代謝的平衡點，而不是說還要透過補充蛋白質一味地去追求同化和成長。

健康真正的關鍵還是在於平衡，我們的身體在健康的運作下，成長隨時在發生，而修復也隨時在發生。如果身體完全偏向促進生長的運作，缺乏空間去修復錯誤，那麼這種生長是不正常的，甚至會加快老化和癌化。本來是為了追求健康，但反而被過度的營養推向老化，這是相當不值得的。

你可能已經發現，雖然這本書前半要談的是「療癒的飲食」，**但對於現在這個時代的我們，飲食的療癒不在於吃了什麼神奇的食物，相反的，首先是不吃過度單一化的飲食，讓身體有空間自我矯正。**

一樣地，比起具體作用在某個代謝環節的補充品，我們可以從作用範圍更大、更有緩衝效果的作法著手，從斷糖、腸胃道健康、運動，到壓力管理、偶爾斷食作一個清理，你會慢慢知道怎麼為自己創造一個有益於健康和快樂的身心環境，讓自己平安而充實過這一生。

23
高營養密度的食物，帶來活力

走到這裡，我們已經談了糖、脂肪和蛋白質這三大營養素，希望透過澄清觀念來扭轉《USDA 飲食指南》所造成的錯誤。當初的錯誤讓我們忽視甚至排斥脂肪的重要，美化了蛋白質，將主要的熱量來源集中在精製過的米麵主食，進而影響了整整 3、4 個世代的代謝與健康。肥胖、糖尿病、心血管疾病和其他慢性病的數字從此居高不下，整個社會要付出更多的醫療成本來補救。更嚴重的是，從醫療的環節著手已經太晚，是怎麼也拯救不了的。

此外，《USDA 飲食指南》以熱量作為主要的區分，也讓人忽略了真正的重點：營養。

這裡所談的營養，其實就是我在《真原醫》所談過的**維他命、礦物質、微量元素、活的酵素，以及能幫助身體解**

毒、抗氧化的天然物，像是各種植化素、多酚類。這些營養主要來自蔬菜，是身體執行生化反應所不可或缺的，配合身體的需要來補充，可以幫助預防癌症、反轉慢性病，讓體質朝向有利於健康長壽的生命前進。

是錯把重點放在熱量而忽視營養，讓餐廳把炸薯條、薯泥擺在牛排旁作為配菜，再加上一點玉米和兩小片萵苣葉，當作是有肉有菜的平衡飲食；讓許多人匆忙打開一包餅乾或洋芋片，或是點一盤炒飯，在麵攤吃碗乾麵，微波一片披薩，最多再加上一罐加工果汁，認為這樣就是一餐。

太過忙碌、錯誤的飲食觀念，再加上食品業的全力配合，讓許多人每天的飲食空有熱量但營養不足。身體缺乏足夠營養，需要從飲食來補充，但已經習慣這種飲食方式的我們，還是繼續採用空洞的熱量，補充不了營養。這樣的飲食讓人進入一種奇特的狀態：需要減重而又營養不足，不斷把身體的代謝往肥胖甚至慢性病的方向推進，而又極度缺少修復和療癒所需要的真正營養。

從我的角度來看，長期的健康飲食還是需要注意均衡。然而**我所談的均衡，不光是考慮主要營養素在熱量上的**

均衡，而更強調足以支持生理運作、修復與療癒的均衡。

蔬菜為主，比我們過去所認為的都更重要

一般外食常見的餐盒安排，受到《USDA 飲食指南》的影響，即使有新鮮蔬菜，比例也是錯的，像是為勞動為主、體力活動為主的人設計的飲食。至於不在青春期、不在懷孕或哺乳期間、勞動量輕微的人，可能要把餐盒麵飯主食和配菜的比例交換，也就是讓配菜成為主食，而且以大量新鮮的綠色蔬菜為主，這樣才更貼近身體的營養需求。

我還是要再提醒一次：即使蔬菜與水果在《USDA 飲食指南》被歸為同一類，但這兩者的營養價值其實並不相等。果糖會導致的問題，我在前面談過度加工食品時已經點出來。許多朋友可能覺得吃水果不夠方便，而會用果汁，甚至是加了更多果糖的加工果汁當早餐。這種吃法少了天然水果的纖維，卻多了更多果糖帶來的負荷，並不是有益健康的選擇。

我在《真原醫》提醒過，盡量吃完整的水果，而不是喝果汁，這樣才吃得到完整的營養，包括膳食纖維、植化素和

微量元素。現在我更要提醒大家留意，水果不需要多吃，適量就好，而且以當地當季的為主。

健康的原理沒有變過，但是食物本身改變了，水果就是一個實例。現在的水果經過不斷改良，甜度愈來愈高，我們吃水果對神經系統造出的刺激，已經和吃糖果沒有兩樣。而水果的果糖避開了胰島素和飢餓素的調控，很容易讓人吃過量，而加重肝臟代謝的負擔。

要攝取天然植物的營養，綠色的葉菜類是更好的選擇。葉菜類是標準的低熱量、高營養的食物，除了含有豐富而有益健康的各種天然物，還有高量的膳食纖維在進入腸道後可以作為育菌素，為我們建立健康的腸道環境。

同樣都是一餐，過度加工食品讓我們吃下了許多熱量，但肚子還是空的，不小心就會繼續吃而吃得太多。如果是一餐含有豐富蔬菜的飲食，把肚子紮紮實實填滿，胃壁的延展本身就是一個飽足訊號，自然讓大腦知道該停下來，別再吃了。

一樣能帶來 100 大卡熱量的飲食，蔬菜和肉類相比，體積當然大得多，而足以把胃填滿。同時蔬菜的蛋白質含量和

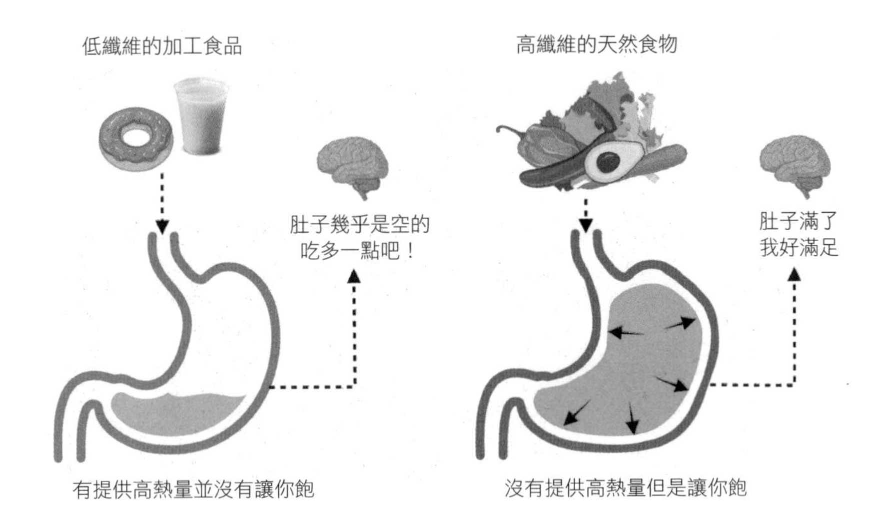

相同熱量的肉類相比並不遜色：100 大卡熱量的花椰菜含有近 8 公克蛋白質，相同熱量的牛肉含有 10 公克左右的蛋白質，相同熱量的蘆筍則有 11 公克蛋白質，同時還含有豐富的「天門冬醯酸」（asparagine），對腦部的發育和運作相當有幫助。

除了蛋白質，還有豐富的植化素和微量元素，再加上膳食纖維，從各方面來說，蔬菜是標準的高營養、低熱量密度飲食。這些年，我看到許多健身領域的名人採用完全蔬食，只從蔬菜取得蛋白質。他們練出來的肌肉，不會亞於一般吃

肉的運動員。

雖然前面提過，有人會透過純肉飲食來快速調整體質和體重，但這最多是作為短期的方案。長期來說，我還是會建議大家降低動物性蛋白質的攝取量。

攝取過量動物性蛋白質，會讓身體產生尿素，刺激發炎，同時也容易刺激「類胰島素生長因子」（insulin-like growth factor, IGF-1）。IGF-1 是一種與胰島素序列很相似的內分泌物質，過低會讓身體發展遲緩，但過度受刺激，也會促進一些癌症的發生。

肉類消化後在腸道被微生物代謝，還會產生「三甲胺」（trimethylamine）；三甲胺被腸道吸收後，進入肝臟被酵素進一步轉成「氧化三甲胺」（trimethylamine-N-oxide, TMAO）；TMAO 進入血液循環，會刺激血管發炎，進一步導致心臟疾病。

生機飲食：從活的蔬菜，得到活的酵素與營養

一位在美國推廣生機飲食的專家傅爾曼（Joel Fuhrman）曾經提到，如果人們再不改變飲食，很可能會遭遇一波全球性的疾病，沒想到 2019 年全世界就發生了COVID-19 的疫情。也有專家發現，飲食長期缺乏微量元素硒與維他命 D_3，和 COVID-19 感染後的死亡率有關。是這些資訊，再加上前面提到代謝症候群的嚴重性，我才會再一次出來談飲食的調整。

我過去在美國面對有腫瘤、慢性病的病人或親友，會幫助他們轉為以新鮮葉菜類為主的飲食，而且強烈建議他們生吃，讓活蔬菜裡的活成分，來幫助身體應付眼前的危機。

這樣的生機飲食沒有經過加工的過程，富含酵素、維他命、礦物質和其他營養素，幫助人體腸道內的菌叢回復平

衡，可以更好地吸收營養。如果因為生病而腸胃消化力不夠，我甚至會讓他們採用蔬菜汁，將大量蔬菜裡的活酵素和天然物，透過榨汁集中起來，喝進身體。

所有淨化食譜的核心，都在於以具有生命力的食物，誘發身心的排毒和好轉反應。最好的淨化飲食，就是天然未加工的生鮮有機活力蔬食。

至於一般人的長期飲食，我倒不認為需要特別將蔬菜打汁來喝，完整的蔬菜是更好的選擇。就像前面所說的，吃完整的蔬菜既有飽足感，又對腸道有幫助。

說到這裡，我想起一位美國女士 Sonya，長年過重，也有皮膚濕疹，時常癢得受不了抓到流血。她改吃全素想調整體質，但總覺得餓，而體重還是一樣。我跟她說可以吃肉，先讓自己吃飽、也從肉類得到好的脂肪。這時其實可以採用大量新鮮蔬菜和好脂肪的高纖生酮飲食，同時得到高營養和高熱量密度的雙重保護。

她適應這樣的飲食調整後，很自然發現可以吃飽，不會一天到晚想找東西吃。習慣每天少吃一餐後，濕疹消失，連糖尿病的指數都恢復正常，她乾脆改成一天一餐。一個多月下來，就連月經前也不再有強烈的情緒困擾。本來過重的她，根本打不起精神運動，但現在好像活力夠了，自然想動，開始規律做有氧和健身。整個人變得快樂、清爽，這一生第一次真正健康起來。

我回到台灣後，觀察到華人不那麼習慣生吃蔬菜，體質也和西方人不同，一下子改成全生菜的飲食，有些人還會感覺虛寒。對這樣的朋友，我還是會鼓勵至少多吃綠色的葉菜，並慢慢提高生菜的比例。就像在第 12 ～ 18 章斷糖實驗提到的，不習慣生菜的朋友，可以用好的脂肪和肉類來搭配煮熟的蔬菜，降低飲食中糖和澱粉的比重。想慢慢習慣生菜，可以從溫沙拉開始，像是在煮過的食物中再多加一些生菜，或者用溫熱的醬汁來拌生菜，逐步將活飲食的比例提高。

當然，要採用這種高營養密度的飲食，需要我們多花一些心思。我帶著同事進行斷糖實驗，那段時間也帶著他們吃有大量蔬菜的生機飲食，幾乎是手把手帶著他們從認識蔬菜開始，到洗菜、搭配、擺盤、上菜，相當花時間和心力。但看到他們不光健康有了改善，心情和周邊的互動都不同，就好像換了一個人生。回頭看，完全是值得的。

24
找到你的菜

前一陣子我注意到一個數據：中東地區的癌症發生比例非常低。這個現象和飲食與生活習慣當然脫離不了關係，像是中東地區的吸菸人口少，基本上是禁酒的，而飲食裡用了大量的肉桂、香菜等香料，可以幫助清理身體。

許多香料植物含有天然的抗氧化物，是現代西方營養學重視的超級食物，熱量低、營養高，很早就被列入各地的藥典作為藥物來用。現在風行世界各地的咖哩，是由薑黃、香菜、辣椒、丁香、肉桂、孜然、胡椒、肉豆蔻、葫蘆巴等，各種當地香料所混合而成的調料，讓人在飲食時自然得到各種天然物，也是一種長期流傳下來的飲食智慧。

除了香科之外，大量的蔬菜，尤其十字花科的葉菜類，也是很好的天然抗氧化物的來源。十字花科的蔬菜與洋蔥，除了植化素和其他營養，還含有一些酵素，所合成的產物具有抑制腫瘤的效果。然而這些酵素會被高溫破壞，可以的話盡量生吃。

菇類則含有可以調節免疫反應，降低幹細胞 DNA 老化的麥角硫因，這是一種人類無法自行製造的抗氧化劑和抗發炎劑。這個成分是耐熱的，可以煮過再吃。

在飲食裡提高蔬菜的比例，能提升營養、降低熱量，減輕能量代謝的負擔，本身就是抗老化的一個重要環節。

當然，對很多人而言，要提高飲食裡的蔬菜比例，也要先能認識蔬菜，知道當地有哪些蔬菜可以取用。現在試試看，看看你在下頁這個菜籃子表格裡，能寫出多少種蔬菜的名稱。

我相信你填寫下來，已經有點坐不住，想去市場走走，看看還有哪些平常沒注意過的蔬菜，可以放到菜籃裡。我也鼓勵你親自去看看，把這些格子填滿。這方面的知識既能充實你的營養常識，也可以豐富你的飲食選擇，我認為是再實用不

過的學習。

接下來，我要請你做一個分類，在菜籃加上註記。如果你知道某一種菜是葉菜類，就在上頭加註「葉」；你知道是十字花科的蔬菜，就加註「十」；你知道它其實是果實，就加註「果」（瓜類也是一種果實）。

沒做過菜的朋友，可能連哪裡能買到新鮮乾淨的菜，要怎麼處理，都需要一一學習並建立自己的資料庫。我會建議你沿著自己的生活動線來學習，例如上下班的路途、去運動或聚會的點、住家附近。就近找出市場的位置，安排時間去走走，看看哪一個攤子或超市讓你感覺舒服，可以放鬆挑選蔬菜。

有機耕種的蔬菜是一種選擇，但並不是非有機不可。攤商往往有自己習慣進貨的蔬菜來源和種類，你需要多熟悉幾家，可以輪流採買。這樣選擇不那麼單一化，還可以避免同一種農藥的殘留，或長期缺乏某些微量元素。

蔬菜從採收、整理、運送、批發到零售，都需要時間，有些蔬菜離開土地後要至少一星期才能上架販售，海外或遠地進口的食材需要的時間更長。如果可以，到住家或週末活動的區域找找小農市集，你可以找到新鮮、當令、在地、有生命力的好食物。這不光縮短從產地到餐桌的距離，你還有機會見到把這些好蔬菜種出來的人，體會他們的生命場，並且親自表達你的感謝與喜愛。

現在到處都有各種飲食的資訊，有時候選擇太多，你可能會迷惑，不知道從何開始。但其實很簡單，就像我常說的，把自己、生活當作一個實驗，沒有看過、沒有吃過的菜，不妨問問賣的人可以怎麼處理，或上網看看有沒有示範的食譜。

除了豆類和茄科植物，大多數蔬菜只要洗乾淨都能生吃。你可以拿一小把生吃看看，嚐嚐搭配不同油醬的味道，還可以邀請身邊的人一起試吃、練習擺盤、上菜。帶著樂趣進行，透過飲食，你不光是從食物得到營養，也和身邊的人一起享受這個和諧的快樂。

25
讓腸道成爲健康的朋友

談到蔬菜，你大概還記得我前面一再強調飲食和腸道健康的關係。這是相當重要的一個環節，我會在接下來的幾章繼續說明。

如果我說你的身體裡有一座網球場，多數人的第一個反應大概是呆住，接下來可能想趕快把這本書闔起來，或趕緊離開。

但是，這其實沒有誇大，也不是胡說八道。事實上，如果把你的腸道攤開來，把每一個皺折和絨毛都攤平，這些腸道的上皮組織足足可以覆蓋一整座網球場。

這讓人很難相信，你可能需要閉起眼睛體會一下，就在你的肚子裡有一座網球場。那是怎樣的感覺？而我們的身體又是怎麼做到的？把一座網球場折進一個肚子裡，老天，身體真是奇妙！

是的，身體真是奇妙。

最有趣的是，我們通常認為在皮膚之外的才是外面，而腸道既然在身體之內，當然是裡面。但是，只要再仔細想一想就會發現，消化道其實是開放的環境，是從口腔到肛門的一個通道，也就是說我們以為的裡面並不是裡面，一樣地，還是外面！

我們用皮膚感受周邊開放的環境，而得到冷、熱、曬、涼、濕種種感覺。我們從皮膚得到各式各樣的訊息，接受一些養分的滋潤，也透過皮膚隔絕紫外線和病原體的入侵。腸道也是一樣，透過腸道的上皮組織接受通過腸道的營養，得到食物帶來的各種訊息，並且隔絕外物的入侵，它就像一層被捲在身體內側的皮膚。

真要說有差別的話，可以說皮膚所面對的環境比較開放，而皮膚所分泌的水份、油脂，對環境的影響只在一個很有限的範圍裡，影響的程度也小；而腸道透過各種彎折和括約肌的幫助，在身體內建立了一個半開放、半封閉的空間，加上我們飲食和腸道細菌的互動，這個半開放半封閉的空間

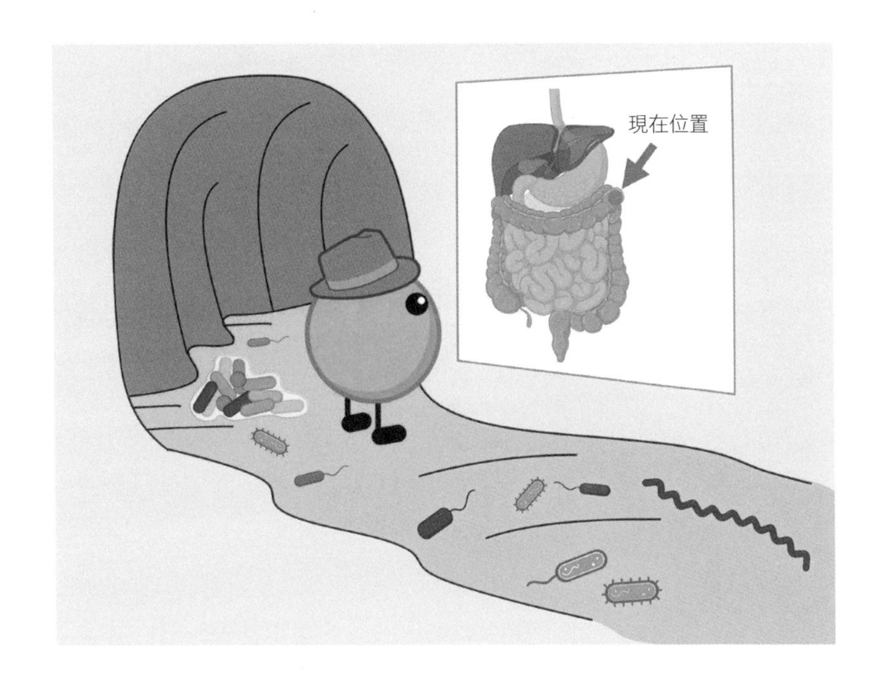

構成了身體一個很特殊的「內環境」。

很有意思的是，接觸這個內環境的腸道上皮狀態，也會反映在接觸外環境的皮膚。許多朋友的腸胃道一有問題，臉部或身體的皮膚就開始發癢、過敏、起疹。

消化道不光是讓食物通過、接受消化、被吸收的通道，它本身也不斷回傳訊息來影響身體。舉例來說，大概100年前，生化學家已經知道腸道會分泌一些物質，有降血糖的效果；再過了 40 年後又發現，口服的葡萄糖因為經過腸胃道消化，會比直接施打到血液的葡萄糖，有更明顯的刺激胰島素分泌效果，因此把這種腸胃道帶來的作用，稱為是腸泌素效應。

腸泌素不是單一的分子，而有多重的功能，一方面感應身體裡的糖量，另一方面也為身體帶來幾種不同的訊息，像是刺激胰島素、延遲胃將食物排空。和胰島素相比，它的降血糖效果是透過不同層面的作用而來的，比較間接，也比較溫和。

不只腸道在溝通，就連胃也不是一個單純的研磨器。我們光是想到、聞到、預期有食物，腦部的資訊已經開始透過迷走神經，傳給下視丘和副交感神經系統，並透過胃壁上的不同腺體，將訊息帶給胃部。等食物真正進入胃，胃壁上感受延展程度的受體，也會將訊號傳遞回腦。我們在進食時，胃和腦之間已經來來回回交換了不曉得多少資訊。

包括口腔也一樣，除了咀嚼和吞嚥，還能幫助產生抗病毒、放鬆血管的分子一氧化氮。我們吃了蔬菜，裡頭所含的硝酸鹽經過口腔微生物代謝產生亞硝酸鹽，再進入胃酸環境自然轉變成一氧化氮，然後被吸收進入體內發揮作用。

說到這裡，我也提醒一下：口腔清潔是很重要，但不需要過度清潔到把口腔微生物都消滅的地步。舉例來說，含酒精的漱口水可能將原本正常存在口腔的微生物都淨空，而對消化道的生態平衡與訊息傳遞，造出我們沒想過的影響。

這還只是其中的幾個環節，整個消化過程往上、往下溝通的訊息，說是「海量」都不為過。比較熟悉《真原醫》的朋友大概可以體會到，為什麼我常常在提醒「吃飯，就專心吃飯」，甚至會請大家在餐前做一些感恩的功課，表達對食物、準備食物的人、身體和一切的讚美與感謝，並且在輕鬆愉快的氣氛下用餐。

消化道，特別是腸道和大腦之間的溝通，專家歸納稱為**「腸 - 腦軸線」（gut–brain axis），具體的溝通管道包括了神經、內分泌和免疫系統。**這個溝通是雙向的，我們吃下去的食物，以及腸道裡微生物的反應，構成了這溝通裡重要的環節。

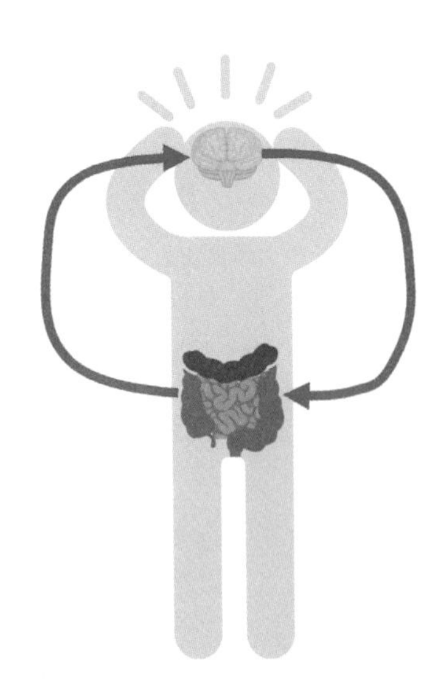

我們知道愈多，自然會發現這個內環境的重要性，比目前所體認到的都還重要；而這個

內環境是脆弱還是強健，透過身體內各種訊息的交換，從方方面面正在影響我們的健康。

要建構這個內環境，飲食當然是個很重要的方式。

人類的消化道很有趣，不像牛是在胃裡讓食物發酵，也不像馬是在小腸讓食物發酵，而是在食物的消化與吸收完成之後，在大腸進行發酵。這個發酵的過程與我們所攝取的飲食有關，也反過來對我們造出影響。

我在 30 年前推廣真原醫就注意到腸道健康的重要性，當時不要說一般人並不熟悉這方面的觀念，我和專家提起，也發現這方面的資訊還沒有普及。我不只讓同仁特別去找可以耐胃酸的「益生菌」（probiotics），而且配合益生菌的特性用冷藏來保存，減少添加劑的使用。我還請同仁也針對腸道細菌的需要，去找到適合日常補充的「育菌素」（prebiotics）。

什麼叫做育菌素？簡單來說就是培育這些益生菌所需要的營養素，也就是有益健康的腸道細菌喜歡採用的食物。第 23 章談到蔬菜的膳食纖維、抗性澱粉、多醣、寡糖、多酚類、植化素，都是腸道菌喜歡的食物，都可以納入育菌素的範圍。一般市面上的育菌素則以寡糖或多醣為主，你可能看過添加「菊苣糖」(inulin)的食品，這也是一種多醣類的育菌素。

如果需要對腸道在短時間內做整頓，那麼同時給予益生菌和育菌素，可以說是為腸道細菌安排一個雙管齊下的復育。既引入有益的菌種，同時又提供適合菌種的營養，盡快重建腸道的環境。

我在《真原醫》用了整整 3 個章節，從消化道的組成和運作談起，進入常被人忽略的微生物代謝、便秘、宿便和腸漏症，並建議大家透過飲食、姿勢和運動，從微生物、化學和生物物理的層面來解答。

除了透過營養補充品來提供益生菌和育菌素，最根本的作法還是從每天的飲食著手。接下來，我會介紹一些能讓好的微生物喜歡住在腸道裡的飲食。對我而言，這是很實在的方法。是這樣，我才會花這麼多的篇幅來談「療癒的飲食」。

過去談到「腸漏症」，我即使跟許多醫學專業的同事一再解釋，他們非但不能夠理解，甚至還反過來輕視這個可能。但現在我相信許多醫師已經意識到腸漏對健康的影響。

所謂的腸漏，就是腸道有縫隙。用學術的方式來表達，就是腸道的通透性有了變化。本來腸道只會吸收小分子的營養素，在通透性改變後，原本應該保持在「體外」的大分子，也進入了血液循環系統。這些大分子會引發免疫系統的過度反應，也就是全身性的發炎，甚至進一步導致自體免疫疾病。發炎和自體免疫的問題，現代人可以說是愈來愈常見，說每個人都有這方面的毛病，都不為過。

壓力也會導致腸漏，而如果有腸漏的現象，也會影響生物對壓力的反應。壓力與腸漏這個主題已經進入科學驗證的領域，我和幾位同仁在2022年《內分泌學與代謝研究趨勢》期刊（*Trends in Endocrinology and Metabolism*）發表了一篇總論〈腸道屏障破壞與慢性疾病〉（Gut barrier disruption and chronic disease），總結了許多研究，對來自飲

食、添加劑、作息、過度勞力、心理障礙、老化等等不同壓力源，破壞腸道屏障完整性並導致發炎疾病的現象，做了目前為止相當完整的探討。

過度強烈或持續過久的壓力，會造出全身性的傷害，包括影響腸道的完整性，讓原本只在腸道出現的細菌分子滲漏到血液而導致發炎。這個情況在健康不佳或老化的人身上特別常見。

腸道受到破壞時，多半也有菌相失衡的情況，腸道內益菌減少，病原菌增加。反過來也是一樣，如果腸道菌相失衡，多半也已經有腸漏的問題。腸漏與腸胃疾病、肥胖、糖尿病、脂肪肝、心臟病、自體免疫疾病、心理失調、老化都脫離不了關係。

一個人怎麼知道自己有沒有腸漏，其實從糞便的情況就可以觀察到。腸道倘若有發炎，會產生許多黏液，上完廁所後，要用好多衛生紙才能擦乾淨，那就可說是有腸漏。

面對腸漏的問題，需要從一個比較廣，照顧整體的層面來著手，而不是光靠某一種藥物來改善。接下來，我會談怎麼重新建立健康的腸道。

26
建立腸道的內環境

一直以來，我推廣預防醫學，想表達的其實也就是**抗老化、年輕化是可能的，而且離不開抗發炎的機制。腸道健康，以及飲食和生活習慣的調整，正是抗發炎的關鍵**。一個人如果能採用我從《真原醫》到現在所談的方式來調整體質，我可以保證不光是從心裡感受到恢復活力，就連外表都會年輕起來。無論男女，都有機會達到。

你已經知道，把腸道的上皮細胞全部攤開來，可以鋪滿一座網球場。更奇妙的是，在這個折疊起來的空間裡，有上萬億的微生物群，而住在你腸道裡的微生物群，可能跟我的很不一樣。你身體裡的「它們」就像是你獨特的簽名，甚至是你很主要的一部份，決定了你對飲食的反應，決定了你喜歡或不喜歡吃什麼，甚至決定了你能不能活得健康和快樂。

美國國家衛生研究院2008年發起「人類微生物體計畫」(Human Microbiome Project),從上萬個美國人的糞便樣本鑑定不同的微生物種類,分析這些微生物對健康和疾病的影響。一個人如果生病了,他腸道裡的微生物組成和一般人是不一樣的。比如說「發炎性腸道疾病」(inflammatory bowel disease, IBD)、類風溼關節炎和氣喘的患者,腸道裡的菌就和一般人不同。

除了腸道裡的菌,也有些微生物活在鼻子、口腔和胃裡面。你可以想像到「它們」活得好不好,跟你活得好不好是分不開的。消化道的眾多微生物,在這個半開放的通道裡分解食物有毒的成分,合成維他命B群與維他命K,消化掉食物最後的殘渣,從膳食纖維產出短鏈脂肪酸,還配合免疫系統成為我們面對外來物時防禦的一部份。

不只如此,專家還能從你的腸道微生物組成猜出你的年紀,誤差不會超過2歲。如果你的腸道微生物種類減少,通常代表了老化。對許多專家來說,將「它們」養好,是改善健康、預防慢性病很重要的一環。

重點是:怎麼養好「它們」?

最直接的，當然是從飲食著手。「它們」喜歡吃植物纖維，也就是前面提過的育菌素。它們最高興的就是你吃上一大盤蔬菜，加上一些蛋白質和脂肪；最害怕的是你往身體裡灌抗生素，像是吃下餵過抗生素的動物的肉。

當然，有時候你因為生病需要接受抗生素治療，這時你要記得，在治療結束後，腸道裡的一切要重新來過。需要你做它們喜歡的事，吃它們喜歡的食物，讓它們重新長出來。前面談到的補充益生菌和育菌素，在這樣的實例裡，就可以派得上用場。

如果想要讓「它們」活得熱熱鬧鬧、健康多樣，也千萬別讓它們偏食。專家提醒我們每個

星期至少要吃 30 種不同的植物，**不同植物帶來各種植化素，可以支持不同微生物群的營養需求**。

我知道這個數字可能讓你愣住，畢竟大多數時候我們太忙，即使記得吃蔬菜，量也還算足夠，但基本上都在重複同樣的幾種。有些朋友怎麼點菜就是那幾道，去買菜也只懂得買熟悉的。

也就是因為如此，我在第 24 章會特別鼓勵你去認識各種顏色和形狀的蔬菜，將自己買菜變成生活的一部份，每次嘗試一種或兩種過去不熟悉的蔬菜。除了蔬菜之外，別忘了植物性的食物還包括堅果、香料、豆子和全穀類。

你讓自己接觸這些新的食物，也學著如何將它們組合起來。你可以一次多買幾樣，每一種都用一些，將它們做成生菜沙拉。要記得，茄科和豆科的蔬菜，要徹底加熱後才能食用，可以搭配生菜做成溫沙拉。總之，讓五顏六色的植物為你的餐盤帶來美感，也帶來健康。

膳食纖維豐富的飲食，對腸道微生物的組成影響特別大，而膳食纖維也只能被住在結腸裡的微生物給分解，並在發酵的過程中產生短鏈脂肪酸，將結腸的酸鹼值降低，留下能在偏酸環境存活的微生物，同時限制壞菌的生長。這些短鏈脂肪酸還可以刺激免疫細胞活性、並且幫助身體維持正常的血糖和膽固醇量。

一般來說，全穀類和水果、蔬菜、豆類，都可以提供很不錯的膳食纖維。這些微生物還愛吃菊苣糖、抗性澱粉、果膠、果寡糖。大蒜、洋蔥、韭蔥、蘆筍、菊芋、蒲公英嫩葉、香蕉、海菜，都含有有這些成分。

不過，有些人突然大量吃這類食物，會讓腸道產氣和脹氣。本來就有一些腸道過敏問題的朋友，可以慢慢引入這些食物，一次增加少量，讓腸道適應。

我們的腸道就像一個活潑的社區，隨著飲食、用藥、運動而調整自己的組成。另一種能幫助你養好腸道的是經過發酵的食物。世界各地都有自己特色的發酵食物，像是華人的臭豆腐、酸白菜；日本人的納豆、味噌；韓國的泡菜；德國的酸菜；歐洲人常用的酸奶和優酪乳；印尼的天貝；有些朋友大概也聽過或製作過從紅茶發酵的康普茶。這都是你可以加入飲食，讓腸道快樂的食物。

一份讓腸道快樂的綠色沙拉

綜合了前面談到的重點，我在這裡想透過心臟科醫師阿里（Dr. Nadir Ali）的影片，示範一份能幫助你遠離代謝症候群、降低心血管疾病風險，又能改善腸道環境的蔬菜沙拉。

這位心臟科醫師主要是做心血管支架手術。他在執業的過程，很快發現一件事：絕大多數病人只要及早調整飲食，根本不需要承受疾病的折磨，也當然不會走到手術這一步。

像他這樣的醫師，現在愈來愈多。有些在腎臟科服務，有些從事縮胃手術，光是守住原本的專業就可以有優渥的生活。但他們都從原本舒適的環境跳出來，用自己的方法來談更徹底的健康之道。

他這部影片是在自家廚房錄的，你從影片的版面可以看出來這並不是請專家製作的。他只是熱心想教患者和需要的朋友，做一頓清爽、有飽足感、沒有負擔的午餐或晚餐，讓用餐成為健康的起點。

他的影片標題是「Fat and Fiber Salad on Low Carb High Fat Diet」也就是「符合低醣高脂飲食原則，帶有豐富纖維和油脂的沙拉」。熱量主要來自脂肪，沙拉裡除了大量的綠色葉菜，還加入了堅果、有機的薑黃與薑、泡菜，希望你也能得到一些蛋白質的滋養、抗氧化的保護力，以及對腸道友善的益生菌。

你可以看到，這和我在這本書一開始所談的飲食重點大致符合。我在這裡將影片的連結和食譜帶出來，雖然影片沒有中文字幕，但我會附上中文的食譜，方便你看完示範後，用當地的蔬菜和材料也試著做做看。

低醣高脂沙拉製作影片連結→

我將他所使用的材料大致分類，方便你掌握原則而能用本地的食材來替代。至於份量，你可以參考他在影片中使用的量，再依自己的食量和喜好調整：

油脂：一顆酪梨、奶油或橄欖油。

香料植物：新鮮的奧勒岡香草、新鮮羅勒、切碎的新鮮茴香、新鮮迷迭香、有機香菜、少量有機薑黃（使用前切碎）、少量有機薑（使用前切碎）。

蔬菜：一些葵花籽芽、一些當季的綠色葉菜、半條小黃瓜切片、少量有機胡蘿蔔切片、一些苜蓿芽。

種籽與堅果：少量亞麻籽、奇亞籽（兩者是不錯的 omega-3 來源）、適量開心果或杏仁（蛋白質來源）。

發酵食物：發酵蔬菜、韓國泡菜（提供益生菌與維他命 K_2）。

他有提到，如果需要的話，可以加入一些野生海魚作為蛋白質來源。但他個人不怎麼吃魚，所以用亞麻籽、奇亞籽和開心果來補充蛋白質。

製作方法：先將迷迭香、薑黃、薑切碎，放入大的沙拉碗裡，接下來加入綠色葉菜、胡蘿蔔、香菜、葵花籽芽、茴香、苜蓿芽、羅勒、奧勒岡、酪梨、小黃瓜、亞麻籽、奇亞籽、開心果。

將這些材料大致混勻，接下來依個人喜好加入適量的橄欖油或切成小片的草飼奶油（約 2 ～ 3 大匙，差不多是 40 毫升或 30 公克左右），再加入一大匙發酵蔬菜、一大匙韓國泡菜，將所有材料攪拌均勻，就可以上桌。

這樣的一餐提供了豐富的營養素和膳食纖維，足夠的脂肪以及少量的蛋白質，作為一份午餐或早一點的晚餐，足以支持接下來下半天的精力。一樣地，所有的材料都可以彈性地替換，不見得需要是有機種植，以本地方便取得，當令新鮮的食材為主即可。

有些朋友不習慣一餐全是冷食，可以搭配熱湯來食用。此外，天冷時，可以試著用羽衣甘藍、綠花椰菜這類有質地、耐煮的蔬菜，搭配鮮奶油或奶油來做蔬菜濃湯，一方面補充膳食纖維，也可以吃到耐熱的植化素，而同時又有脂肪帶來的能量和滿足。

27
修復腸道的方法

我常常和身邊的同事開玩笑，說我其實老早從學術領域退休了，都是被我的學生馬奕安（Jan Martel）給「騙」回來的。差不多15年前，馬奕安從加拿大寫信給我、希望能投入預防醫學的領域。我和他之前沒有見過面，和這個充滿熱情的年輕人透過信件來來回回了幾個月，後來也收他當學生，在其他同仁的協助下，在台灣重新建立實驗室。

預防醫學和抗發炎、抗老化的研究分不開，我也邀請發炎代謝體的專家來台灣加入我們。做研究的人往往帶著一種天真和傻勁，相處起來令人很愉快。其中一位來到台灣後，像傳教士一樣一間間實驗室去敲門，造訪每一位有興趣接觸新領域的實驗室負責人，為他們解釋自己的研究興趣和主題。他的熱心和誠懇自然感染了一群同仁，將抗發炎的研究帶到台灣，開創了一個領域。

談到抗發炎，當然離不開腸道的環境。腸道有上萬億個微生物，這數字和構成人體的所有細胞數量差不多。現在科學家的興趣已經從人類基因的總和，轉向了這些微生物基因的整體，也就是個別環境的「微生物基因體」（microbiome）。前面提到獨特的簽名、看出每個人老化的程度，也就是透過微生物基因體的研究達到的。

人體的消化道，包括腸道，是一個很特殊的環境，從頭到尾的酸鹼值、營養、氧氣含量、水份量並不完全相同。就像我用下頁的圖表達的，從胃到小腸、大腸，無論酸鹼值、氧氣含量、主要組成和微生物群都有各自的特色。

胃會分泌胃酸，食物並不在胃裡發酵，所以胃的環境是含氧、微生物數量少，也只有少數耐酸的菌種才能在這裡生存。腸道的環境是由腸黏膜、經過消化的食物殘渣，和腸道微生物共同建立起來的，含氧量較低。小腸一般來說微生物量比大腸少得多，種類也不同。

腸黏膜同時是相當重要的免疫組織，分泌各種抗菌蛋白來調控腸道內的環境。長住在腸道的微生物，是已經適應腸

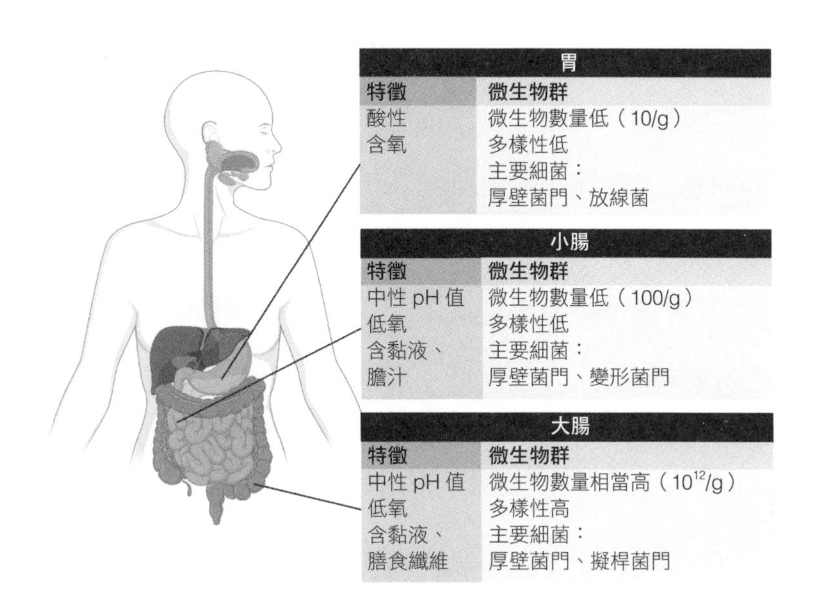

道環境的住客，無論爭取營養或黏膜的附著地段，都有它們的優勢，可以阻止壞菌在體內過度生長。

有些腸道裡的菌透過代謝的產物，還可以和身體細胞的粒線體直接溝通，進一步啟動身體細胞不同的基因表現。許多人不知道，每一個人身體細胞的粒線體，有它自己的DNA。而且粒線體完全是母系遺傳，也就是當初只來自母親的卵子，它所含的 DNA 也只來自母親的粒線體。因此過去科學家也用粒線體DNA的排列，來追溯人類演化的源頭。

前面提過，粒線體是細胞的發電廠，可以說主導了身體各部門生理運作的效率。然而對我而言不只如此，就連個人靈性的發展，都離不開這裡所談的母系遺傳。當然這講得遠了些，以後如果有機會，我會透過別的方式再多談。

有些專家也發現腸道菌的組成，可以解釋一個人會不會得阿茲海默症等疾病。當然，這乍聽之下有些荒謬，就算是有腸 - 腦軸線這回事，但那應該是小分子物質間接的溝通，真能帶來那麼大的影響嗎？但現在專家在一些神經退化疾病，如阿茲海默症、巴金森氏症，以及思覺失調症患者的腦組織裡，發現有腸道細菌的蹤影，認為很可能是解開疾病的重要線索。

當然，有醫學常識的朋友會很驚訝，腦部明明有血腦屏障保護，微生物應該是進不去的，更別說是那麼遙遠的腸道菌。這一點，目前的看法是和身體的老化與發炎分不開，也和腸漏脫離不了關係。

一個人老化，代謝過程產生的活性氧分子，會在粒線體裡累積，影響細胞和組織的能量生產效率。發炎也會隨著老化增加，但身體裡能用來修復組織的幹細胞卻愈來愈少，這讓許多組織受損。如果腸道細胞受損，身體的修復機制又同時失效，腸道菌和這些菌的代謝產物會進入血液，這就是前面談到的腸漏。

腸道細胞會受損，同樣地，血腦屏障也會因為慢性發炎而受到損傷，讓這道保護腦部的防線出現漏洞。原本不該出現在腦部組織的細菌與細菌的代謝物進入了腦部，引起發炎，早晚會影響認知功能，而導致前面提到的神經退化疾病和思覺失調症。

另一個可能讓腸道微生物進入腦部的路徑，是透過連結腸道和腦部的迷走神經。很有意思的是，一些巴金森氏症患者在發病前，其實已經有腸胃道的症狀；迷走神經被手術破壞的人，得到巴金森氏症的比例也比較低。

對我而言，這是再明顯不過了。我們的身體，從頭到腳每一個角落都是一起運作的，一個環節失衡，也會導致整體失去整合。其實健康的問題是整體性的，不是哪裡不舒服就治哪裡。就像這裡所談的例子，誰想得到腦部疾病竟然和腸道細菌有關。從預防醫學的角度來說，還是要從整體著手，恢復腸道的健康，也就有機會把腦部的健康帶回來。

當然，即使有這些證明，在思考解決方法時仍然要謹慎，畢竟科學擅長將複雜的問題單一化，有時細到一個地步，反而容易失去整體的解答。目前的醫學在各領域不斷專業化的發展下，提出的解決方法愈來愈細，需要很密切的整合，否則很難真正改善健康和生活品質。

補充益生菌和育菌素，在長期飲食失調、剛接受抗生素治療等等情況是相當重要的。然而這樣的補充，只是走出第一步，我們的飲食和生活習慣對腸道環境的影響，更是長期健康的關鍵。

腸道裡的壞菌仰賴葡萄糖和果糖這類簡單的糖類作為能量來源，對腸道友善的微生物則喜歡運用膳食纖維和抗性澱粉這類複雜的碳水化合物。也就是說，**光是不吃精製糖、多吃蔬菜這麼單純的生活調整，已經在幫助腸道留下好菌、剔除壞菌，讓腸道恢復健康。**

腸道是一個讓我們和外來物接觸的介面，而這個介面只靠一層薄薄的上皮細胞和它所分泌的黏液來維持。這一層上皮細胞 3 天左右會全面換新，來維持腸道的功能和完整。前面提過，現代人腸漏的問題十分普遍，如果能有長住在腸道的微生物來幫助，對這道防線的完整性是再好不過。

科學家也發現了有助於維持腸道完整性的微生物，其中一個是「艾克曼嗜黏液菌」（*Akkermansia muciniphila*）。腸道裡如果沒有艾克曼嗜黏液菌，原本應該留在腸道裡的未分解食物蛋白質，會出現在血液裡，導致食物過敏或各種自體免疫的疾病。

艾克曼嗜黏液菌是怎麼幫助腸道保持完整的？目前認為它一方面會分泌一些物質來刺激腸道產生抗菌蛋白，同時還會吃掉腸道的老舊黏液，把舊的、已經沾上許多殘渣的黏液消化掉，消化過程代謝出來的物質，會幫助腸道上皮細胞保持緊密連結，並且刺激上皮組織分泌新的黏液來保護腸道。

很有意思的是，你並不需要為了保持腸道完整而去補充艾克曼嗜黏液菌。相反地，**一個人如果採用間歇性斷食，例如 16-8 斷食，讓消化道有足夠的淨空時間，原本的壞菌就被淘汰，還可以提高腸道艾克曼嗜黏液菌的數量**。

這並不難，只是我們過去被少量多餐有益健康的說法給困住了，連想都沒想過怎麼進行。但讀到現在，我相信你已經知道其實只要少吃一餐，例如只吃午餐和晚餐，戒掉零食和宵夜，就能達到了。

在慢性病的領域，有許多健康問題是事先透過飲食和生活習慣的調整，就可以帶來大幅度改善，這就是預防醫學的重點。過度加工食品除了過量的糖、反式脂肪帶來代謝的壓力，以單糖為主、缺乏膳食纖維、添加人工甜味劑和乳化劑，也會對腸道微生物組成產生不好的影響。一個人飲食的變化，會改變腸道的微生物組成和功能。這是為什麼**一個人如果轉向我在這本書提到的好飲食，不光能恢復代謝靈活性，對腸道健康和完整性都有好的保護效果**。

過度單一化可能會失去療效，也有科學家往重建的方向找答案——或許把健康人的菌株和腸道環境一起帶到生病的人的腸道裡，也是一種解答。這也就是「糞便微生物移植」（fecal microbiota transplant, FMT）的技術，將健康捐贈者的糞便（別忘了，這就是滿滿的腸道細菌和它們的生存環境）轉移至生病的人的腸道裡。這就像把一群健康而充滿活力的外星人，連同他們生活需要的營養和環境，送往另一座貧瘠的星球去改造當地環境一樣。

「困難梭狀桿菌」（*Clostridium difficile*）是一種難纏的腸

道菌感染，可能導致腸胃穿孔和敗血症，但用糞便微生物移植的方法來治療，可以得到不錯的成效。我之前探討靈芝多醣體對腸道菌和肥胖的影響，也用糞便微生物移植技術確認實驗動物減重效果，的確來自腸道菌相的改變。

這項研究後來發表在《自然》（*Nature*）旗下的《自然通訊》期刊（*Nature Communications*），許多專家用同樣的方法也得到很好的結果。

這樣的技術相當有意思，也為我們的研究工作帶來新意，得到明確的解答。然而這樣的技術若要廣泛應用在治療，還有很多環節需要明確。像是怎麼選擇健康的捐贈者？怎麼評估一個患者是不是適合接受這種療法？怎麼去除在糞便裡對人體有害、具有多重抗藥性的細菌？

你可以想像得到，即使用來幫助最不得已需要冒險的情況，仍然有好長的一段路要走。然而科學的技術不斷在進步，也不斷挑戰各種可能，透過腸道微生物的科學來治療各種代謝和發炎疾病，確實是可以期待的主題。

就個人的健康而言，現在就有容易執行的方法，**從生活習慣、飲食習慣的調整著手，就可以幫助腸道保持完整。**每

天少吃一餐或兩餐，幾個月進行一次較長時間的斷食，對腸道健康都是很大的幫助。接下來，我會在這本書的後半將斷食這個主題一點一點打開。

28
每個人都可能有過敏

你讀到這裡可能會發現，即使蔬菜為主的飲食營養豐富又低熱量，對身體代謝的負擔比較小，對腸道健康有幫助，我並沒有主張每個人都應該完全採用素食。對我而言，**重要的並不是哪種飲食最符合理想，而是哪一種飲食對你的現況有幫助**。不同的生長發育階段、不同的營養需求、不同的代謝障礙，包括體質的過敏和敏感，都有各自最適合的飲食。

我過去常提到意識就像一個完整的光譜，有各種分布的可能，其實飲食的選擇也是一樣的，每種體質或障礙最適合的飲食都不盡相同。**即使同一個人，在不同階段也有當時最合適的飲食。找出自己的需求，學會嘗試與調整，真正從飲食獲益，這才是我希望在這本書帶出來的飲食的療癒**。

我自己就是如此，大概你聽過的飲食法，我都嘗試過。這一部份是因為科學家的個性，凡事都希望親自去觀察、去驗證，自己得出結論。另一方面，也是因為一些個人的經驗，讓我學會去調整。

當年有一位研究靜坐的專家班森醫師（Dr. Herbert Benson），對靜坐的生理反應做了很詳盡的科學記錄，也將論文發表在最有名的《自然》雜誌。我問他有沒有嘗試過靜坐，他的答覆是：他認為一位研究者應該保持客觀，要和研究主題保持距離而不應該去嘗試。我覺得這樣的態度相當可惜，再怎麼研究最多只是站在外面看裡面，難以真正深入一個這麼重要的主題。

回到我自己的經驗，差不多是 30 幾歲的時候，那時我已經吃素 8、9 年，雖然體會到素食在意識層面帶來的淨化，但也很納悶為什麼每次用餐後就會鼻塞，我自己和別人都可以聽出講話帶著鼻音。這種鼻塞的感覺和過敏症狀很像，我想，最簡單的測試方法，也就是先把飲食改掉來試試看。

我那時採用了純肉飲食，一方面立即感受到肉食帶來的負擔，但同時也很奇妙，鼻塞的症狀完全消失了。從這次的經驗我就明白，植物還是有些成分會造出發炎甚至過敏。至於為什麼有些人有這個狀況，有些人沒有，接下來我會做多一點說明。

面對各種飲食法，我都是抱著充分體驗的心態來進行。純肉飲食是一下子就體會到對身體負擔太過沉重，在確認植物成分的影響後，我就回到以減去過敏原為主要原則的飲食。至於其他的飲食法，無論純素、低醣、生酮、以生菜為主的生機飲食，都至少堅持半年以上。我認為這樣才比較能觀察到對身心的完整影響，同時對這些飲食有足夠的理解和體會。

現代人對食物的過敏和發炎愈來愈普遍，和我在第25～27章講到的腸漏有關。腸漏也就是腸道的通透性改變，讓本來不應該進入血液的許多物質滲透到體內，而引起免疫系統反應。這就是為什麼大家慢性發炎的情況那麼嚴重，甚至進一步導致自體免疫疾病的原因。

這些可能通過腸道防線的物質，我想將食物裡的「凝集素」（lectins）特別拿出來談。凝集素是醣蛋白，也就是在蛋白質上有許多醣類分子。這些醣類就像從蛋白質伸出的天

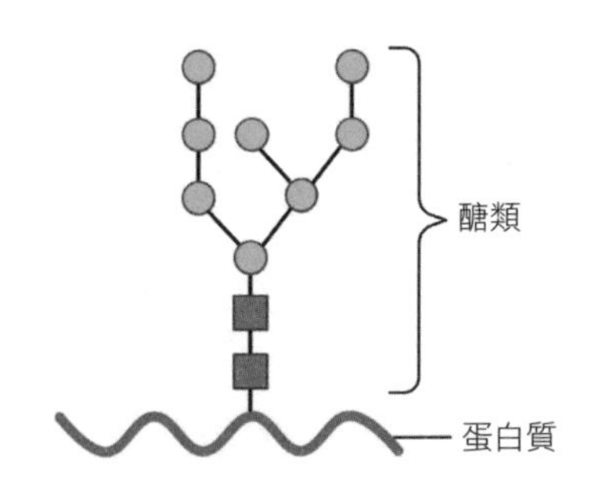

線一樣，可以和其他的分子結合。

很有意思的是，我們身體有些重要的功能是由醣蛋白來執行的，一些內分泌和細胞膜上的受體都是醣蛋白，也可以和各種醣蛋白互動。

舉例來說，人的血液可以分為 A、B、O、AB 四型，就是因為紅血球表面帶著能與不同植物凝集素結合的醣類分子，這些醣分子遇到可以結合的凝集素，就會產生凝集現象。以前的人就是發現了將不同的凝集素滴到人的血液裡，會造出不同的紅血球凝集現象，因而歸納出不同的血型。

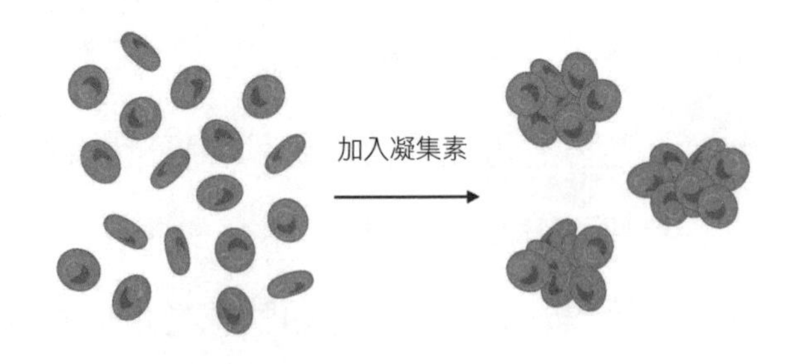

大家現在都很熟悉 SARS 和 COVID-19 病毒的結構，它們同樣屬於冠狀病毒，表面帶有非常多的醣分子，看起來就像一個長滿了花的星球。這樣的病毒可能類似植物的凝集素，與某些類型的身體組織會有特殊的結合，而讓某些人容易受感染，或某些器官受到影響。

我查過 2021 年的資料，發現最容易受 COVID-19 影響的就是 A 型的人。當然我並不知道後來的情況有沒有變化。當初會想特別去查這個資料，主要是在 2003 年的 SARS 流行中，曾經觀察到類似的現象，而從分子交互作用的角度是說得通的。

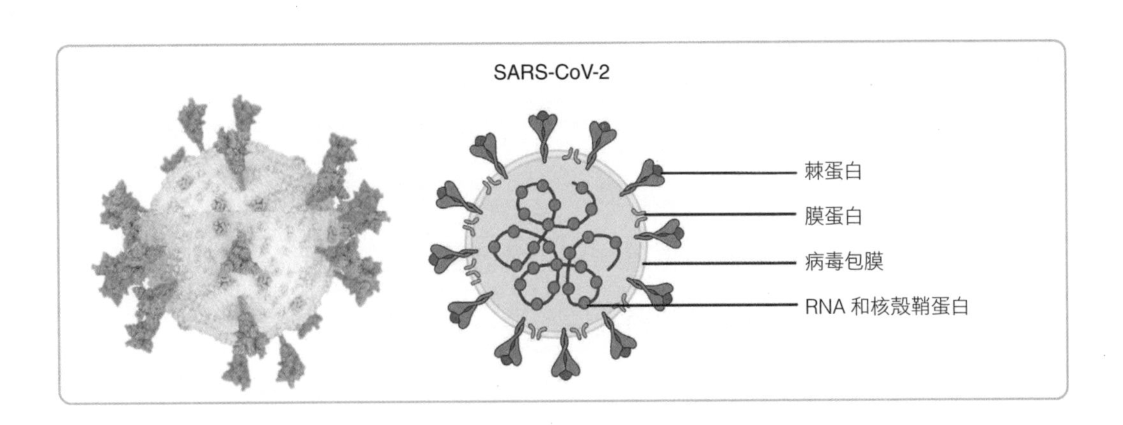

更有意思的是，有些天然的蛋白質不光與我們的身體結合，還可能和身體某個分子剛好長得很像。科學家把這種現象稱為「分子擬態」，也就是雖然不是同一個東西，但從分子結構來看很相似。這種相似一部份出自機率的巧合，一部份則是自然演化的結果。

就像枯葉蝶外表的擬態，讓它在秋天的樹林可以得到偽裝的保護，有些分子也透過結構的相似而造出生理上的作用。專家會用這個原理來開發針對體內某一個酵素或受體的藥物，而我們的飲食也有一些分子帶著類似的作用。

我們除了在紅血球表面帶著能與凝集素結合的醣分子，其實在腸道也有這些分子，而且你腸道上的醣分子可能和我的不同。某些人光是攝取含有凝集素的食物，**沒有徹底消化分解的凝集素和腸道結合，就會讓上皮細胞受傷，造出腸道發炎，改變腸道的通透性。這就是腸漏**。

在腸漏的情況下，這些凝集素還有機會進入身體，接觸到在血液巡邏的免疫細胞。**免疫細胞接觸到這些可能有異的凝集素也會產生反應來清除。這就是發炎。**

如果進入身體的凝集素剛好和身體某個物質很像，免疫系統還有可能會因為辨識錯誤，開始轉向攻擊自己身體的組織，這就是我前面提到的自體免疫疾病。而這類疾病是愈來愈普遍。

我認識許多長期素食的修行人，一看就知道他們有自體免疫的問題。有些是多發性硬化症，有些是嚴重的慢性疲勞症候群、橋本氏甲狀腺炎、僵直性脊椎炎、紅斑性狼瘡、類風濕性關節炎、各式各樣的神經與結締組織發炎，甚至腎上腺的問題。

華人有這種發炎和自體免疫疾病的比例偏高，對我而言是相當明顯。一般人聽我講到這裡，都會覺得不可思議，這些朋友吃得甚至比一般人都健康，怎麼可能會因為飲食造出那麼嚴重的問題？

其實，重點就在於植物裡的凝集素。像我個人一直有麩質過敏，年輕時還好，年紀大了愈來愈嚴重，就連避開小麥麵粉，不吃含麩質的食物，還是會脹氣。後來我才發現原來黃豆、腰豆、鷹嘴豆、花生、扁豆、紅豆、綠豆這類含有凝集素的豆類，都會讓我過敏，而小麥麩質只是植物凝集素的一種而已。

不只是豆類本身，就連從豆類提煉出來的油，也會造出發炎和脹氣。我個人如果吃到大豆油和花生油，都能體會到對身體帶來的負擔。這一方面是這種油多少還帶著豆類的凝集素，另一方面是裡頭所含的脂肪酸本身是促發炎的，更別說這些油的提煉過程還可能造出意外的化學物質。但這些油實在太普及，許多吃素的朋友根本不會想到對健康的影響。

觀察到這一點之後，我才開始自己做實驗，也就是將這些成分從飲食裡挪開，看看困擾的症狀是不是會消失。

我也試著去回想，為什麼小時候吃豆子並沒有這樣的情況？仔細去想，原來在巴西家家戶戶都用壓力鍋煮豆子，在煮之前要讓豆子泡清水過夜，中間還時不時要換水。巴西的人都知道如果不把豆子徹底煮爛，吃了可能對身體有障礙。而我後來到美國才知道，有些腎臟病患吃到沒有煮爛的腰豆會中毒，甚至要送急診；也有人吃太多腰豆會腹瀉，而且瀉出來有血。這是因為凝集素和腸道結合的量太大，破壞了腸道上皮組織而造出發炎。這當然會影響到腸道的完整性，也就是造出腸漏。

腸漏和飲食過敏帶來的問題，就是有這麼大的影響。接下來我會用幾章來說明飲食調整的方法，幫助有慢性疾病和不舒服的朋友得到真正的調整。

29
到處都是過敏原

回到台灣，在餐廳吃飯，我看到年輕的服務生態度很好，也很可愛，但臉上長滿青春痘。我知道他自己會不自在，就找機會私下提醒「你要注意喔，這個皮膚的狀況應該是有黃豆的過敏。」

這個年輕人當然很驚訝，他即使去診所看皮膚的問題，也沒有醫師提過這個可能。這類的食物過敏並不是任何一家診所都可以檢查的項目，他也不見得能就近找到診所去檢查。

然而，對我而言，檢不檢查並不是問題。要知道是不是對黃豆過敏而長痘子，只要將飲食和黃豆有關的項目先挪開，觀察自己的反應就知道了。這包括黃豆、豆漿、豆乾、豆腐等豆製品；從黃豆得到的油（大豆油、沙拉油）、醬料

（例如豆瓣醬、醬油）、乳化劑；各種用了大豆油或含豆製品的加工食品。只要他先從飲食拿掉導致過敏的成分，過一段時間，皮膚的狀況很快就會好了。

這種情況，對我而言是再常見不過。**一般外食大概避不開大豆油，而有些食品業者會採用便宜的大豆卵磷脂作為乳化劑，來穩定加工食品的口感和質地。這些雖然是油脂，但都帶有大豆蛋白質像是凝集素的殘留，而在許多人身上引發過敏。**

當然，這麼普遍的過敏自然會讓人去思考：許多食物，我們本來吃得好好的，為什麼幾十年下來，各種過敏和自體免疫的疾病反而那麼嚴重？

首先，有些食物是在近 200 年，甚至是近 50 年才進入我們的飲食。舉例來說，哥倫布發現美洲大陸前，歐洲人沒有吃過番茄、櫛瓜和藜麥；飲食全面西化前，華人也不會大量接觸乳製品和紅肉。這些新浮出來的飲食為身體帶來陌生的凝集素，提高腸道受傷的機率。再加上現在生活步調太快、壓力大，一般人自律神經系統和內分泌失衡的情況很普遍，也自然讓消化道負擔很重，身體隨時都在過度反應。

另外還有很大一部份是農業生產流程帶來的問題，讓一些對腸道有害的成分，透過食物鏈不斷累積，進入我們的腸道，破壞腸道的環境。舉例來說，孟山都的專利除草劑「年年春」（Roundup）會與土壤結合，而殘留在作物裡。我們吃下這些作物，吃下攝取這些作物的動物肉類後，這些殘留的除草劑也就進入我們的腸道，傷害腸道的微生物。腸道的環境變了，原本可以消化凝集素的菌種可能也消失了，而讓凝集素和腸漏的問題變得更顯著。

另一個特殊的情況是，由於現代人腸漏很普遍，身體到處都在發炎，透過非類固醇消炎止痛藥（NSAIDs）來減輕發炎反應，在藥廠主導醫療的時代，是很常見的選擇。然而這類藥物雖然有抗發炎的作用，不過對腸道黏膜卻有很大的傷害。

這類藥物普遍到什麼地步？根據統計，60 歲以上的人為痠痛、疲勞和慢性病就醫，超過 9 成會得到 NSAIDs 的消炎止痛處方。在台灣，NSAIDs 如「布洛芬」（ibuprofen）是不需要處方，在藥房或藥妝店就可以買到的成藥。在美國，醫師一年開出的 NSAIDs 處方超過 1 億張。

大多數人會以為到了一定年紀，吃藥止痛是常態，也就認份地按照醫師囑咐每天吃藥。很少人想到發炎是一種體質問題，其實可以從更根本的飲食和生活習慣來調整，更不知道 NSAIDs 對腸道黏膜的傷害，也不會意識到發炎和腸漏的關係。沒想到只是很平常的不舒服就吃藥，反而讓身體進入「發炎→吃藥→腸漏→更容易發炎」的無限迴圈。

除了凝集素、麩質，有許多飲食或生活的因素，也會破壞腸道完整性，像是長期採用低膳食纖維的飲食、高鹽飲食、高糖飲食、有抽菸習慣、長期用人工甘味劑、乳化劑、抗生素、酒精，或者生活作息不正常、勞力工作、心理壓力、老化。

無論是用藥、飲食、生活步調，我們所創造而需要面對的，絕大多數都是幾十年前人類沒有過的局面。從這個角度來看，結合前面所談的代謝症候群，那麼，怎樣才是理想的飲食？

30
有機純淨的飲食，不代表沒有過敏原

要回答前一章的問題，也就是怎樣是理想的飲食？我認為要先看一個人的體質。

許多長期吃素的朋友會特別去吃有機、天然的健康食材，希望能得到完整的營養。儘管他們很重視飲食的純淨，但因為對凝集素或其他植物的成分過敏，腸道受傷的情況反而十分普遍。為了這些朋友的健康著想，首先要幫他們將腸漏和自體免疫的問題踩一個剎車。

這幾十年流行的低醣飲食、生酮飲食和純肉飲食，除了改善碳水化合物過量導致的胰島素阻抗，另一個很大的關鍵，就是多少也順道解決了發炎的問題。

低醣飲食將淨碳水化合物降到 50 公克以下，生酮飲食將碳水化合物降到 25 公克以下，純肉飲食更是一點碳水化合物都不要，連綠色蔬菜都不吃。這些方法除了避開會引發胰島素反應的糖類和澱粉來調整代謝，也順便避開了大多數在植物和穀物裡的過敏原，而很快可以改善發炎、過敏和自體免疫的情況。

當然過敏原不只來自植物，有些人對乳製品過敏，有些人對食品添加劑過敏。無論哪一種過敏，都可以進行我這裡所稱的**「減法」或「簡化」的飲食調整**。也就是說，如果原本的飲食有一些成分會刺激身體，甚至導致過敏，就把這個成分挪開，給身體一些空間恢復。這種「自我觀察→實驗→觀察、得出結論」的過程，也就是我這本書所強調的「自我療癒」。

我談這些飲食法，是從營養的角度來著手，讓你知道一些資訊後能自己去實驗、去調整。並不是強調哪個食物一定要吃或一定不能吃，更不是用一套道理規定大家都應該吃素或不要吃素。一個食物或食物成分對每個人的影響不見得相同，而對你個人健康的影響，只有你自己曉得。

一個人從自己的現況出發做實驗，到最後，體質改善，腸道也健康了，再把這些飲食用對的方式慢慢帶回來。

以凝集素的例子來說，要先讓腸道恢復健康，再一項一項帶入含有凝集素的飲食；但這些飲食需要經過泡水、發酵，或用壓力鍋高溫高壓烹煮到爛熟而將凝集素清除，才不會再度引發問題。

我知道許多朋友對吃素或吃肉的議題特別敏感，有時我勸素食的朋友為了健康可以吃一點肉，也會引來很大的反彈。然而我會提醒多少吃一點肉類，主要是為了先調整代謝的失衡。舉例來說，很多人吃素，因為主要都是攝取碳水化合物，體重怎麼也降不下來。對於這類已經過重或在過重邊緣的朋友，先用生酮飲食或純肉飲食，是一種很快調整代謝體質的手段。如果不幫他們先把體重降下來，停止往胰島素阻抗的方向走，再好的健康飲食也派不上用場。

不光是植物帶有凝集素，動物肉類其實也有凝集素。用穀類餵食的動物，體內自然會累積穀類的凝集素。對穀類凝集素過敏的人不在少數，只是自己不見得知道。這也是我在前面建議，如果真要吃肉就選擇草飼動物肉的原因之一，至少可以減少來自穀類的凝集素。儘管牧草也可能帶有草類的凝集素，但草飼動物肉裡促發炎的 omega-6 比例比較低，總體上對身體的衝擊會小一些。

當然長期來說，還是建議減少肉類的攝取量。從世界各地最多長壽人口的「藍色寶地」（blue zones）來看，長壽的民族都是以吃素為主，即使吃肉，主要吃的也是經過發酵熟成的肉。發酵或熟成是一個可以將過敏原消化掉的過程，每個文化都有特色的發酵食品，這其實是一種飲食的智慧。

談到這裡你大概會好奇：如果植物有那麼多凝集素，為什麼牛、羊、馬可以完全以穀類為主食，而不會有我們的發炎問題？一樣地，這和身體的醣分子有關。

這些動物體內主要的醣分子 Neu5Gc 不會和穀類的凝集素結合，所以他們吃穀類和豆類不會像人類有那麼多狀況。人類的血管和腸道細胞帶有非常容易受到植物凝集素影響的 Neu5Ac，所以有些人吃穀類、豆類和穀飼禽畜的肉會讓腸漏變嚴重，讓身體到處都在發炎。

前面提過古埃及文明以小麥和麵包為主食，木乃伊解剖除了觀察到蛀牙，也在動脈血管發現明顯的發炎。這除了是過度攝取碳水化合物之外，大概也離不開凝集素的影響。

過量的碳水化合物和肉食都會帶來負擔。斷食，則是一種恢復的方法。但從來沒有斷食過的人，可能因為適應不來，反而白白挨餓卻得不到效果。正是為了幫助大家適應，我才會在第 12 章提到先**從斷糖開始，用大量的脂肪讓身體取得能量，將造出代謝負擔和過敏的食物先排除掉，並減掉一或兩餐，讓身體得以休息與修復，這本身就是一個大解毒的過程**。

寫這本書時，我大多數時間在斷食。有一次斷食前，我先用生酮飲食來調整，當然會吃一些肉。每次吃就能體會到肉食對身體帶來的滿足感，但同時也有一些毒素的負擔。這些毒素和情緒的結，都會累積在脂肪裡，在斷食那幾天，情緒不穩會浮出來，重金屬也會排出來，這時候要懂得用微量元素螯合的道理，用大量的植物的酸把重金屬包起來，讓它有機會排出身體。

透過幾十天斷食，這些毒素都排掉後，全身很輕鬆，都是光，身邊的人都可以感覺到。斷食期間，也盡量動起來，隨時把自己和環境收拾乾淨，許多習氣也跟著改。這一生可以過得很清爽，不留什麼尾巴。

31
透過簡化，調整飲食來減輕過敏

談到這裡，我想起一位朋友 Keri。她在餐廳工作，雖然有些過重，但金髮的她相當漂亮。我常常去她工作的餐廳，也自然變成了好朋友。

有一次我去用餐，她讓我看她腿上塊狀的「脂肪水腫」（lipedema）。這是一種發炎疾病，在美國是肥胖的人相當普遍的症狀，既不美觀，也不舒服。她很煩惱，因為沒有錢去做抽脂手術。

我跟她說，這個狀況不需要手術抽脂，主要是飲食澱粉類和糖的比例太高，從斷糖開始調整飲食就會好轉。有些人會有「橘皮組織」（cellulite）的困擾，也一樣可以從飲食調整著手。我趁她工作的空檔，短短幾分鐘把這本書前面的重點談完，建議她先減醣，再進入生酮飲食。

我也跟她提到要注意飲食裡的凝集素，像番茄、豆類要特別處理過再吃。茄科植物果實的皮和種籽，是凝集素最集中的部位，所以番茄在下鍋前要去掉皮和裡頭的籽。豆類則是在烹調前先泡水過夜，讓豆子外表軟化，釋放出一些凝集素，泡 4、5 個小時就將水倒掉後換清水，再用壓力鍋將豆子煮到爛熟，用高溫高壓把凝集素徹底破壞後才能食用。

時間很有限，能交代的就這麼多。她要工作，我自己在用餐，身邊還有客人需要照顧。我們用完餐就離開了，我也沒有把這件事放在心上。

一個月後，我又到了同一家餐廳。Keri 好高興，等不及我坐下就跑過來抱我。她也不管別人在場，就好像看診一樣，把裙子撩起來讓我看她的腿，問我還記得原本的情況嗎？確實很明顯，原本一大塊一大塊的脂肪水腫已經消失了大半。如果她沒有提醒，我幾乎想不起來之前的樣子。她還告訴我，原本膝蓋已經有關節炎，時不時就腫痛，現在也改善了許多。

她的實例和我在亞洲遇到的長期素食的朋友不完全一樣，但主要的困擾都是過敏和發炎引起的。透過斷糖，將澱粉量減到一天 25 克以下，不吃帶有凝集素的食物或在吃之前做一點處理，很快就改善原本的過敏和發炎，進一步將體質轉過來。

許多出家人一生受到各種慢性病、自體免疫疾病的折磨，我會勸他們少吃黃豆製品，番茄、茄子這類食物也盡量少吃，即使要吃，也要經過處理。

發酵，可以透過微生物的作用消化掉一些凝集素。華人熟悉的泡菜、歐洲用傳統方式長時間發酵的麵包，都可以將凝集素預先消化掉大半。我在前面提到，將番茄去皮去籽、煮豆子前先將豆子泡水再用壓力鍋煮透，也是清除凝集素的方法。

當然，要少吃帶有凝集素的食物，得先知道哪些食物帶有比較多的凝集素。需要避開的名單包括了各種穀類、種籽、豆類、瓜科和茄科的蔬菜，還有以穀類與豆類餵食的動物肉，以及不當令，還沒成熟就被採下來事後催熟的水果。

穀類，特別是玉米、小麥、稻米；一些與穀類近似的種籽，如藜麥、奇亞籽、蕎麥；豆類，例如花生、紅豆、白扁豆、綠豆、扁豆、鷹嘴豆、黃豆、腰豆；瓜科和茄科的蔬菜，例如南瓜、櫛瓜、枸杞、番茄、茄子、彩椒、青椒、辣椒、馬鈴薯。這都是凝集素比較多的食物。

有些食物的凝集素含量比較低，是減敏飲食的安全清單，像是茴香、萵苣、芽球菊苣等綠色蔬菜；花椰菜、綠花椰菜、白菜、高麗菜這些十字花科的蔬菜；還有蘑菇、蘆筍、芹菜、洋蔥、地瓜、芋頭。酪梨和橄欖油也是低凝集素的油脂來源。

如果我們要嘗試減敏飲食，可以參考這些項目開始實驗，自己嘗試，觀察自身的反應。

淨化後，再慢慢引入其他飲食

現代人的過敏和自體免疫問題相當普遍，不能不處理。我的看法和在第 27 章談腸道修復是一樣的：一個人如果能斷食，就能夠達到這裡所談的修復腸道，並且避開凝集素和各種過敏原的作用。但大多數人無法一下子就進入斷食，自然需要一些過渡、一些幫助。

這些年來，可以說幾乎人人都有腸漏。一方面食物殘留農藥和抗生素的情況太普遍，使腸道的好菌難以生存。而華人吃蔬菜的習慣以熟食為主，也就失去了生菜裡對溫度敏感的營養素和植化素。所以我才會鼓勵大家多用第23章提到的生機飲食，這對腸道是很好的修復。無論是吃素或吃肉，都可以多吃蔬菜，哪怕在減醣，還是可以吃膳食纖維，一方面容易吃飽，另一方面也照顧腸道裡的好菌。

此外，我會建議大家改用飽和脂肪含量高的椰子油，以及好的橄欖油、亞麻籽油、魚油，或配合吃小型的野生魚類，像沙丁魚、鯖魚。避開深海魚，因為有重金屬累積的疑慮。再配合間歇性斷食，三餐降到兩餐，再降到一餐，首先做一個淨化、簡化。

簡單來說，有效的生活調整包括：採用高膳食纖維的低醣飲食、攝取益生菌、記得吃發酵食品、從蔬菜取得植化素、攝取魚油、從事適度的體力活動、曬太陽、接觸紅外線、攝取菇蕈類、學習放鬆，這些都能保護腸道的健康，並且降低發炎的狀況。

簡化階段過後，還是鼓勵大家進入蔬菜和植物為主的飲食。當然，要重新進入植物為主的飲食，還是要注意凝集素的問題。地中海飲食常見的鷹嘴豆、印度飲食的扁豆、許多人都愛吃的堅果，都是很好的蛋白質來源。但一樣地，就像前面提過的，豆類要經過處理。還有，杏仁和腰果去皮後也可以減少許多凝集素。

我在台北身心靈轉化中心照顧過許多生病的朋友，為了爭取時間，在透過微量元素、呼吸、運動幫助他們淨化身心的同時，我也會建議他們不要吃肉，改用生機飲食或搭配蔬菜汁斷食。

這些朋友在改成新的飲食時，有時候難免會想吃肉，但心裡又害怕。我會跟他們說不需要那麼緊繃，不需要因為還想吃肉，就覺得自己好像犯了什麼錯。我也跟他們說，可以找一個空檔，比如週末，吃點魚或草飼牛的牛肉試試看。其實大多數人在經過淨化之後，體質會變得敏感，一吃就能體會到肉裡頭有些東西讓人不舒服，反而自然就放過了。

對我來說，一切還是回到中道。**從飲食來說，除了減輕過敏的問題，最重要的還是恢復代謝的靈活性，倒不是非吃什麼或不吃什麼不可。**

32
減醣、減敏：
現代飲食調整的共同工具

這本書走到這裡，如果你已經自己嘗試過，一定會有一些個人的體會。我談飲食的調整，以及接下來要談的斷食，重點首先不是減重，而是為了恢復彈性，尤其是代謝的靈活性。此外，減輕過敏也是恢復健康的一個關鍵。

華人本來就有「辟穀」的傳統，也就是不吃五穀雜糧，作為一種養生的方法。你大概也發現了，這和我前面所談的，共同的重點就是減醣、減去碳水化合物，差異只是在於要減到什麼地步。

對我而言，有些飲食能在短期內帶來很好的調理效果，自然值得採用，做一個快速的清理。像當年為了探究是不是植物的成分導致過敏，我也會短時間採用純肉飲食。然

而這只是一段時間，不適合長期使用。

談這個實例，是給一些吃素或長期吃得很健康，都採用有機食材的朋友作參考。如果一直有過敏問題，即使不用純肉飲食這麼激烈的手法來調整，也可以依照第 28 ～ 31 章的原則來嘗試，先將可能的過敏原挪開。

此外，如果長期素食，但有代謝症候群，甚至有糖尿病，我也要再一次提醒：許多素食者過度依賴麵飯作為主食，甚至可以說吃的都是過度加工食品。為了對生命友善，反而讓身體往慢性病前進，這是多麼可惜。

這樣的朋友可能最需要透過第 12 ～ 18 章所談的斷糖、少用精製澱粉，或進入低醣飲食來調整。同時盡量採用大量蔬菜的生機飲食，搭配足夠的好脂肪，或至少改吃原型食物，吃食物本來的原貌。除了基本的烹調之外，愈少加工愈好。

我在下一頁再一次將各種飲食法的三大營養素比例帶出來，方便我們比較。近年流行的純肉飲食、低醣飲食、生酮飲食、原始人飲食，與其說是主張「吃什麼」，倒不如說「不吃什麼」才是重點。

有些人在採用純肉飲食時，完全不吃碳水化合物，有些

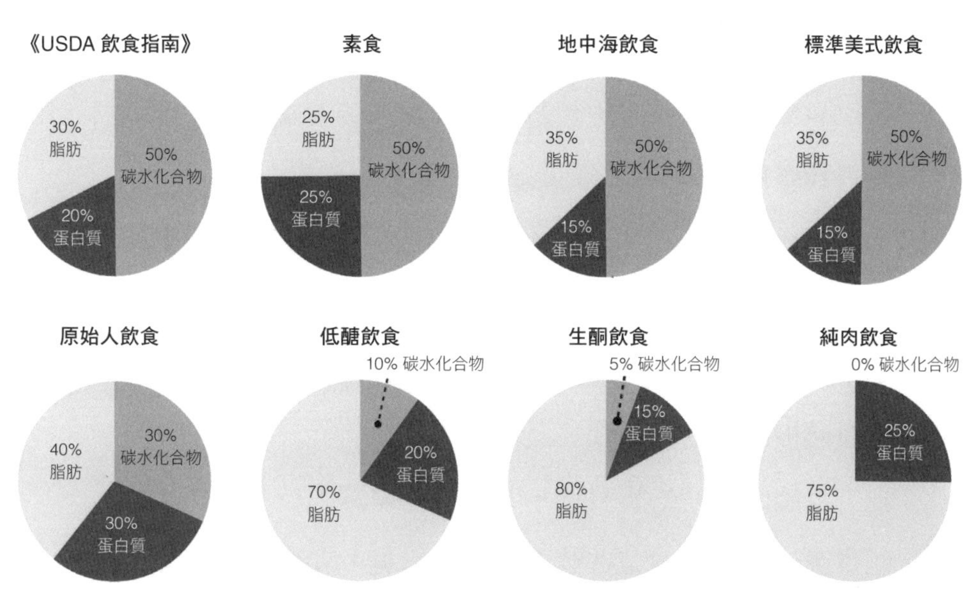

還是會吃少許米飯，但比例還是相當低。從能量和代謝的角度來看，純肉飲食、生酮飲食、低醣飲食、原始人飲食和地中海飲食，都強調吃原型食物，減少糖分和澱粉的比例，甚至連醬料都鼓勵自己做，這自然會減輕添加物對身體帶來的負擔，而修正過度加工食品和高碳水化合物帶來的問題。

但無論生酮、低醣、原始人飲食和地中海飲食，我都建議多採用蔬菜。我也常提醒採用生酮飲食的朋友，不要攝取過多蛋白質而變成純肉飲食，長期下來對身體的負荷太重了。這一點，不光是對華人特別明顯，其實許多西方人的體質也耐受不了長時間肉類為主的飲食。接下來進入斷食的討論，我會再多說一些。

飲食的簡化，對我是很單純的道理：**如果一個東西有害，就不要去吃**。無論是碳水化合物、是紅肉、是全穀類、是某種會讓人上癮的物質，只要對你有害就不要吃，不需要讓自己被這個物質綁住。

身體已經在告訴我們，某個東西會讓人拉肚子，某些東西會讓人脹氣，而某些東西會讓人發炎，我們為什麼偏偏還要吃它？

每個人其實都有這種敏感度，只是忘記了，甚至被一些健康的觀念綁住，而忽略了自己的感受。像有些人很追求健康，運動相當投入，也盡量吃得健康，但腸漏的問題很嚴重，關節也發炎，那是非常可惜。

如果懂了我們在這裡所談的減法的飲食調整，只要把帶來過敏、會加重代謝負擔的食物挪開，讓腸道恢復，免疫系統就可以得到休息，讓發炎減輕，而精力也得到了補充。

33
飲食的療癒 離不開放鬆與正向的心情

談了這麼多飲食的重點，我也要提醒，飲食調整需要輕輕鬆鬆來進行。飲食的療癒，其實離不開個人面對壓力的反應。

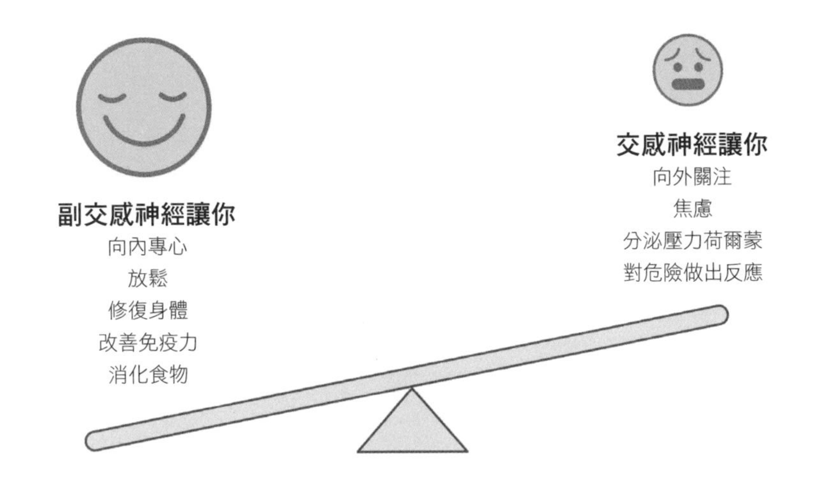

如果你懂得自律神經系統交感、副交感作用的原理，那麼你大概可以猜想到**身心放鬆，就是促進療癒與修復的狀態**。畢竟在生存第一的原則下，任何危機都必須全力以赴，沒有應付其他事情的空間。不那麼緊急的功能都要等到危機過去，身心放鬆下來才能進行。

提到飲食和健康，也是一樣的。一個人為了健康減重，如果光是嚴格限制熱量、運動過度，對身體造出太大壓力，反而瘦不下來。我們吃得太少，身體會把這種情況當作飢荒，將警訊傳送給腦部，然後開始從每個角落省吃儉用——促進蛋白質分解、降低新陳代謝率，再提高飢餓的訊息，總之盡量想辦法多吃，把每一丁點攝取的熱量都留在體內。

這就是生命的奧妙。是靠著這樣的機制，人類在地球生存到現在。生命的奇蹟沒有缺少過，只是現代人生活步調、環境、飲食的變化太大，讓我們需要做一點調整，來配合集體的變化。

一個人如果想改變生活習慣、轉變體質、恢復健康，在壓力狀態下進行只會事倍功半，我們的潛意識會把這些舉動小題大作而啟動各種防禦措施，設法維持現狀，反而讓改變失效。所以面對改變，我並不認為要吃苦才能成功，而是強調 Little pain, big gain. 事半功倍的作法，甚至到最後是 No pain, big gain. 輕輕鬆鬆得到健康。

就像我在第 12 章講到斷糖實驗，對於一個想調整飲食的人，要從飲食拿走糖，也要讓他在營養和代謝上得到適當的補充和加持，幫助他將體質轉過來。體質一轉，飲食的習氣自然會跟著鬆動，甚至是 180 度的轉變。

如果你還記得的話，對於習慣吃肉的朋友，我不會強調肉食帶來多少負擔，而是讓他體會到，即使不吃糖，還是可以先從肉類和脂肪得到滿足，再加上懂得採用有生命力的蔬菜，他根本不用擔心會餓肚子。對於習慣吃素的朋友，我當然更不會勉強他吃肉，而是讓他知道，放開甜食，還是可以從營養的堅果、好的椰子油、澄清奶油和新鮮有活力的蔬菜，得到足夠應付一天的精力，甚至頭腦更清晰，情緒也變得更穩定。

一個人光是意識到自己的健康走下坡，而主動希望透過飲食和運動來調整體質，就已經打開了療癒和修復的大門。

我們完全可以為他慶祝並且幫助他順利達成，而不是拿許多規定要求他遵守。

整個過程也只是幫助和鼓勵，配合他的習慣很輕鬆地轉到另一個方向。而他一旦親自體驗到效果，就會更心甘情願去配合，自然而然把過去的習氣給放下，甚至根本忘了。

我也常提醒大家，用餐時要輕鬆愉快。如果在用餐前做一個感恩的儀式，也許禱告，也許是簡單的謝謝，都能讓身心從原本的急促脫離開來，變得比較柔軟。放鬆的身心，對消化功能是有利的。

吃飯時，也不要再去關注別的事，讓吃飯只是吃飯。如果能夠細嚼慢嚥，小口小口地吃，再三咀嚼後再吞嚥，那是再好不過。咀嚼能切碎食物，讓唾液的酵素充分浸潤食物，不只減輕消化道的負擔，還讓我們不知不覺吃少一些。你可以試試看，慢慢享用每一口食物，完整品嚐口感和風味，自然會讓腦部的神經傳導走向滿足的那一端。

緩慢咀嚼食物，細細地品嚐，都會釋出帶來飽足感的氣味分子。飽足感通常在進食後 20 分鐘才能感受得到，所以我們要慢下來，讓腦部有時間產生飽足感。永遠不要趕著吃完飯，而要像國王一樣帶著感謝和喜悅，好好品味每一口的滋味。

包括斷糖，保持正向而放鬆的心情都會很有幫助。皮質醇是一種壓力荷爾蒙，一般情況下，在睡醒前開始增加分泌，讓血糖提升，準備我們醒來面對一天。然而一個人如果隨時緊繃，皮質醇不斷分泌，血糖隨時都是高的，胰島素也只好持續分泌，降不下來。這和我們希望透過斷糖重新設定胰島素和血糖的基準值，減輕代謝負擔，作用是剛好相反。

我們雖然是在做一個好重要的習慣調整，但是，帶著輕鬆愉快的心情去做，效果遠比皺著眉頭，隨時正經八百，擔心犯錯地做要好得多。

再舉一個例子，如果一個人工作時間太長、心裡總有事在擔憂或體能不夠，他不是不知道運動的好處，但就是提不起精神。面對這樣的朋友，實在不需要再三勸告不運動有多糟。可以的話，我會帶著他輕輕鬆鬆動起來，也許只是在座位上做一點結構調整的動作、出去散個步、在公園跳起來，讓身體活動和輕鬆愉快的感受連結在一起。我會在第 35 章介紹「30 天健身挑戰」，也就是一天增加一點強度，幫助他給自己一些鼓勵，就這樣把體能建立起來。

一個人從運動感受到精神變好、力氣增加，而不是一運動就精疲力盡，他接下來自然會找時間去活動、去運動。這樣的效果，不是規定一星期幾次、一次運動幾分鐘、心跳要達到多少以上，可以比得上的。

這是從正向的角度來幫助達成生活習慣的調整。相信你已經看出來，這麼做可以讓自己和別人從壓力反應跳出來，進入一個正向而放鬆的循環，讓生活習慣調整更輕鬆而不費力。

當然，生活不可能完全沒有壓力。有些壓力是短期的，比較容易克服或隨時間消失，有些壓力是長期而持續的，更需要我們懂得踩剎車來幫助自己。

一個可以隨時幫助自己調整步調，重新面對生活壓力的工具，就是呼吸。一般人在緊張和壓力的狀態下，呼吸會比較淺，也比較急促。這時候，最快調整自己的方法，就是將吐氣盡量延長，同時感受自己就好像把窩囊、疙瘩和不愉快，也跟著吐氣一起送出去。

我們可以試試看，把注意力放在吐氣，輕輕吸氣，長長吐氣。幾分鐘後，會感覺到肩膀鬆了下來，心裡也不那麼緊繃。情緒開始流動，可以笑，可以流眼淚，和自己變得親近了一些。

我還不用談到對健康的好處，相信大多數人都能體會到這種比較放鬆、溫暖、有人味的感受，會是陪著我們面對人生最好的方式。

另外，我還要提醒，只要是環境或人生階段的變化，即使是喜事，也是一種壓力源。比如年輕的孩子考上大學、離家獨立生活，這是成長過程的好事，但也可能帶來壓力。同樣地，不光離婚、結束一段關係是壓力，進入一段關係也需要調適。生理的變化也一樣，女性生理期、懷孕生產、更年期，都會帶來挑戰。

這時除了多給自己打氣，更要懂得順著環境和生理的變化，進行飲食和生活習慣的調整。就像我在第 21 章給 Lucy 的建議，針對個人的狀況來進行，會是很好的開始。

34
飲食調整，配合運動——抗老化，重新啓動身體

西方醫學之父希波克拉底在 2,500 多年前說：「光是吃不會讓人健康，我們還需要運動。雖然進食和運動看來是相反的，但兩者加在一起卻能促進健康。」這句話現在來看，是再合理不過了。

我們吃了一頓大餐，會刺激胰島素分泌，將血液的糖帶進細胞裡使用。但如果平常活動量少，細胞根本還不需要補充營養，也就不會讓糖分進來。這時身體為了維持血糖平衡，會產生更大量的胰島素，希望讓細胞知道營養來了，要趕緊採用。但因為我們還是坐著不動，肌肉沒有能量需求，所以不會有所回應。

這就是胰島素阻抗，也是現代人活動量少又營養過度的

失衡情況：靜態的生活方式，讓身體在大量飲食的刺激下，到處都是胰島素和細胞不再需要的糖。到最後，胰島素只好啟動肝臟的脂質合成作用，將細胞不需要的養分轉化成脂肪。

然而如果我們站起來活動，肌肉開始需要能量，就有了對糖的需求，可以將飲食帶來的糖現場消耗掉。就這樣，身體不再對胰島素反應遲鈍，胰島素阻抗也就得到改善。

我在第 12 ～ 18 章談到不吃精製糖、減少精製澱粉攝取、低醣飲食，可以減少對身體的刺激，不再那麼大量分泌胰島素；如果再加上運動去消耗糖，讓肌肉恢復對胰島素的反應，也就是同時從胰島素作用的刺激端和反應端著手，就可以不知不覺將胰島素過量的危機解除，從「胰島素阻抗→代謝症候群」的陷阱把自己拉回來。

從斷糖開始，啟用第一把恢復健康的鑰匙，減少對胰島素的刺激。運動可說是第二把恢復健康的鑰匙，加速改善胰島素阻抗的體質，並且減緩甚至停止通往糖尿病和各種併發症的腳步。

在各種運動中，**健身讓我們建立肌肉，這是身體活動起**

來的基礎，也是刺激新陳代謝轉化最快的方式，讓身體從消耗轉向成長。用專業的話來說，就是從異化作用轉向同化作用，一個人的生化反應轉過來了，自然開始恢復精力。

前面談到斷糖和運動是恢復健康的兩把鑰匙，對我來說，**恢復健康，講的就是抗老化**。

許多朋友認為，一個人年紀漸長就免不了血管硬化、血壓升高、骨質疏鬆、消化衰弱；女士骨盆肌肉會失去控制力，而男士會有前列腺的困擾；反應、記憶、視力、聽力也會逐漸衰退；皮膚鬆弛、肌肉變少、肌力慢慢流失、耐力下降、動作愈來愈不協調。至於什麼時候生活會無法自理，誰也不知道。

這就是我們在周遭看到、從別人聽來的「老」，我們也覺得自己遲早要走上同一條路。但對我而言，**老化與年齡無關，最多是代謝失去了靈活性，進入了一種強烈的制約，變得僵化**。

一般人對老化的想像和期待，基本上是一種集體的制約。人鎖定了這個制約，也就有意無意從各個層面把自己和別人往這個方向推進，根本不會再去想什麼抗老化，完全忘記了人生不見得只能活出這樣的可能。

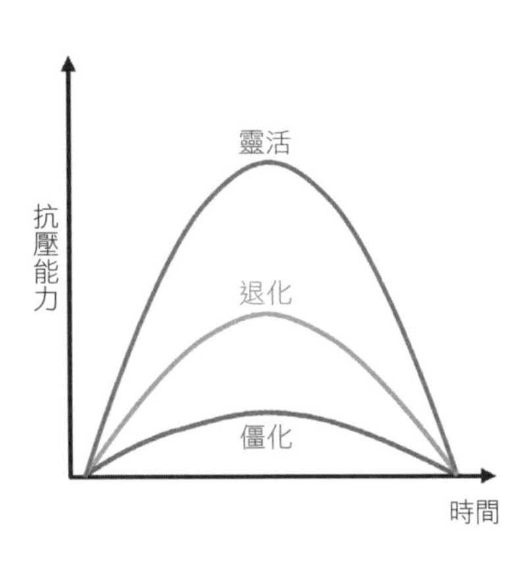

讓我再強調一次，老化與年齡無關，而是身體的使用進入了一種僵化、失去彈性的局面。**長期的飲食失衡，會造出老化；身體隨時都有過敏和發炎，也會造出老化；長時間沒有療癒的疾病、緊繃的生活方式，也一樣會造出老化。**

我所談的抗老化，主要是針對過去不良習慣的制約，透過飲食和運動兩把金鑰，修正失衡的原因，幫助身體更容易回到原本的健康。

有些朋友怎麼少吃多動都減不了體重，只要飲食控制稍微鬆懈，體重不光回升、還增加得比之前更多。如果你已經有這個情況，不妨試試看第一把金鑰：從第 12 章的斷糖開始調整飲食。畢竟內分泌和能量代謝對減重的影響，遠大於個人的意志力，一個人的胰島素濃度偏高，再怎麼努力運動或限制熱量攝取，都是瘦不下來的。

這種情況下，跟著第 12 章的建議用脂肪取代糖，一方面給予身體足夠的熱量，守住能量代謝的平衡點，也就是基礎代謝率或體重的設定點不會往下移，另一方面不再刺激胰島素。**守住代謝率，重新設定身體的內分泌，再加上生機飲食帶來活的營養與微量元素，會得到更好的結果。**

另一把抗老化的金鑰就是適當的運動。**運動的目的不只是減重，更是重新喚醒身體與腦的連結。**身體的活動，是全身從腦到肌肉不斷交換訊息的結果。腦和神經系統每秒要處理幾十億位元的資訊，把大量資訊傳送到不同的肌肉和身體部位，讓身體每一個角落能協同運作，達到穩定和平衡。

許多朋友還不到肌肉流失的地步，但因為長期缺少活動，肌肉失去回應訊息的能力而變得「麻木」，不光力氣不夠，對環境的變化也反應不來。這種情況更是需要動起來，不光是重長肌肉，更要重新啟動肌肉處理訊息的能力。

一個人如果能持續運動，可以啟動 7,000 個有益健康的基因表現。這些基因活化起來，就是從最基礎的層面為身體建立全新的迴路。

提到抗老化，我們自然會連想到要長生不老或至少活久一點、長壽一些。長壽研究是一個很有趣的領域，畢竟科學家自己也受到壽命的限制，並沒有無限長的時間可以去觀察別的生物有多長壽。這時候，生命週期比人類相對短暫許多，基因資料又完整的酵母菌，就是一個不錯的觀察對象。

科學家也確實從酵母菌找到了長壽基因，後來把同類的基因歸納起來命名為 sirtuin。把 sirtuin 基因轉到原本不那麼長壽的酵母菌，可以讓壽命延長 30%；把這個基因轉到別的生物，像是線蟲，也讓壽命延長了 50%。

Sirtuin 長壽基因是許多生物共有的基因，從小小的酵母菌到人類都有類似的基因。但這個長壽基因幾乎大多數時間都不會作用，只有當生物感受到壓力，像是因為飢餓導致能量不足，或環境出現異常的高低溫，長壽基因才會被活化來提高能量利用效率，減少自由基對身體的傷害。

從 sirtuin 長壽基因的例子來看，可以說長壽的機制早就寫在身體裡，而**斷食和運動將身體多餘的能量消耗掉，可以幫助我們啟動長壽的機制**。斷食的部份，我在這本書的後半會打開。然而在進入斷食之前，讓身體動起來，已經是一個重新啟動長壽、抗老化的方法。

35
你個人的 30 天健身挑戰

我自己喜歡運動，也把握各種機會推廣運動。運動有各種幫助重新設定代謝、內分泌與神經迴路的好處，我特別在《真原醫運動新觀念》將運動的主題打開，並且將運動分為 3 種：健身、有氧和拉伸。在這裡，讓我從一般朋友誤解最多的健身開始。

我 20 多年前回到台灣時，發現大多數人並沒有健身的習慣，一談到健身，馬上想到舉重練肌肉，和肌肉發達到有些嚇人的健美先生。也因為這種觀念的落差，大多數人受傷、疲憊、老化、缺乏活動而失去肌肉量和肌力時，並不會想到要健身。這時候，人很快發胖，身體變得鬆軟，進入代謝症候群的開端。

早年，我時常在各種推廣真原醫和身心健康的場合，包括台北的身心靈轉化中心對大家說：健身並不是年輕人的專利，年紀大的朋友更需要健身，這是扭轉代謝的關鍵。**一個人即使已經活到 100 歲，還是要每天健身，建立肌肉來滿足日常生活的運作。**

為什麼這時候更需要健身？很多人沒有想過，身體的活動需要適量的肌肉來支持。同時，身體保留愈多肌肉組織，愈能守住一定的新陳代謝率，幫助熱量消耗。肌肉開始使用能量，本身就減輕了胰島素阻抗，再搭配前面談到的斷糖，是預防代謝症候群和老化的兩把鑰匙。

現在年輕的一代已經有健身的觀念，反倒是中年以上的朋友，還需要一點鼓勵，把自己的身體帶動起來。

從主要肌肉群著手

健身主要就是鍛鍊肌肉，我會提醒大家從**大腿**、**臀部**、**上臂**以及**腹部**的肌肉開始。這些肌肉群佔了人體 3/4 以上的肌肉量，只要持續訓練，把身體的代謝帶往促進生長的一端，很快就能看到健身帶來的健康效果。

健身，不見得需要用各式各樣的器材來鍛鍊，完全可以利用自己身體的重量來進行。深蹲、推牆挺身、伏地挺身、引體向上、開合跳……這些動作不受空間或時間的限制，就可以訓練到身體主要的肌肉群。

美國有一種運動的風氣叫做街頭健身，是利用公園、廣場、家裡本來就有的欄杆、單槓、高低槓、拉環來進行。時間不會被綁住，只要有基本的肌力，懂得依照強度循序漸進，一樣可以隨時訓練肌肉，維持身體的活力。

我自己早上也會在公園運動，有時候做結構調整、跳螺旋舞，有時候做開合跳、引體向上、伏地挺身和深蹲。很有意思的是，每次只要我開始做，雖然沒有招呼其他人，但附近的人自然也會跟著做。就好像身體的動有一種活力，可以把大家連結起來。

強度逐漸增加，自然看到效果

提到循序漸進，我也需要簡單談一下什麼叫做運動的強度。強度可以從運動需要承受的重量來看，抬起一盆水，比拿一小杯水的強度大很多。另外，強度也和動作的幅度有關，動作大，強度就大，有跳躍的動作也比沒有跳躍的強度大。當然，強度也和運動時間有關，時間長，強度大；時間短，強度小。至於講究速度的運動，速度快也就帶來更大的強度。

每個人能承受的運動強度不同，以伏地挺身來說，如果一個人的手臂和腹部缺乏鍛鍊，撐不住身體重量，別說做不來伏地挺身，若硬逼著自己做，還會用錯誤的姿勢來代償，反而導致腰部受傷。

這時可以將強度降下來，改成站著推牆挺身，同樣也能訓練到手臂和腹部。關鍵是，從自己做得來的強度開始。

一開始，也許 5 次推牆挺身就覺得累；第 2 天，再做 5 次；第 3 天，再做 5 次；這時可能已經適應得來了，隔天可以開始變成 6 次。這麼每天加上 1 次，讓強度循序漸進，不知不覺肌肉量就會增加，也有力量了。

健身時，呼吸速度保持不變，維持鼻吸鼻吐，出力時吐氣，吸氣時收回力量。**在運動時保持鼻吸鼻吐是最好的輔助，讓人對自己的狀態能夠保持覺察，提高運動安全性，不會因為上氣不接下氣，反而為身體帶來負擔。**

有些朋友並不是沒有肌肉，只是因為忙碌或疲勞而缺乏鍛鍊。這時可以從 1 天 1 個或幾個伏地挺身開始，每天再多加 1 個；3 個多月後，1 天就能做 100 個伏地挺身。只要做，很快就會發現手臂線條和身形的變化，人也顯得精神了。

不同的健身動作也可以串連起來進行，讓身體各部位的肌肉都能得到訓練。

個人化的鍛鍊

我多年來在同仁的幫助下，在台北的身心靈轉化中心，透過飲食、微量元素和運動，照顧一些需要調整的朋友。除了團體的運動課，更針對年紀大、肌肉活動少、生病的朋友，提供個人化運動指導，幫助他們恢復日常活動、扭轉體質。我特別請運動老師有耐心地陪伴這些朋友，給予鼓勵，排定訓練項目，針對他們的情況做調整。

這兩年的疫情讓大家生活靜態化，很容易轉向慢性病的體質，我感覺有必要把這樣的課程分享出來，也就請同事設計了《零基礎健身》。透過影片，從任何角落都能進行的深蹲、伏地挺身、引體向上開始，陪大家**重新學會使用大腿、臀部、腹部、上臂的肌肉，將肌肉力量建立起來。**

這樣子，無論環境有什麼變化、即使無法出門上運動課，我們都可以自己重複學習與練習，讓身心用正確的方式動起來。

有基本體力的朋友，可以做《真原醫運動新觀念》的「有氧健身」。這是兼顧有氧與健身，有效改善心肺功能、血液循環、提升精力的運動方式，整套動作大約 15 分鐘，速度也比較快一些。如果感覺跟不上，可以從《零基礎健身》開始，堅持幾天讓體力上來，就可以跟上了。

一個人愈忙碌，愈是需要做這些運動。如果不過癮，可以多重複幾次。

現在就動起來，是最重要的。我在《真原醫》提過，**想要轉化習氣，讓身體動起來，真正去做是最好的方式**。一方面讓念頭不只是念頭，不再只是腦神經一個不斷無效重複的小迴路，而是透過肌肉的動，與回傳到腦部的訊息，讓這個迴路擴大，變成一個在全身暢行無阻的迴路；另一方面，許多朋友大概也經驗過，有時候心裡會浮出一些靈感、動機或直覺，但不到幾秒，腦的迴路和舊習氣馬上會冒出來阻止新的行動。所以，把握時間更是關鍵，現在就開始吧。

首先，寫下你做得來的 1 個或 1 套健身動作（例如深蹲 10 次、推牆 10 次），如果你要開始這次的 30 天挑戰，今天就做，然後明天開始各加 1 次，做為第 1 天的健身挑戰。接下來，1 天再加上 1 次。

當然，你做著做著可能會覺得不夠過癮，那就自己把次數往上加。也有可能到了一定的次數，會希望維持這個次數一段時間，都是可以的。

你可以為自己準備一個 30 天的表格，將每一天的目標次數寫下來。

肌肉的力量建立起來，精神會變好，行動也便利許多，讓你能接觸更多運動、拓展生活的領域。肌肉有了力氣，也更容易保持良好姿勢，連莫名的痠痛都會好轉。

我也請你留意自己這陣子心情和精力的變化，當然這不光和運動有關，也受到飲食和壓力的影響。這些因子都可以是觀察、記錄的對象。然而別忘了，最重要的還是你自己。

30-DAY

零基礎健身

30天健身挑戰

Your Body-Building Challenge

DAY 1 ☐ 深蹲____次 ☐ 伏地挺身____次 ☐ 引體向上____次 ☐ 其他 ☐ 想對自己説	**DAY 2** ☐ 深蹲____次 ☐ 伏地挺身____次 ☐ 引體向上____次 ☐ 其他 ☐ 想對自己説	**DAY 3** ☐ 深蹲____次 ☐ 伏地挺身____次 ☐ 引體向上____次 ☐ 其他 ☐ 想對自己説	**DAY 4** ☐ 深蹲____次 ☐ 伏地挺身____次 ☐ 引體向上____次 ☐ 其他 ☐ 想對自己説	**DAY 5** ☐ 深蹲____次 ☐ 伏地挺身____次 ☐ 引體向上____次 ☐ 其他 ☐ 想對自己説
DAY 6 ☐ 深蹲____次 ☐ 伏地挺身____次 ☐ 引體向上____次 ☐ 其他 ☐ 想對自己説	**DAY 7** ☐ 深蹲____次 ☐ 伏地挺身____次 ☐ 引體向上____次 ☐ 其他 ☐ 想對自己説	**DAY 8** ☐ 深蹲____次 ☐ 伏地挺身____次 ☐ 引體向上____次 ☐ 其他 ☐ 想對自己説	**DAY 9** ☐ 深蹲____次 ☐ 伏地挺身____次 ☐ 引體向上____次 ☐ 其他 ☐ 想對自己説	**DAY 10** ☐ 深蹲____次 ☐ 伏地挺身____次 ☐ 引體向上____次 ☐ 其他 ☐ 想對自己説
DAY 11 ☐ 深蹲____次 ☐ 伏地挺身____次 ☐ 引體向上____次 ☐ 其他 ☐ 想對自己説	**DAY 12** ☐ 深蹲____次 ☐ 伏地挺身____次 ☐ 引體向上____次 ☐ 其他 ☐ 想對自己説	**DAY 13** ☐ 深蹲____次 ☐ 伏地挺身____次 ☐ 引體向上____次 ☐ 其他 ☐ 想對自己説	**DAY 14** ☐ 深蹲____次 ☐ 伏地挺身____次 ☐ 引體向上____次 ☐ 其他 ☐ 想對自己説	**DAY 15** ☐ 深蹲____次 ☐ 伏地挺身____次 ☐ 引體向上____次 ☐ 其他 ☐ 想對自己説
DAY 16 ☐ 深蹲____次 ☐ 伏地挺身____次 ☐ 引體向上____次 ☐ 其他 ☐ 想對自己説	**DAY 17** ☐ 深蹲____次 ☐ 伏地挺身____次 ☐ 引體向上____次 ☐ 其他 ☐ 想對自己説	**DAY 18** ☐ 深蹲____次 ☐ 伏地挺身____次 ☐ 引體向上____次 ☐ 其他 ☐ 想對自己説	**DAY 19** ☐ 深蹲____次 ☐ 伏地挺身____次 ☐ 引體向上____次 ☐ 其他 ☐ 想對自己説	**DAY 20** ☐ 深蹲____次 ☐ 伏地挺身____次 ☐ 引體向上____次 ☐ 其他 ☐ 想對自己説
DAY 21 ☐ 深蹲____次 ☐ 伏地挺身____次 ☐ 引體向上____次 ☐ 其他 ☐ 想對自己説	**DAY 22** ☐ 深蹲____次 ☐ 伏地挺身____次 ☐ 引體向上____次 ☐ 其他 ☐ 想對自己説	**DAY 23** ☐ 深蹲____次 ☐ 伏地挺身____次 ☐ 引體向上____次 ☐ 其他 ☐ 想對自己説	**DAY24** ☐ 深蹲____次 ☐ 伏地挺身____次 ☐ 引體向上____次 ☐ 其他 ☐ 想對自己説	**DAY 25** ☐ 深蹲____次 ☐ 伏地挺身____次 ☐ 引體向上____次 ☐ 其他 ☐ 想對自己説
DAY 26 ☐ 深蹲____次 ☐ 伏地挺身____次 ☐ 引體向上____次 ☐ 其他 ☐ 想對自己説	**DAY 27** ☐ 深蹲____次 ☐ 伏地挺身____次 ☐ 引體向上____次 ☐ 其他 ☐ 想對自己説	**DAY 28** ☐ 深蹲____次 ☐ 伏地挺身____次 ☐ 引體向上____次 ☐ 其他 ☐ 想對自己説	**DAY 29** ☐ 深蹲____次 ☐ 伏地挺身____次 ☐ 引體向上____次 ☐ 其他 ☐ 想對自己説	**DAY 30** ☐ 深蹲____次 ☐ 伏地挺身____次 ☐ 引體向上____次 ☐ 其他 ☐ 想對自己説

36
善用壓力，保留適當彈性

我在第 1 章就談到飲食的療癒離不開壓力的管理，也在第 34 章談到長壽基因 sirtuin 是在生物遇到壓力時才會啟動。在這裡，我希望進一步將壓力與健康的主題打開。

壓力讓人成長，我們在每一個文化都聽過類似的觀念。華人會說「不經一番寒徹骨，焉得梅花撲鼻香」來鼓勵人要吃苦才能成長。哲學家尼采（Friedrich Nietzsche）也說「殺不死我的，讓我更強大。」這些話都在激勵人要承受一定的壓力，甚至認為有壓力才有突破和成長。

不光在心理層面有這樣的主張，其實古人早就有類似的藥理觀念。舉例來說，中藥會使用現代人認為有毒的重金屬入藥。西元前 100 年，古希臘本都王國的國王為了避免自己被下毒暗殺，定期服用小量毒素，讓身體產生抵抗力。大仲馬 19 世紀的小說《基度山恩仇記》也用類似的橋段，帶出各種讓人想不到的情節。

這樣的觀念點出一個重點：適度壓力對身體帶來的刺激是正向的，這和華人重視的鍛鍊是相通的道理。但從另一方面來說，中世紀煉金術家帕拉塞爾蘇斯（Paracelsus）也說過「劑量決定毒性」——任何東西如果過度，都會造出毒性。

綜合來說，適量的壓力可以帶來好處，而過量則帶來傷害。現代毒理學家則用「毒物興奮反應」（hormesis）來描述生物面對壓力的反應模式。像這張圖所表示的，壓力在一定範圍下，可以加強個體的反應，差不多可以強化到原本的

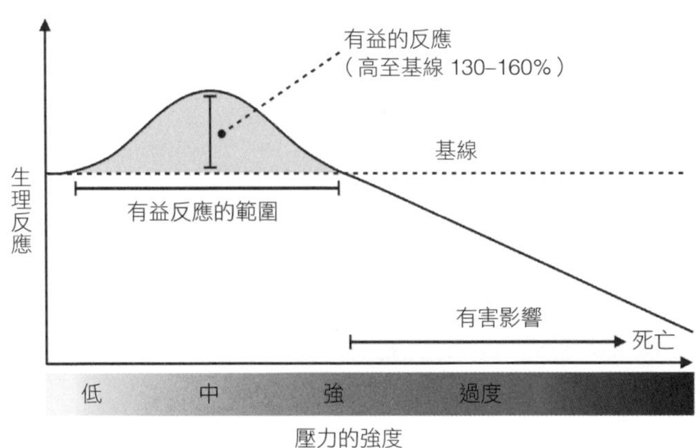

130 ～ 160% 左右。但超過個體最大反應能力的壓力，反而會讓個體反應開始下降，落到低於原本的水準，甚至死亡。

科學家探討不同的壓力來源，包括飲食、藥物、對待方式、環境或生活條件的作用，發現壓力確實能讓個體以後面對相同壓力更有抵抗力，甚至對不同類型壓力也會有抗性。就好像連生理機制都含有一種自我學習、舉一反三的能力。

然而「適量」是關鍵，強度太低，得到的好處有限；強度太高，所產生的不良作用也就折損甚至抵銷了好處。長期的壓力會讓人失去健康，同時也反映了強度太高。我一般會帶著大家用呼吸去放鬆，因應現代人長期下來過於緊繃的生活步調。

適量的觀念值得我們注意，一般人談到健康，觀念往往趨於兩極，要不過度保護，不能有一點壓力；要不就是盲目追求鍛鍊，造出過大的壓力。這種缺乏彈性的觀念，本身就讓我們錯過了很多重點。

有些朋友絕對不吃西藥，害怕生活裡可能的種種毒素。為了達成心目中理想的無害狀態，而嚴重限制生活，也局限了身心本來可以發揮的潛能。但可惜的是，從毒物興奮反應的道理來看，零壓力帶來的健康好處其實相當有限。

另一個極端是對鍛鍊和吃苦的盲目追求。許多想要健康的朋友會去練馬拉松，忽略了激烈運動對身體反而造出相當大的壓力。我在美國會注意足球員在比賽時心臟病發作的新聞，而許多人跑完馬拉松的身心反應就像生了一場大病，需要好幾天甚至更久的休息，才能恢復過來。

不光是運動會過度，飲食也是一樣的。有些朋友聽說某個健康的成分很好，就一味地去攝取，有些人會因為短時間過量攝取辣椒，承受不了某些植化素的作用而導致食物中毒。就連看來最無害的水，在短時間內喝太多，也會讓人受不住而昏迷。更別說咖啡過量會讓人心悸、焦慮或腹瀉，綠茶長期攝取太多，也有導致腎衰竭的可能。

回到運動，一樣可以用這裡提到的毒物興奮反應來看待。不太活動的人，身體的氧化壓力很高，體內容易產生自由基，而對健康帶來影響；激烈運動的人，身體同樣也有自由基過高的問題。適度而規律的運動，才能夠降低身體的氧化壓力。

37
以適合的運動強度，帶來健康

低強度或間歇性的壓力，可以強化身體的抵抗力和韌性，對健康有益。但**關鍵還是在於「適量」，要看我們怎麼去找到適合自己又帶點挑戰的強度**。

至於怎麼判斷運動的強度，我在前一章提過幾個標準，但那主要是客觀的比較。我在這裡換一個方式，從個人主觀的運動體驗來判斷費力的程度。

強度	分數	感受
最大強度	10+	盡快跑（像有獅子在追你！）
	10	
	9	喘不過氣；無法講話
	8	
激烈強度	7	喘；不想講話
	6	
有強度	5	需要用力呼吸並且感覺不舒服
	4	
中等強度	3	呼吸變深但可以正常講話
輕微	2	
非常輕微	1	很容易保持這種速度並且正常講話
毫無強度	0	

我推廣過幾大類運動，除了螺旋拉伸和結構調整之外，主要就是有氧健身。快走，用軀幹和大腿帶動身體，是最容易進行的有氧健身運動。有一定的步行速度，讓身體稍微流汗，還能夠講話而不氣喘，就是理想的運動強度。

大腿肌肉群是全身最大的肌肉組成，佔全身肌肉質量的一半以上，能消耗最多的熱量，所以快走、階梯有氧、跳舞、跳繩、體操、游泳、自行車、登山、爬樓梯、平躺抬腿運動、與跳躍有關的運動，都符合我所談的有氧健身的運動。

進行低強度、長時間的有氧健身，在前10分鐘，身體會先分解肌肉的肝糖，以提供所需要的瞬間爆發力。接下來，如果我們運動時保持規律而深的呼吸，可將氧氣帶入細胞，讓細胞利用氧氣來燃燒脂肪，以提供所需要的能量。

一般人都認為運動一定需要張開嘴呼吸，但用嘴呼吸其實對身體造出相當大的壓力，就連專業運動員在比賽或訓練後，都需要好多時間才能恢復過來。

如果能改為鼻子呼吸，適應後，無論運動表現或運動後的恢復，都會比原本好得多。

適當強度、鬆緊交替

有運動專家提出一種省時而有效率的運動方式，特點在於短時間進行衝刺、爆發力的運動，然後休息一段時間。這樣的運動，一星期進行 2、3 次就有很好的效果。

這種間歇性的高強度運動，一般人簡稱為 HIIT（high-intensity interval training，高強度間歇性訓練）。

這樣的運動要怎麼進行呢？讓我先舉一個實例：一開始先用中等速度跑 2 分鐘作為暖身。接下來衝刺跑 30 秒，然後休息 1 分鐘。在休息時間，可以原地踏步或慢走。休息與衝刺這兩者強度落差所帶來的壓力，是 HIIT 能發揮健康作用的關鍵。持續這個「30 秒衝刺→ 60 秒放鬆」的循環，重複 3 到 12 次。結束後，繼續用放鬆的步調快走或慢跑 2 分鐘，讓身體逐漸緩和下來進入休息。

這樣的一整套訓練可以進行 15 ～ 20 分鐘，最多不要超過 30 分鐘。你可以找到一些適合的應用程式，幫你依照上面的秒數做 [120 + (30 + 60) × N + 120] 的計時，精準守住衝刺／放鬆的時間與次數，確保達到期望的運動效率。熟練

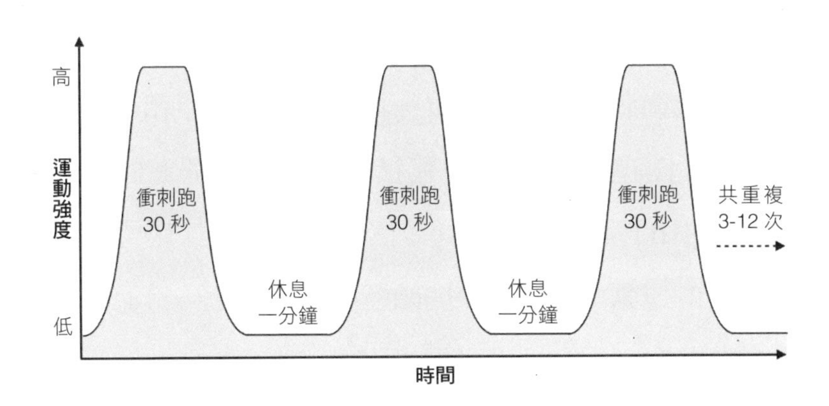

了，9 分鐘的高強度間歇訓練，燃燒脂肪效率可以抵過持續 45 分鐘的低強度運動。

高強度的衝刺可以是跳躍、階梯、開合跳、打籃球防守的橫移步、登山式、波比跳，也可以是游泳、舉重、伏地挺身。為了單純和簡化，我自己不會在同一次的 HIIT 裡採用不同的動作，而是用單一個動作，例如用不同速度交替騎飛輪，或者採用跑步／走路交替的設計。

HIIT 反覆進行的衝刺，重點在於高強度而時間短。身體用到一個地步，無法用氧來進行能量代謝時，就會進入短暫的無氧代謝來取得能量。但因為進入高強度衝刺的時間短，所以不會長時間停留在無氧狀態，過氧化物和自由基的危害不會那麼嚴重。

反覆的衝刺→放鬆，可以一再移動代謝的平衡，並反覆活化身體對抗壓力的機制，包括啟動清理和解毒的酵素路徑。這是 HIIT 對健康有益的一個特點。如果採用傳統式穩定而持續的運動，只有在剛開始運動時能活化一次而已。

HIIT 結合了強度和時間的因素，讓運動的毒物興奮反應充分發揮。由於強度夠強、時間夠短，一般體能的人都能執行。而節省時間的設計也更容易與生活結合，只要 1/5 的時間就能達到一般的運動效果。

當然，因為強度的要求，HIIT 並不適合體能欠佳、動作不靈活，或有心血管疾病風險的朋友，體能不足的人可能因為耗力或疲憊反而導致受傷。有這些顧慮的人可以從前一章提到的《零基礎健身》或《真原醫運動新觀念》的「有氧健身」切入，一樣會得到運動的好處，但降低受傷或過度耗損的風險。

其實，不只運動可以善用毒物興奮作用的原則，在適當的強度和設計之下達到最大的健康好處，包括飲食的調整、冷熱溫度的刺激、營養補充、斷食，也可以運用同樣的道理來達到健康。

然而這並不代表我們應該拿放射線、酒精或香菸來嘗試，這些物質一不小心就會跨過有益的劑量而產生毒性。運動、沖冷水澡（先沖熱水再沖冷水），或攝取含有植化物的營養補充品所帶來的輕度壓力，會是比較好的選擇。

壓力能帶來多少好處，也和一個人的年紀或體能有關。適合某個人的強度或劑量，不見得適合另一個人。年紀非常大的人可能沒有足夠的韌性，面對壓力不見得撐得過去，甚至反而造成傷害。身體健康不佳的人進行冰浴，可能因為壓力過大，血管收縮劇烈而導致心臟病發作。這是年紀大或即使年紀不大，但身體不健康的人，在鍛鍊時應該要注意的。

斷食、運動、各種生活調整所造出的壓力，儘管在適量時個別都是有益的，但同時發生時，不見得會好上加好。除了前面說的 130 ～ 160% 的效益天花板外，還要考慮到各自的作用合併起來，可能產生過量的壓力而帶來不良的影響。

生活環境的改變，例如搬家、升學，也會帶來壓力，這時候不見得是開始斷食或提高運動強度的好時機。而間歇性的壓力，例如運動或斷食，應該由休息期來隔開，不要持續進行，要讓身體有修復和療養的空間。

一旦我們懂得善用壓力和放鬆的原理，透過運動、斷糖、好的脂肪、適量的蛋白質，讓代謝向健康的平衡來移動，拿掉過敏原讓身體恢復，也就有機會更深入飲食和斷食帶來的療癒。

38
徹底的拉伸運動，讓身心合一

我會用這麼多篇幅來談運動，當然和自己的親身經驗有關。我很年輕時在巴西就有很好的運動表現，也受到很大的注意。雖然運動生涯後來因為受傷而停了下來，但從這個經過，對運動生理以及運動在身心療癒扮演的角色，自然有很深的體會。

首先，運動當然和這本書所談的扭轉代謝、修正代謝症候群的體質有關。然而更重要的是，**運動是一個讓身心合一、鬆脫制約、解開習氣最簡單的方法**。除了健身和有氧，我多年來推廣的螺旋拉伸、螺旋舞和結構調整更是如此。

我後來在美國和台灣也參與許多頂尖運動員的培訓和輔導，從真原醫、身心合一的全人醫學角度，將最先進的運動科學和營養學帶給教練和選手。當初許多運動專家過度重視苦練，長期依賴動物性蛋白質和碳水化合物，尤其是糖，來強化爆發力，沒有意識到這些都會造出身心負擔，而不利於運動員的長期發展。

我對他們強調的，有一部份正是我在這本書所談的，也就是**培養代謝的靈活性，讓身體也能燃燒脂肪作為能量，而減少過度依賴醣類和蛋白質對代謝造出的壓力**。此外，**長期的運動表現還是要看身心的彈性**。我後來常和同事提到美國橄欖球四分衛布雷迪（Tom Brady），他到 44 歲還能打職業賽，不是靠肌肉爆發力，而是全身的彈性與柔軟度。

我記得好幾次給奧運代表隊的教練團和選手上課，為了強調柔軟度和筋膜科學的重要，也不管當時自己早就不年輕，已經是中年人，仍然親自在台上示範，如何一步一步拉筋而做到 180 度劈腿。如果我都能做到，那麼這些年紀不到我一半的年輕選手和教練們，更是可以透過同樣的方法，來培養身體的柔軟度和靈活性。

這種訓練方法，原理和第 37 章所談的鬆緊交替原則有相似之處。

身體有一個稱為「神經肌肉本體感」（neuromuscular

facilitation）的機制，可以保護身體不因為外力過度拉扯而受傷。用劈腿的實例來說，一個人要訓練柔軟度和彈性，只需要順著這個保護機制——不和它對抗，停留在最大的伸展角度，不要放鬆，維持大約 15 到 20 秒，這股反抗的力量自然會退讓。這時再繼續拉伸，運用身體筋膜本來就有的彈性，就能夠劈腿到更大的角度。

一個人如果懂得把身體刺激到一個地步再放鬆，一步步做到透徹的拉伸、完整的拉伸和全面的拉伸（radical stretch, complete stretch and total stretch），就能充分整合身體的彈性，而能夠完整發揮潛力，也更容易從運動帶來的緊繃中恢復過來。

如果採用我在《真原醫》、《結構調整》和《螺旋舞》所談的螺旋拉伸，更是輕輕鬆鬆用最小的動力，就能深入身體每個角落，解開業力和習氣的束縛，帶來最大的轉變。

和一般直線性的拉伸相比，螺旋拉伸更符合生理的結構。**身體組織是透過筋膜以螺旋的方式連結而組合起來，沿著螺旋的方向做徹底的拉伸運動，能一一解開身體的僵化、堵塞和沾黏，而讓身心活潑起來。**

身心貫通而一致，自然能適應飲食的調整和斷食。或者反過來說，更能得到甚至享受飲食和斷食帶來的療癒。

前一章談到壓力要鬆緊交替，讓運動帶來最好的健康效果。其實運動員所面對的壓力，無論是身體或心理，都遠超過一般人平常承受的範圍。特別在面對重要比賽時，更是如此。如果只懂得硬撐，而不知道化解長期累積在身心的壓力，總是透過一些行為和習慣來代償、來宣洩，那早晚會在身體和心理層面造出各種問題。

我自己也是運動員，知道在場上的經驗需要消化，如果能立即做一個感恩和讚美的功課，馬上可以融化前一刻的緊繃、挫折和張力，而不會累積到身體甚至心裡成為結。有些年輕的孩子懂了這個道理，在練習和比賽後自然會去跟對方握手，表達讚美和感謝。這種心態的改變不光是展現風度，甚至可能就這樣改變他們的一生。

此外，我也教選手簡單的數息和靜坐。一個人懂得靜下來，可以清清楚楚觀察到自己和周邊，對運動員而言不光是很好的休息，也是掌握個人表現的關鍵。這些年，就連 NBA 球星都會主動練習靜坐，就是體會到在最激烈的動態中，更需要能夠隨時回到靜，隨時給自己創造一個空間，才有長期的表現可談。

我們也是一樣的，在這個快速變化的時代，不光是社會的轉變很快，就連整個宇宙，包括太陽週期，都處在一個變化的轉捩點上。面對這種劇烈的動、快步調的轉變，我在這本書所談的飲食調整和運動，更是每一個人都需要做，以支持個人面對這些大規模的變化。特別是這裡所談的螺旋拉伸，可以說是修正身體業力和習氣最快的方式，隨時可以做，隨時把自己帶回到中心。

我也將過去的一個錄音〈心為主，帶領習氣轉變；習氣轉變，配合意識轉化，走向意識與物質的大結合〉分享出來，希望陪伴大家從唯識的基礎出發，掌握一些習氣轉變的原則，包括這裡所談的飲食調整、運動和斷食，來度過眼前的大變化；更重要的是，領悟不費力的真實。

談習氣轉變的影片連結→

39
跟著太陽走
迎接活的生命能量，得到休息

有了飲食和運動這兩把恢復健康的鑰匙，接下來有必要談一個常被忽略的主題：太陽光。

前面談到一些高營養密度的食物，無論葉菜、十字花科的蔬菜，還是各種植物的瓜果種籽，它們的營養和熱量都是來自於太陽。

太陽的光透過葉綠體的光合作用，讓空氣裡的二氧化碳得以轉換成植物的養分，再餵養地球上的各種生命。從這個角度來說，支持萬物生養，推動我們思考、行動、規劃的能量，推到底都是從太陽取得的。

說地球上的生命是「吃」太陽長大的並不為過，而我們除了飲食，生活的方方面面也早就與太陽分不開。

有地球之初，就已經有太陽。早期人類沒有多少衣物的遮蔽，身體和陽光的接觸是最密切的，而生命的運作更是配合太陽的起落來進行。從內分泌到生理時鐘，都離不開太陽光帶來的能量和訊號。

現代人則用衣物覆蓋了大面積的皮膚，有時還用陽傘遮住陽光，再加上白天多半待在室內工作，曬不到太陽的時間太長，到了晚上處處燈火通明，又總是抱著手機不放。這種接受光線刺激的模式，恰巧與身體生理時鐘所需要的顛倒。晚上休息不夠，白天精神不足，對代謝、免疫和頭腦的認知與情緒都是負擔。

我在《真原醫》談過太陽光的全光譜，也在《好睡》談過曬太陽的好處。從下頁這張圖，你可以看到自然光的光譜是完整的，而人造光像燈泡、螢光燈、鹵素燈、LED 燈的照明，都只能帶出一部份的光譜，比例也和自然光線不同。長期接觸不到足夠的自然光，其實是影響現代人健康的一個重要因素。

我們曬太陽，一方面能提高腦部血清素與腦內啡的量，讓心情好轉。另一方面，陽光的能量透過皮膚與視網膜

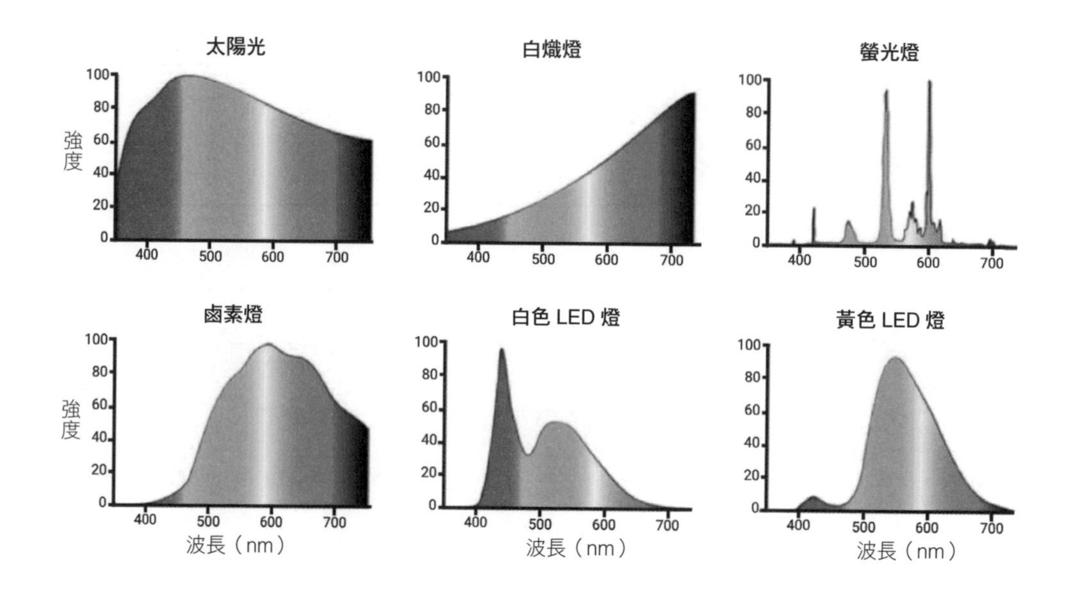

的細胞，將膽固醇轉為維他命 D_3。身體自己合成的維他命 D_3 和從飲食得到的維他命 D_2 和 D_3，經過肝臟和腎臟的處理，才能發揮作用，幫助身體吸收鈣、鎂等礦物質，也促進各種細胞的功能。

維他命D是一個作用很廣的物質，從膽固醇轉化而來。從結構和作用上來說，就像是一種天然的類固醇，除了可以促進鈣質吸收、保護骨骼、抗發炎、改善免疫運作、增強肌力，也有抗癌的效果。

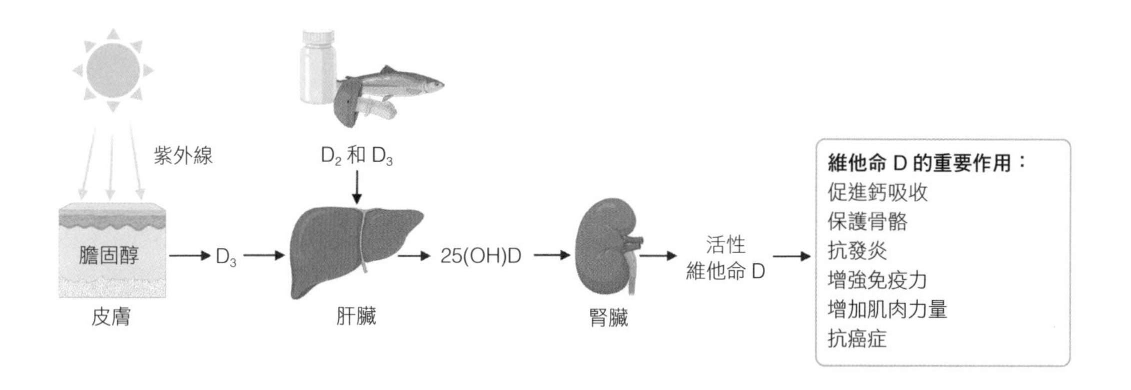

前面提過，一個人體內的維他命 D 含量，和 COVID-19 感染後的嚴重性有關，但維他命 D 不足的影響其實更廣。一個人如果缺乏維他命 D，更容易有胰島素阻抗、腸漏和免疫系統混亂的情況。目前醫療主管機關建議的攝取標準，最多勉強滿足最低的需求，對大多數人而言，其實遠遠不夠。

像美國許多地區偏涼，有充足陽光的時間不長，我平常會鼓勵身邊的朋友多出門走走、曬曬太陽，讓身體自己合成維他命 D，進一步啟動天然的抗發炎機制，讓 COVID-19 感染可能導致的過度發炎能踩一個剎車。此外，考慮到一般人幾乎曬不到太陽，血液裡的維他命 D 濃度偏低，我甚至會建議身邊的朋友一天補充 4,000 或 5,000 IU 的維他命 D_3。當然，這些建議是對於長期缺乏日曬，飲食維他命 D_3 也不足的朋友。可惜的是，這就是現在大多數人的情況。

不過，在陽光充足的地區，如果能把握早上 10 點到下午 3 點陽光直曬的時段，穿著短袖短褲，讓大面積的皮膚曬到太陽，其實 15 分鐘左右就足以透過紫外線將膽固醇轉化出身體需要的維他命 D，雖然會曬黑，但不至於曬傷。在美國的話，許多地方沒有那麼充足的陽光，大概需要 20 分鐘。膚色深和年紀大的朋友轉換效率比較低，可能需要曬上更長的時間。

許多長時間在戶外工作的農人，一天下來接觸陽光和大地的時間夠長，他們不見得採用多健康的飲食，但身體的硬朗是大家都能體會到的。可以說，**與陽光和土地接觸，對健康的好處完全不亞於飲食**。所以我才會一直鼓勵大家要趁週末或假期多出去走走，現代人待在戶外接觸陽光和自然的時間實在太少了。

至於因為輪班或出差，睡眠週期受干擾而調整不來的人，曬太陽可以讓褪黑激素消退，幫助你在白天保持清醒，而到了晚間褪黑激素再度上升後，重新取得睡眠。

一般人搭長途飛機，會吃褪黑激素來幫助休息。但大家不那麼知道的是，**除了腦部的松果體會分泌褪黑激素，其實身體細胞粒線體受到近紅外線（在可見光範圍外波長 780～1,000 nm 的光線）刺激，也會合成褪黑激素**。褪黑激素本身就是抗氧化物質，作用力是維他命 E 的兩倍，而且會誘發一系列抗氧化物的作用。

萬一細胞的褪黑激素不足，身體會從夜裡睡眠時松果體分泌的褪黑激素來補充。如果松果體分泌的褪黑激素還是不夠，自然會影響一個人的睡眠，導致發炎，粒線體的抗氧化保護力下降，加速腦部退化。

這是從細胞和分子的層面來談太陽光對生命的影響，我過去也在《轉捩點》中，從更大的層面探討太陽週期對地球帶來的作用，包括電磁場的共振、太陽風對地球的保護力、宇宙帶來的輻射，樣樣都表明了生命是一體而不分的。

個人健康一樣離不開這種更大的生命週期，這一點其實不需要等待日後的科學來驗證，任何人只要讀文獻都可以自己發現。只是我們的注意力被局限在每天瑣碎的發生，自然把這麼明顯的科學給忽略了。

談這些是想提醒大家：這個年代，大環境包括太陽週期的變化，都進入了一個關鍵的時期。身邊的朋友也聽我說過，這段時間其實是人最容易達成抗衰老、抗發炎，而重新回復青春的轉捩點。正因如此，我才會再一次將這裡所談的飲食和生活習慣調整帶出來，希望能為大家爭取時間，跟上整體的轉變。

40
順著生理時鐘來調整身心

讀到太陽光對身體的影響，有些朋友會浮出一種想法，也就是可以透過光線來調整身心。我過去也會提醒有憂鬱的朋友，在陽光漸少的秋冬季多照太陽、甚至是採用照藍光的設備，改變大腦的內分泌，對於心情確實有改善的效果。曬太陽不光可以改善心情和睡眠週期，還能讓人面對感染有一定的抵抗力，太陽光的熱度與乾燥，還可以降低感染後的病毒量，所含的紫外線則有抗菌的作用。

有一個症狀被稱為是「日落症候群」（sundown syndrome），也就是在太陽下山後，少了陽光近紅外線的刺激，身體的褪黑激素下降，讓腦部原本就缺乏褪黑激素的阿茲海默症或失智患者，特別容易疲倦、焦慮、躁動不安。

這時候，最簡單的方式就是白天盡量出去活動，曬曬太陽，到了傍晚採用適當的照明，讓身體和太陽的生命場重新接軌。

要記得，刺激松果體之外的身體細胞分泌褪黑激素，需要近紅外線，所以住處燈光最好採用白熾燈泡或鹵素燈，讓人可以放鬆。我在《好睡》除了鼓勵大家曬太陽，也說過晚上可以點蠟燭或用壁爐烤火。橘紅色的火光所帶來的近紅外線可以讓人放鬆，夜裡比較好睡。這一點，也離不開褪黑激素的作用。

復健專家會採用「光生物調節」（photobiomodulation）的原理來照顧受傷的朋友，例如用紅外線作為一種療程。紅外線光照可以增加粒線體生成的 ATP 數量，不光讓我們覺得更有精神，也提高生化反應的效率，對於傷口癒合、減輕疼痛都有幫助，對慢性疾病的療癒也有輔助的效果。許多專業運動員在比賽或訓練後，會採用紅外線光照的療程來促進身體修復。

一般辦公室和公開場所的強烈照明，還有 LED、手機和電腦螢幕的藍光，作用剛好跟近紅外線相反，會影響睡眠、抑制褪黑激素形成，也無法讓粒線體得到足夠的抗氧化保護。

談到藍光，也可以順道談電磁波。我在《好睡》提醒過：無論敏不敏感，至少在睡眠時將周邊的電器都關掉、拔掉電源，減少對睡眠可能的干擾。現代才有的 LED 燈、電線、手機、Wi-Fi、藍牙設備所發出的電磁訊號，都是人類百千萬年演化未曾接觸過的能量波段，已經證實會降低細胞粒線體使用血糖、三酸甘油酯作為能量來源的能力，讓膽固醇在血液沉積，血糖、血脂都會高起來。這有點像是從飲食以外的層面同時加速胰島素阻抗，長期下來和糖尿病、體重上升、心血管疾病與癌症脫離不了關係。

我一再提醒，飲食和作息要順著生理時鐘來進行，說的其實就是順著太陽和大地帶來的生命場生活。我們的身體在夜裡的睡眠得到休息、進行維護，而在白天消耗能量、應付生活。如果休息不夠，細胞少了維護與清理的機制，受傷的粒線體會產生過量的活性氧分子、自由基，粒線體內的 DNA 會受損，產出的 ATP 也會減少。心臟病、癌症、代謝疾病都和細胞內的粒線體受損有關。

但我要坦白說，就算不懂這些和光有關的科學知識也無妨。我們身心的每一個角落早就希望和太陽與地球的週期同進退。看到陽光，我們自然心情開朗，隨著太陽升起，亮度提高，我們在早上10點左右精神奕奕，到了下午3點開始覺得疲倦。黃昏太陽西沉，我們也想跟著休息。

身體早就有各種機制，讓我們從能量、分子、細胞、器官到行為都與太陽一起同共振。我們能做的，就是讓自己順著這個和諧的共振生活，減少現代人自以為重要的效率所造出來的障礙，這是幫助身心自我療癒的關鍵。

41
澄清觀念，隨時可以重新開始

讀到這裡，我相信你回想一些過去的飲食和健康觀念，哪怕當初都認為正確，現在會發現都是錯的。當然有些說法稱不上是錯誤，只是誤把在某個階段或某個族群適用的觀念，擴大成整體的飲食建議，或把某個單一的食物變成萬靈丹，於是反而造出了失衡。

我在這裡為大家澄清觀念，讓每個人都能建立自己的療癒飲食。前頭已經談過主要營養素、代謝、蔬菜帶來的營養、餵養腸道微生物、保持腸道完整性、減輕過敏的重要性，但有些觀念還來不及帶出來，有些觀念則是再重要不過，我不希望被遺漏。

在這一章，我再點出幾個重要的關鍵，希望能幫助你再一次澄清自己的觀念，讓你在進行個人的飲食實驗時，能有好的開始。

✖ 少吃飽和脂肪、少吃膽固醇

事實是：**少了飽和脂肪反而造出更嚴重的飲食失衡，女士更需要攝取好的脂肪，支持內分泌的週期變化。**

醫學專家都告訴大眾要用低脂飲食，少吃飽和脂肪，少吃膽固醇來降低血脂肪和膽固醇。但是血液膽固醇其實有3/4是由身體自行合成的，從飲食吃進來的膽固醇只佔了血液膽固醇的1/4。此外，是飲食過量的碳水化合物才會直接轉成三酸甘油酯，造出血脂過高的情況。

問題不在於飲食裡的膽固醇，更不在飲食裡的飽和脂肪，但錯誤的低脂飲食建議已經為我們造出更多的問題。包括各種降膽固醇的斯達汀類藥物，表面上讓血液膽固醇降下來，但可能對於修復發炎組織、脂肪代謝的正常生理造出干擾，反而衍生更多慢性疾病。

✖ 植物油有益健康，應該多吃

再一個需要澄清的觀念是：植物油多元不飽和脂肪有益

健康，應該大量採用。

事實剛好又是顛倒，**為了健康，其實應該多用一些來自於果實或草飼動物的飽和脂肪**，前面提過的椰子油和澄清奶油，都是不錯的選擇。

從玉米、花生、黃豆、棉花種籽提煉出來的植物油，高溫高壓再加上有機溶劑萃取除臭的程序，幾乎和提煉石油沒兩樣。要經過繁複程序才能取得的油，已經距離食物原本的型態非常遙遠，更別說這些植物種籽油含大量多元不飽和脂肪酸，容易氧化，氧化產物可能對健康有害，而促發炎的 omega-6 脂肪酸比例也偏高。

酪梨油和橄欖油是天然果實油，飽和脂肪比例不那麼高，很容易榨取，不需要經過複雜的精煉過程。採用有機、初榨的油，可以得到比較多抗發炎的 omega-3 脂肪酸，也帶著原本的植化素和微量元素，和精煉種籽油相較是比較完整而健康的飲食。

✖ 少鹽飲食預防高血壓

許多專家告訴你要少吃鹽來避免高血壓等疾病，其實這並不是完全正確的觀念。

當然，鈉和鉀的平衡很重要，甚至鉀離子的重要性其實是被低估的。對於已經有疾病的朋友而言，確實需要嚴格的調控，才不會讓病情加劇。

但對於一般健康的朋友而言，這些離子量多量少並不是全部的重點，畢竟身體會自行調節，把用不上的離子排出體外。比起來，飲食其他層面，像是醣類攝取過量、過敏導致的發炎，對血壓的影響都比鹽重要得多。

✖ 細胞需要糖才能維持生命

再一個錯誤觀念是，認定身體和大腦需要糖作為唯一的燃料。

其實，一個人如果斷糖，等血液的葡萄糖和肌肉的肝糖被消耗得差不多，身體開始取用脂肪作為能量，而進入生酮的狀態時，自然能體會到頭腦的清明程度和反應，比吃糖時更好。

不只身體有糖尿病，大腦也會有糖尿病，已經有人將大腦失智退化的疾病稱為是三型糖尿病。如果我們攝取大量醣類和糖，作為大腦唯一的能量，腦部會出現類澱粉斑塊。這樣的斑塊，在失智和阿茲海默症患者的腦部，相當常見。

✖ 有機食品是沒有缺點的養生食物

前面已經提過，並不是有機純淨的飲食就不會帶來過敏。舉例來說，過去我也認為全穀類是最好的天然食物，沒有脂肪，又有膳食纖維，還保留了所有的營養素，是很好的澱粉來源。然而由於一般人腸漏的情況愈來愈普遍，穀類的殼所含的凝集素，非但會讓腸漏惡化，還會進一步引發過敏和自體免疫的問題，這是當初沒有想到的。

所以，如果明明吃得很健康，卻總有一些擺脫不了的過敏或慢性疾病，可以試著先將全穀類或可能導致過敏的飲食挪開，觀察自己的反應，等腸道修復之後，再用正確的方式來食用。

✖ 什麼都吃，飲食就均衡了

舉例來說，大家都說飲食要均衡，我也時時跟身邊的朋友提醒飲食要均衡，而他們也會接受。然而，大多數人並沒有仔細去想均衡什麼，當然也更體會不到我在《真原醫》所談的飲食均衡，和他心裡所認為、實際在執行的飲食均衡，其實不一樣。

一般人認為的飲食均衡，是把主要營養素：碳水化合物、蛋白質、脂肪當作一樣而平等，而所謂的均衡就是把這三大類樣樣都吃一點，在熱量上做一個平均。卻沒有注意到有些食物其實含著有害，甚至可以說是毒性的物質，會對身體造出代謝的壓力。

我個人認為的飲食均衡，不是這種平均式的靜態均衡，而是從方方面面滿足眼前需求的動態均衡。有時候為了修正飲食造成的長期代謝或免疫失衡，也需要用一個比較激烈的手法來調整。重點在於守住整體，無論在能量、內分泌、免疫、壓力反應、修復與療癒的層面，都能夠透過飲食而得到完整的均衡。

✖ 我們應該吃三餐

一般人從醫學專業得到的建議是：一天應該按時吃三餐，絕對不要錯過早餐、午餐、晚餐任何一餐，甚至強調少量多餐，在三餐以外還要再多吃幾次。

這建議其實是錯的。一日三餐和 8 小時睡眠一樣，是近代配合工業社會三班制作業才有的產物。在更早之前，大多數人一天最多是兩餐，甚至一餐。至於少量多餐的建議，更是錯得離譜。消化能力正常的人為什麼需要不斷用食物來刺激血糖、胰島素和三酸甘油酯？飲食過度而頻繁的刺激，讓代謝一刻不能休息，反而壓縮了身體修復和療癒的空間。

事實是：**對已經過了青春期、不在懷孕或哺乳期間、熱量消耗不那麼旺盛的成年人，少吃一餐或兩餐，不光對我們的健康沒有傷害，還是有益的。**

少吃，能夠延長生物的壽命，這一點已經在實驗室裡不斷得到證明，從單細胞的酵母菌、簡單的線蟲、果蠅，到老鼠、狗、猴子都是如此。其實人類也是一樣，減少熱量，但不要減少維他命和礦物質的攝取，就能達成長壽的可能。

✖ 過度關注體重，以為熱量是飲食的關鍵

大家都認為過重影響健康，也把減重當作恢復健康最大的任務，自然會去計算熱量，並且認定一個人只要少吃多動

就能夠減重。一個人如果受內分泌和壓力的影響克制不了食欲，或甚至少吃也瘦不下來的話，還會感到挫折。

首先，體重和健康的關係，要適當做一個區隔。過重的人雖然有相當高比例有代謝症候群，但也有一定的比例一生活得健健康康，既沒有代謝症候群，也沒有心血管疾病。體重標準或偏瘦的人，也不見得一定是健康的。

其次，要記得不是每一個卡路里的營養價值都是相等的，每一種食物進入身體所啟動的生化和內分泌反應不盡相同。**重點不是食物有多少熱量，而是它有多少營養**。營養素的質和為身體帶來的效果，遠比有多少熱量來得更重要。

所以，**要追求健康，重點不應該放在少吃，而應放在吃得對、吃得營養**。先得到健康，讓減重、脂肪減少成為自然的結果。光是透過不吃或少吃把熱量降下來，即使體重下降，也不是健康的。

✖ 飲食調整結束，就可以想吃就吃

一般人常見的一個誤解是：只要將身體帶回到比較正常的體重或指數，接下來就可以回到原本隨時吃過度加工食品、久坐不動、作息混亂的生活習慣，而不會有後遺症。

這觀念其實是錯的，即使採用純肉飲食、生酮飲食、減敏飲食來做短期調整，達到目標後，也還是需要吃得健康、動得健康、活得健康。配合個人代謝的需求，採用適當熱量與成分比例的飲食，規律運動，並且懂得放鬆和壓力管理，這才是善待身心的方式。

舉例來說，生酮飲食是透過嚴格限制碳水化合物攝取量，將代謝轉到燃燒脂肪，而達到調整的效果。要記得，胰島素對糖很敏感，身體如果還有糖分，也沒有透過運動消耗掉糖分，就不會啟動燃燒脂肪的作用。

一個人儘管已經透過生酮飲食達成目標，但一回到過去的高碳水飲食，又沒有足夠的活動來消耗糖，復胖是很自然的結果。如果希望保持成果，結束生酮飲食後進入低醣飲食，搭配適量的體力活動，是比較長期可行的作法。有些人會採用循環式生酮飲食，一星期有一、兩天攝取適量碳水化合物，其他日子依舊維持生酮飲食，也是類似的道理。

我在這本書主要談的飲食調整：低醣高脂生機飲食、一日兩餐或一餐，從恢復代謝靈活性來著手，是可以長期採用的飲食法。一個人至少堅持幾個月，在好脂肪和活飲食的支持下，將代謝從隨時刺激胰島素的高碳水化合物路徑挪開，把自己從胰島素阻抗，愈吃愈容易餓的困境拉出來，就可以讓體質恢復彈性，面對生活的挑戰。

健康的體質，搭配新的飲食和運動習慣，讓人活得輕鬆自在、健康而樂觀，不再隨時被身體需求給綁住。這種生活和心態的全面改變，對一生的作用，遠遠超過單純減重的目標。

✖ 斷食很難，一般人做不到

另一個誤解是關於斷食，大家會認為斷食是很艱難的，但其實斷食是再容易不過的事。每一個人夜裡睡著了都在斷食，只是自己沒有放在心上而已。

如果我們每天晚上都能保持 8、9 個小時不吃東西，還有必要為了錯過一餐或 2、3 個小時沒吃飯而擔心嗎？其實，只要飲食的營養足夠，即使有點餓也不是多嚴重的事。我會跟身邊的朋友說，**適當地餓才是正常而健康的反應**。

斷食不難，每個人都做得來，也是保持健康的前提，對於過去飲食造成的錯誤、代謝的失衡與老化，可以說是最好的修正。接下來，我會在這本書把這個主題打開。

人生不同階段有不同的飲食需求

這本書談到的飲食，不見得能同時適用每一個人。除了個人體質差異，在人生不同的階段，像是嬰幼兒、青春期、懷孕、停經、老化、生病，是否從事運動專業或體力勞動，所需要的營養比例和數量都不同，不是非得怎樣不可。重點是先了解營養學的道理，再針對個人的現況做調整。

輕鬆進行飲食調整，是最有效率的方式

我認為飲食的調整，首先要讓吃的人有飽足感，心理得到滿足，也得到足夠的營養素，而不是讓人隨時感到飢餓，只要醒著都在想食物。飲食安排也要多元化，注意營養素的質，並避開會造出失衡和過敏的食物。

建立健康的飲食習慣最重要，不需要把減重當作唯一的目標。至於飲食是葷還是素，不是這裡談的重點，原則是將飽和脂肪提高，降低碳水化合物攝取，蛋白質適量就好。一

個人如果能真正吃得健康而滿足，體重下降會是恢復健康後自然而有的結果。

從我個人的經驗來看，單一條件的要求通常讓人難以執行；順著個人的體質、習慣和文化背景來調整飲食，成功的機率反而比較大，同時也不會離開健康的飲食原則。

每個人恢復健康所需要的調整強度不同

飲食和生活習慣的調整，是從疾病的根源著手，將體質和代謝的失衡徹底扭轉回來。我在第 18 章提過，要達到同樣的代謝調整效果，有些人只需要斷糖，有些人可能要完全不吃澱粉。這一方面與體質差異有關，但更主要是因為我們的生活習慣，對新陳代謝造出的壓力和扭曲程度不同。

有些人代謝的靈活性相當高，熬夜只需要休息一個晚上就可以恢復，改掉吃宵夜的習慣就自然瘦下來。有些人長期承受沉重的壓力，或一直用不健康的飲食和作息來紓解壓力，雖然算不上生病，但也不能說是健康。這樣的朋友大概已經需要斷糖、少吃或甚至不吃澱粉、再加上作息的調整才能看到效果。有些朋友罹患慢性疾病或腫瘤，更需要徹底而長期的整頓，才能把偏離平衡的代謝給拉回來。

如果進展不像別人那麼快，要對自己有耐心，畢竟是經過了幾十年將身體折騰成不健康，當然也要用正確的方法，給身體足夠的時間去恢復。踏踏實實恢復健康，才是長遠的方法。

42
斷食：讓身體進入修復模式

30 多年前，我和隸屬美國國家衛生研究院下的美國癌症研究院（National Cancer Institute）十幾位醫學和科學領域的同儕，自發組了一個小委員會，探討各種可能幫助癌症患者的補充療法和另類治療的發展。這些同儕若不是勇敢革新的人物，就是某個領域的優秀人才。我和他們組成這個委員會基本上都是義務性的，完全是拿自己的時間來投入。

在我們這個小委員會，我特別為其他人在斷食這個主題做了完整的說明，也將我個人蒐集的世界各地斷食文獻都介紹出來。我會談斷食，完全是從親身的體驗出發，而不是只從理論來解說。只是當時也許機緣還沒有成熟，後來也暫時停了下來。

好多年之後，美國癌症研究院成立了一個正式的單位「癌症補充和替代醫學辦公室」（Office of Cancer Complementary and Alternative Medicine, OCCAM）掌管另類療法的研究獎勵，現在已經是相當有規模的機構。

回到台灣，我接觸到一些癌症病人的團體，有很多機會與病友互動。最早是借用一間閒置的辦公室，請同事帶著病友運動，補充微量元素，接觸全人健康的觀念。這麼進行了2、3年，到2005年在台北才有了身心靈轉化中心，可以將古人留下來的奧秘和我個人累積的療癒經驗，透過一些特殊的設備和安排帶出來。

在推廣和互動的過程中，除了前面談到的飲食和運動，我也不斷跟大家談斷食的好處，本來也希望設立一個斷食療法的專門機構，但是那時候的顧慮比較多。首先我擔心亞洲人體質偏瘦，並不是美國人過重比例偏高的情況。此外，台灣當時並沒有西方推廣另類療法的風氣與環境，光是推廣可能就會引發很大的爭議。

西方提供斷食療法的診所或中心，是住宿型的醫療機構，讓患者入住至少兩個星期到一個多月，期間要嚴格配合斷食的規定，並由醫師與護理師隨時查看狀況，包括疾病的相關指數和藥物劑量，來保護患者。

既然當時沒有這樣的環境，我也就改為推廣不那麼激烈的版本，例如先建議大家用生機飲食，再搭配減少用餐頻率，將一天三餐改為兩餐甚或一餐。台北的身心靈轉化中心是我請同事示範蔬菜汁和生機飲食的健康基地。多年來，很多朋友在這裡接觸到這些溫和的斷食法，我相信對他們的病情多少有幫助，最主要是對體質有明顯的轉化效果。

活化免疫系統

身體的老化，其實是從細胞點點滴滴開始。細胞看起來還活著，但運作似乎不太對勁，還會分泌促發炎的細胞激素，對周邊的健康細胞造出傷害，也造出發炎。

有人造出了一個新字「inflammaging」，合併了發炎 inflammation 和老化 aging 兩個字，來描述年紀大的人因細胞老化而導致發炎的現象。

這種老化也會發生在我們的免疫系統，讓身體的免疫力和各部門統合的程度受損，降低抵抗病原的能力。也是因為如此，年紀大的人面對感染和癌症，更容易受影響。

人體的免疫細胞是從造血幹細胞分化出來的，可以分作兩大群：一群總稱骨髓球，包括血小板、紅血球、肥大細胞（不是儲存脂肪的肥胖細胞）、嗜鹼性球、嗜中性球、嗜酸性球、單核球、巨噬細胞；另一群總稱淋巴球，包括體型比較大，帶有顆粒的天然殺手細胞，以及比較小的T細胞、B細胞、漿細胞。

這些各式各樣的免疫細胞和它們的先後關係，我也列出來，讓你從細胞的角度體會，免疫系統的運作也像彩虹一樣，每種細胞都有它特殊的作用，需要良好的統合才能妥當面對感染和疾病。現代人的發炎疾病，以及一些病毒感染造出免疫風暴而讓身體崩潰，多少反映了免疫系統失去整合的現象。

免疫系統老化，受到影響的主要是淋巴球這一群，新生T細胞數量會減少，活性也受損；但骨髓球的數量反而會增加。**3天以上的斷食可以汰換掉老舊、不能正常運作的免疫細胞，並在復食後，讓剛從幹細胞新分化出來的免疫細胞遞補上，也就是讓免疫系統年輕化**——增加淋巴球數量，讓骨髓球／淋巴球的比例接近原本的平衡，更好地發揮功能。

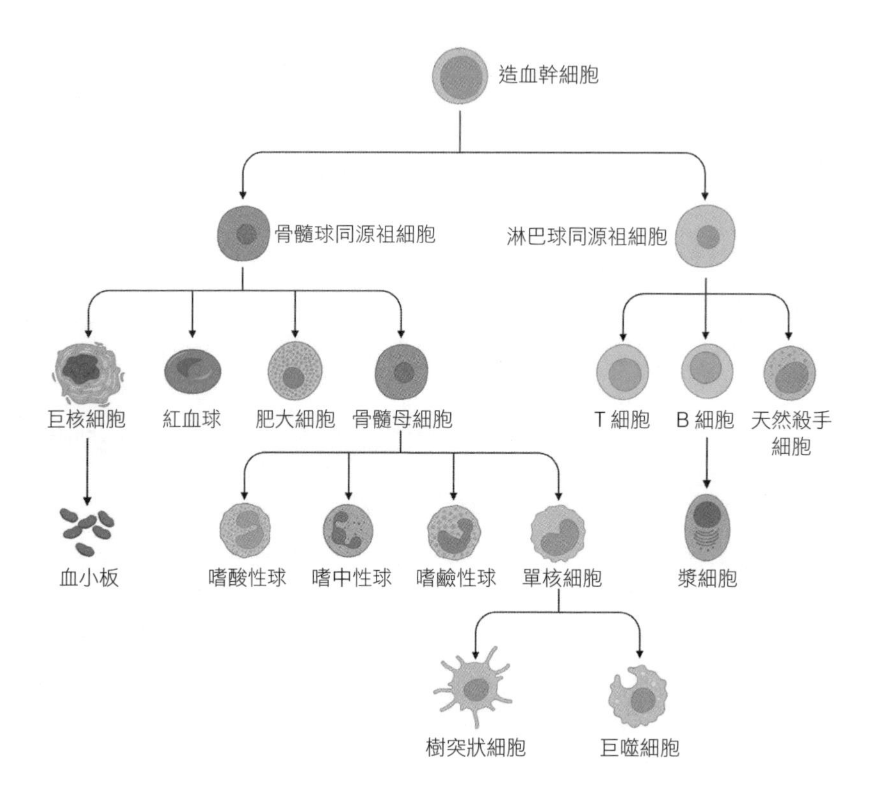

對高齡的朋友，壓住發炎反應是長壽的關鍵，對認知功能和身體的活力都是正向的。斷食帶來的淨化，讓免疫系統和肝臟得到整頓，將發炎指標降下來。

進入酮態

一個人將進食的頻率降下來，用我在前面談到的方法，將飲食的糖分甚至澱粉類都減掉，用好的脂肪來取代，很快就能體會到血糖和精神不再隨著三餐起伏，身體的能量代謝也恢復了彈性。

這時再進入斷食，也不會有多嚴重的不適應，反而是一個清理的機會。

斷食、減少飲食裡的醣類或運動量足夠，**讓身體把糖的儲備用完，由代謝醣類改為代謝脂肪而產生酮體。酮體是連腦部都可以運用的能量**。我們可以從血液、尿液甚至呼氣，測到酮體量升高，知道一個人已經進入這種稱為「酮態」的代謝狀態。這種代謝的變化是從營養的轉變而來，也有人稱為「營養性酮態」（nutritional ketosis）。

大概一百年前的專家已經發現，透過飲食調整或斷食進入營養性酮態，能治療一部份的癲癇和二型糖尿病，現在還發現酮態對於神經退化、代謝異常、癌症等都可能有幫助。

既然有這麼多好處，為什麼還會有人反對斷食？

這就要從一種異常的代謝狀態「酮酸中毒」（ketoacidosis）說起。完全無法分泌胰島素的一型糖尿病患者，或重度的二型糖尿病患體內，也會出現過量的酮體，導致血液過度酸化，不及時處理可能讓人昏迷甚至死亡。

這個背景讓許多專家一看到酮體上升，就會本能地警惕疾病的可能，而不再深入了解營養性酮態的酮體濃度，其實遠遠不到酮酸中毒的量，更不會認同將斷食作為一種治療的手段。

我想也是這樣的背景，在寫《真原醫》的時候，才會有那麼多朋友勸我不要推廣斷食。但我並不是從寫《真原醫》才接觸斷食，更早，大約 40 年前，我就接觸到斷食和各種另類的療法。當時說得出名字的另類療法診所，無論在墨西哥、歐洲、北美或南美，我應該都去過。我發現在他們的療程中，斷食是很重要的一個環節，而且有很好的療癒效果。我自己也試過各種斷食法，不是只做一次，而是重複多次，到今天還在使用。

啟動自噬作用

一個人斷食超過一定時間後，細胞會開始「吃」自己，這個現象後來被稱為自噬作用。這是很重要的生理作用，將全身做個清潔，清理疾病產生的廢物、老舊或錯誤的蛋白質、發炎反應的代謝物，同時刺激分泌生長激素，對身體運用醣類、蛋白質、脂肪的代謝路徑做個激烈的整頓。

自噬作用對肝臟、心臟、腦和腸胃道有很好的保護效果，缺乏自噬作用和糖尿病、肝臟疾病、阿茲海默症、癌症、慢性發炎、腸漏、自體免疫疾病、皮膚問題都是相關的，更不用說老化了。

斷食會使身體耗用 ATP，讓可以用的能量降低。細胞試著重新產生 ATP 的過程，就會引發自噬作用清除受損的蛋白質，並讓細胞生成更多的粒線體。另一個能量分子 NADH 的量下降，則會活化前面提過的長壽基因 sirtuin，幫助修復 DNA，同樣也會刺激細胞生成更多粒線體。

斷食 18 小時以上，會讓身體進入酮態，而酮態與自噬作用及 DNA 修復是相關的。**斷食讓細胞啟動自噬作用，從**

產生能量的粒線體開始清理，讓人重新恢復活力、減少發炎反應、減輕體重、頭腦清楚、氣色變好、神清氣爽。

現代人物質豐盛，在快步調的生活下常以飲食作為減壓的方式，反而陷入飲食過量帶來的飢餓循環——大量進食刺激胰島素，營養過多讓細胞對胰島素產生阻抗，無法被細胞使用的糖分轉為脂肪儲存起來、體重增加，但身體缺乏血糖，讓人無精打采，很快又需要進食。

這也是代謝症候群和慢性病體質的由來。然而，這個愈吃愈容易餓的循環，是完全可以被斷食打斷的。

如果你容易感到疲憊，時常覺得頭腦反應不來，總是脹氣、皮膚過敏、長期發炎，可以嘗試先從一天三餐減為兩餐，甚至一餐。**光是讓自己用餐之間的休息時間長一點，就能啟動自噬作用，得到身體最需要、最徹底的大清理。**

其實古人的生活早就是如此，畢竟人類大多數時間並不是隨時想吃就有得吃。早期人類如果要進食，一定要先勞動，像是出去打獵或採集食物，這是最原始的狀況。從這個觀點來看，不吃才是正常。

至於現代的我們，雖然生活步調變了，但身體經過演化留下來的生理機制並沒有改變。也就是要透過少吃甚至不吃，才會把均衡找回來而達到健康。

怎麼說呢？

如果一個人隨時在進食，隨時在刺激胰島素分泌，然後身體對胰島素的反彈大、血糖也高，一整天沒有什麼機會讓胰島素和血糖降下來，長期下來，身體怎麼可能不出問題？怎麼可能不走向糖尿病的體質？

從這個角度來看，斷食是我們最健康的選擇。**給身體足夠的不進食時間，才符合身體本來的需要**。

首先，斷食促進自噬作用，讓老舊或不再用的組織細胞重新組合，甚至將廢物消化掉，這為身體帶來很大的淨化。

第二，斷食幫助身體將胰島素和血糖都降下來。

第三，腸道也得到調整，生長激素和免疫力提高。

最後，體重自然降下來，人變得清爽，這是再自然不過的結果。

43
斷食是古人傳統的療癒智慧

說起來，斷食並不是一種現在才有的流行。早期人類大多時間是處在我們所稱的斷食，而自然得到自噬作用等等好處。這些與斷食相關的生理機制，可說是演化留存的結果。

斯巴達人一天只吃一餐，其實就在進行我們現代人所謂的間歇性斷食。希臘人，像醫學之父希波克拉底，也會為了保持頭腦清明而斷食。大家都知道印度的聖人甘地時常斷食，作為一種政治的表態，也是他淨化身心的修行。

就連動物在生病時都會本能地斷食。生病時，身體會產生一些促進免疫發炎反應的細胞激素，一方面提高體溫，也就是發燒，而同時降低飢餓的感覺，這可能就是一種透過斷食來自我療癒的機制。

許多文化和宗教都有斷食的習俗，基督教的朋友會效法耶穌在沙漠的考驗，以40天的禁食來親近神。猶太教有每年斷食7天的傳統，從第1天日落到第2天日落，以及第3～7天的日出到日落之間斷食。東正教與天主教也有各種聖節和斷食的習慣。大乘佛教鼓勵人吃素，有過午不食的戒律。印度也通常在新月和節慶時齋戒。中東仍然有許多人遵守拉瑪丹月，也就是齋戒月的習俗。每年有一整個月在日出和日落之間斷食，靜坐誦經，將自己交給真主。

中東地區的癌症發生率大概只有美國、澳洲、歐洲的1/3。對我而言，除了很少有人抽菸、禁酒、大量用香料植物之外，或許也和每年定期的間歇性斷食有關。

從能量代謝的角度來說，斷食對於減重和改變體質的效果遠比藥物好得多。一般的藥物最多是處理血糖、血壓、血脂等表面症狀，不可能處理更根本的飲食和生活習慣。然而已經有糖尿病的患者，如果能進行4個月的生活習慣和飲食調整，包括適當的斷食，就有機會脫離注射胰島素的生活。

就某個層面來說，自認為最聰明、最理性的人類，其實是不可思議的健忘。幾千年來，人類透過少吃甚至不吃而可以生存到現在，並且做為一種淨化的療癒而得到健康。我們現在卻要等到有人研究斷食機制並得到諾貝爾獎，才願意重新重視。

坦白說，從我的角度來看，以守護健康為使命的醫療專家，如果能更重視這些傳統的療癒智慧，並親自去嘗試，早就可以將這些既簡單又有效的療癒方法帶給大家，而一起得到健康。

斷食，從細胞和分子層面，幫助我們徹底將習氣轉過來。一般人都被三餐綁住，好像三餐才是生命的主人。時間一到，不能不吃，如果不吃就覺得不對勁，甚至餓得好像過不了這關。然而透過斷食和這本書所談的飲食調整，一個人反而能從三餐的制約解脫出來，對自己的生活做主。

斷食對身體帶來徹底的淨化，不光在細胞可以有自噬作用，整體來看，**少了飲食的負擔後，就連淋巴都不會那麼堵塞，可以把代謝物排出去**。大多數人都知道人體有 70% 的重量是水，但並不知道絕大多數的水在細胞和淋巴裡，血液裡的水只有體重的 5% 不到。其實，淋巴的循環對身體的代謝和清理是更關鍵。

我在台北身心靈轉化中心，透過同仁示範調整淋巴系統的蓖麻油按摩，也帶大家做結構調整的運動和螺旋舞。透過按摩和運動，將淋巴系統的瓣膜打開，促進淋巴系統的循環和淨化。這種調整和斷食就像一體兩面，為身體帶來全面的清潔。

另一個帶來清理的工具就是睡眠。**睡眠會啟動全身，尤其是腦部的自噬作用，長期下來可以降低神經退化疾病的可能**。我在《好睡》提過腦部有一套排除廢物的「膠淋巴系統」（glymphatic system）。它和身體淋巴系統的不同在於，它沒有一套循環系統，而是透過腦部的「神經膠質細胞」（glial cell）在局部造出腦脊髓液的起伏。在深層睡眠的完全休息，膠淋巴系統的作用就像引發一個夜裡才漲潮的潮水，讓腦脊髓液進入腦部的每一個角落徹底沖洗、清除代謝的廢物，而讓腦部得到休息與淨化。

一個人如果睡不夠，接觸太多藍光或作息不正常，膠淋巴系統沒有多少機會發揮這種清理的作用，也可能和阿茲海默症、巴金森氏症、認知功能下降等等神經退化疾病有關。我在《好睡》帶出許多方法，像是靜坐、放鬆、夜間避開藍光、白天多運動、使用睡眠貼布，希望能改善一個人睡眠的休息品質，讓腦得到一個清理自己的機會。包括在這本書所談的高脂低醣飲食，透過一定時間的斷食讓身體進入酮態，也在幫助改善腦部的運作，減輕腦部能量代謝的負擔。

無論深睡或斷食，這種徹底而不費力的休息，其實是我們最需要的修復，而且是每天都必須啟動的。

44
不吃東西，身體從哪裡取得能量？

許多人聽到斷食，心裡會有障礙，認為是在挑戰身體的極限。這種想法多少反映了一種制約和限制，一方面是頭腦的認知被一定要吃三餐的觀念綁住，認定少吃就會給身體帶來障礙；另一方面是忽略了一個事實：身體的彈性與靈活度，遠比我們所以為的要高得多。

吃東西，本身就是一種刺激。斷食，則是讓身體從這種刺激恢復過來。在**進食後 4 小時內**，身體都在忙著處理進食所帶來的營養。就像下頁圖所表示的，這時候有大量的碳水化合物進來，身體的細胞和器官主要以飲食帶來的葡萄糖為能量來源，而感知能量的兩個項目胰島素與 mTOR 受到飲食裡糖分和胺基酸的刺激，開始通知身體將能量儲存成肝糖或三酸甘油酯，合成新的組織。

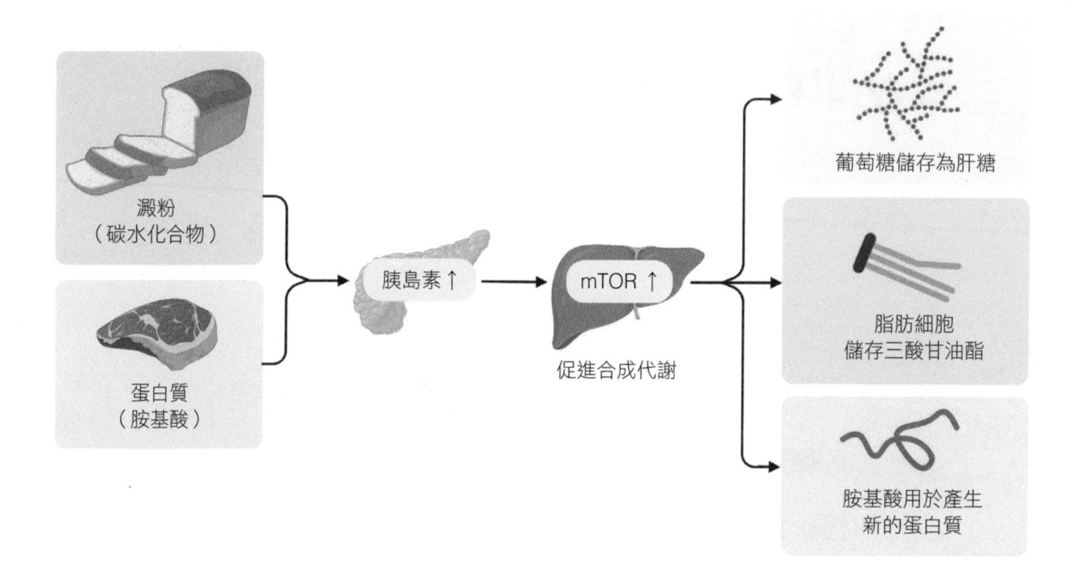

我希望盡量減少在這本書使用英文縮寫，但我想 mTOR 就像能量分子 ATP 一樣，是怎麼也避不開的。

m 指的是哺乳類（mammalian），而 TOR 是 target of rapamycin 的縮寫，代表它受「雷帕黴素」（rapamycin）的作用。mTOR 是相當重要的蛋白質，有些專家認為它與斷食和飲食的療癒息息相關。

雷帕黴素是 1960 年代，科學家從南太平洋復活節島土壤菌純化出來的一種小分子物質，能讓癌細胞停止分裂增生，但同時也會抑制免疫反應。也許你不知道復活節島在哪裡，但只要提到摩艾石像，你應該會有印象。當地人稱復活節島為雷帕島，所以從當地土壤菌分離的物質也就被命名為雷帕黴素。後來雷帕黴素得到藥物許可，作為免疫抑制劑，在完成器官移植手術後使用。

雷帕黴素可以停止細胞分裂，後來科學家也找出了它所作用的對象，就是這裡提到的 mTOR。mTOR 就像一個橋梁，將細胞膜得到的訊號往下傳遞，活化下游的分子來推動細胞週期，也就是調節細胞的分裂和生長。

它調節的項目是如此重要，因此 **mTOR 對身體的營養狀態十分敏感**，飲食裡只要有蛋白質，特別是裡頭所含的必需胺基酸，就能啟動 mTOR 的作用。其他如葡萄糖、脂肪酸和膽固醇的量過多時，也會從別的層面來刺激 mTOR（以及胰島素、IGF-1 和生長激素）。整體來說，一個人如果吃得多，身體有足夠的營養，自然會啟動 mTOR 的作用。然而 mTOR 過度活化也會造出健康的失衡，這一點，我會在下一章多談一些。

斷食 4 ～ 16 小時，身體開始消化所攝取的食物，而胰島素與 mTOR 的活性開始降低。肝臟、肌肉和脂肪組織以外的細胞與器官，還是會用葡萄糖作為能量的來源，但用量開始下降。而且這些葡萄糖已經不是直接來自飲食的糖，而是肝臟啟動糖解作用，將儲存起來的肝糖降解而得到的葡萄糖。

這時候胰島素是降下來的，這一點很重要。許多慢性病像是心臟病、中風、二型糖尿病、阿茲海默症、癌症、高血壓、高膽固醇、痛風都和胰島素過高有關。由於胰島素也會作用在腎臟，讓鹽和水滯留在體內，胰島素如果降下來，可以減輕脹氣、水腫和高血壓。

在這個階段，其他內分泌會上升，像是皮質醇、交感神經的作用、正腎上腺素和生長激素，這些作用可以通知身體從肝糖和脂肪細胞取得能量，並把代謝率提高。這類刺激性的內分泌和神經作用，會讓人提起精神，步調也會快起來。你可以觀察自己長一點時間不吃東西時，是不是如此。

斷食 16 ～ 30 小時，儲存在肝臟裡的肝糖差不多用完了，身體開始動用蛋白質，啟動「糖質新生作用」（gluconeogenesis）將蛋白質轉為葡萄糖。肝臟、肌肉和脂肪組織以外的細胞與器官，對葡萄糖的使用也逐漸降低。

差不多這段時間開始，細胞內的資源回收程序自噬作用也開始啟動，將細胞的舊零件清除，回收的胺基酸可以用來製造新的細胞零件，也就等於為身體進行再生。

斷食期間當然需要守住水份，避免脫水，有些人會用湯和茶水來補充水份。然而 mTOR 對飲食的胺基酸相當敏銳，而 **mTOR 一啟動，自噬作用就會停止**。所以斷食期間為了守住自噬作用的好處，最好避免大骨湯（裡頭有從骨頭和肉溶出的膠原蛋白）。其他的補充水份方式，我在第 49 章會做詳細的說明。

斷食 2 天到 1 週，身體還是多少會取用一些蛋白質來製造葡萄糖，但主要使用的能量來源已經轉成了脂肪細胞裡的三酸甘油酯，肝臟會將脂肪轉為可以讓每個細胞包括腦細胞採用的酮體。許多專家都認為，大腦用酮體作為能量的效率比使用葡萄糖來得高。此外，酮體能保護神經細胞免於退化。許多人進入酮態後，都提到頭腦變得清楚，這是一個相當有意思的現象。

斷食 1 週後，身體的代謝已經幾乎完全轉向使用脂肪作為能量來源，許多人到這個時候已經沒有飢餓感，從內分泌來看，飢餓素也降下來。身體可以靠自己儲存的脂肪作為能量來運作。

你可以看到，斷食期間**從能量的角度來看，最重要的就是給身體一些空間，讓能量代謝能由消耗糖順利地轉向消耗脂肪**。這其實牽涉了調動不同的酵素和內分泌系統，就好像從舊機器改用新的機器一樣，需要磨合和嘗試，找到讓身體正確運作的步調。

在這個過程，有些人能很順地就切換過去；對於不那麼健康，已經有代謝症候群或慢性病的朋友，切換代謝機器的過程不見得那麼順，可能中間會有一些頓挫或卡住的情況，而覺得不舒服。

這些症狀又被稱為「**酮流感**」，代表身體進入燃燒脂肪產生酮體過程的副作用，進入生酮飲食也一樣會有這些症狀。有些人會頭痛、反應變慢、疲倦、易怒、噁心想吐、難以入睡、便秘、抽筋；如果原本還不習慣斷糖或低醣飲食，這段期間會特別想吃甜食。

這些不對勁的感覺通常會在 3 天到 1 週左右消失，多喝水、適時補充鹽類也會有幫助。也就是說，在剛開始斷食或減去糖和澱粉的幾天，如果有這些症狀，代表你做對了，身體正在切換代謝的機制；如果在1、2週後，這些症狀消失、飲食習氣有了轉變，也代表你做對了，身體已經順利切換到燃燒脂肪的機制，而不再只依賴飲食裡的糖和澱粉。

只要還在攝取糖和澱粉，肝臟和肌肉還有肝糖可以用，胰島素還在運作，身體就不會動用脂肪。一般人所謂的正常飲食，其實含著太多的糖類和澱粉，而進食又過於頻繁，不斷刺激胰島素，幾乎沒有機會讓身體去燃燒脂肪。

斷食就好像為車子換一套新的引擎，讓身體用不同的效率來燃燒能量。斷食期間，你的身體會先消耗血液裡的血糖，以及肌肉與肝臟裡的肝糖。肝糖一般在斷食 12 ～ 24 小時後消耗完畢，也就是燃燒脂肪的開始。

我前面也提過，如果一個人原本的飲食是健康的，血糖穩定，能量代謝的負擔也不重，可以很容易順利度過斷食。

如果原本已經有代謝不靈活的情況，要做這個整頓自然很費力。我一般都會建議**從減醣的健康飲食做起，讓身體不再只依賴碳水化合物作為能量，又能補充身體修復需要的營養。等血糖穩定下來，無論吃或不吃都不會帶來障礙，自然可以輕鬆進入斷食。**

光是把能量代謝的機器轉換成燃燒脂肪，就能帶來許多好處，更不用說透過斷食還能進入下一章要談的自噬作用，從身體每一個角落進行徹底清理的程序。

45
清理和生長需要平衡

日本科學家大隅良典在2016年，因為解開自噬作用的機制而拿到諾貝爾生理醫學獎，但他並不是因為自噬作用而獲獎的第一人。我在洛克菲勒大學的同事德迪夫（Christian de Duve），早在1963年就發現細胞裡的溶酶體和過氧化氫體，是負責自噬作用的胞器，並在1973年為此獲得諾貝爾獎。

德迪夫觀察到，肝臟細胞的溶酶體進行的功能，類似於處理廢棄物的資源回收工作。溶酶體所含的酵素可以分解細菌、病毒、蛋白質和細胞裡的其他胞器。

德迪夫將這個生理功能命名為autophagy，auto是「自己」，而phagy是「吃」——吃自己，也就是我們這裡所稱的自噬作用。

自噬作用在地球最早期的生命已經存在，生物傷口的癒合也和自噬作用有關。**透過自噬作用清除細胞裡的廢物和受損部份，讓我們得以保持健康**。從細胞層面來看，移掉了廢物和損壞的負擔，細胞重新得到活力，就好像得到了重生。從個體角度來看，自噬作用讓身體各處的細胞擺脫生理反應所製造的垃圾，可說是一種清理、恢復活力和療癒的程序。

自噬作用所清理的，不只是細胞自己產生的廢物，還包括來自食物被吸收後的小顆粒、病毒、細菌、發炎反應的產物，以及癌細胞。

我們可以想見，如果自噬作用不發達，甚至受到抑制，長期下來會讓身體面對怎樣的危機。目前專家也認為老化、退化、二型糖尿病、巴金森氏症、癌症可能和自噬作用低落有關。畢竟身體累積了太多受損、癌化、受感染的細胞，不生病也難。

斷食、限制飲食熱量、飢餓，都會誘發自噬作用，讓細胞去吞噬、消化受損的蛋白質與胞內的垃圾和細菌，來取得能量和各種生理作用所需要的零件。自噬作用還能降低發炎反應。

但是自噬作用並不等同於健康。科學家在肥胖的人身上也觀察到自噬作用提高的現象，這可能是一種代償的機制，讓身體清除掉壞死的細胞；癌細胞也會提高自噬作用，來逃避免疫系統的偵測，或重新取得蛋白質以長出新的癌細胞。所以自噬作用對健康是好是壞，還是要從整體來看，並不是作用愈強愈好。自噬作用太過強烈，也有可能是在反映細胞或器官的異常。

生物的作用不會只有一個方向，有消除，也要有生長。飲食裡的蛋白質會刺激胰島素、生長激素和 IGF-1 ，這些內分泌一方面刺激生長，但同時也和老化脫離不了關係。

平均來說，個子十分高大的「巨人」，通常比普通身高的人老得快，壽命也比較短。過度鍛鍊或用生長激素類藥物來刺激肌肉的健美先生，也有提早老化和短壽的傾向。

醫學有一個著名的實例，說明了生長速度與壽命的關係。南美厄瓜多安地斯山脈有一個偏遠村莊，當地人天生帶著生長激素受體和 IGF-1 基因的缺陷，身材特別矮小。有意思的是，儘管他們多半抽菸，飲食習慣也不好，卻幾乎不會得到癌症、糖尿病和其他慢性疾病。

他們的例子說明了，不去刺激生長，身體就不會那麼快進入老化。生長與清理兩者之間平衡的移動，是我們探討生命各階段健康的一個重點。

自噬作用主要在於清理，而 mTOR 則會抑制自噬作用，兩者無法同時發生。正因為如此，我才會提醒，攝取蛋白質會抵銷斷食的作用，也建議在長時間斷食時，不需要做激烈重訓和高強度的運動。蛋白質和激烈運動都會活化

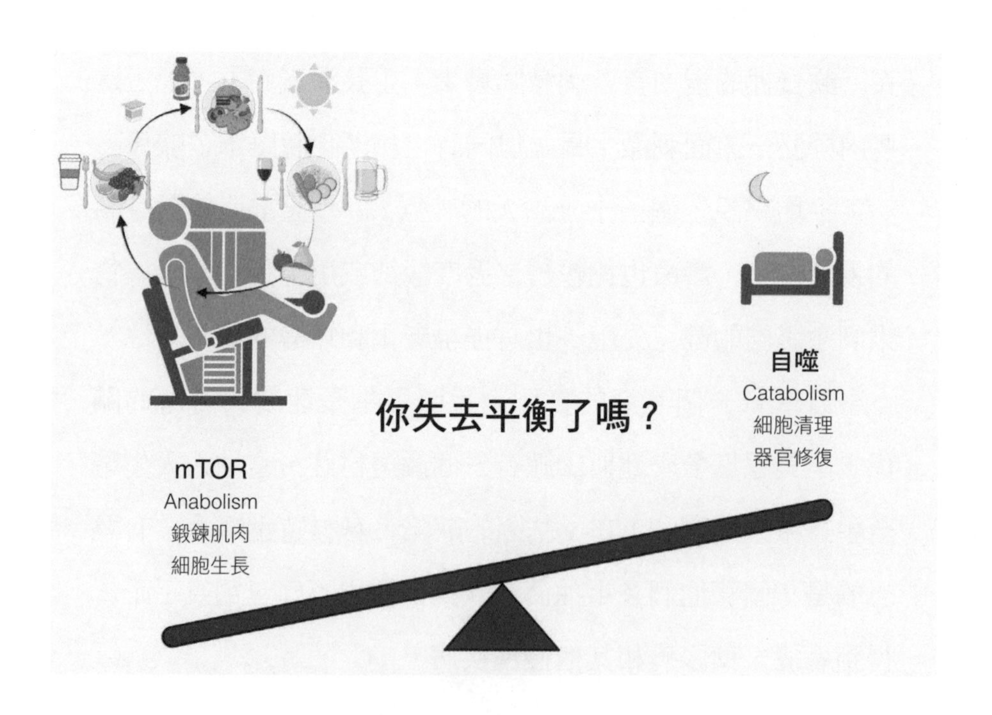

mTOR，讓身體走向生長，建立肌肉、製造新的細胞。

整體來說，為了健康，我們需要在 mTOR 的活化和抑制間取得一個平衡，一方面維持足夠的肌肉量和功能，同時避免老化和癌症。

mTOR 活化程度不夠，會導致肌少症，對一個人的活動和正常功能有很大的影響。兒童和青少年正在發育階段，mTOR 活化是相當重要的。成年後，懷孕、組織修復、產生免疫細胞，也都需要 mTOR 的作用。

但一個人如果總是吃太多，長期用飲食來隨時活化 mTOR，也會讓身體提早老化，早晚要面對慢性疾病。

從能量代謝來看，健康是身體將營養同化成自己（同化代謝）與消耗自己的異化作用之間的平衡。做重訓的人都知道，舉重後需要休息，讓身體恢復並建立肌肉。而一個人要讓飲食裡的蛋白質發揮作用，也需要做一些重訓和運動，身體才能將蛋白質留住。斷食和睡眠，正是生理運作的另一個面向，讓身體從激烈的運作得到一點空間，守住鍛鍊的成果，並且透過細胞的自噬作用得到淨化。

幾乎每個文化都有斷食的傳統，從健康來看有它的道理。首先，**在停止進食時，身體可以立即得到休息，因為身體平常將大量的能量和注意力耗費於消化之上，這一負擔得以解除時，身體就能將能量轉為療癒**。

停止進食後，身體必須開始利用自身所儲存的能量。一開始身體使用的是糖類的庫存，差不多 12 小時後會逐漸轉用脂肪來做為燃料。每個人的代謝靈活度不同，轉到燃燒脂肪所需要的時間也不一樣。一般到了第 3 天，身體已經可以穩定採用脂肪作為主要的熱量來源，而有些人可能需要更久一點。更長的斷食則會消耗身體內的蛋白質。

斷食所產生的危機，對健康和生長中的細胞有利。有缺陷的細胞在壓力下無法正常運作，會在短時間內死亡，為身體所清除。死去細胞內的可用養分則為身體回收，以製造其他細胞；廢物則被排除。

這是我們每個人都能運用的療癒。

46
輕輕鬆鬆從間歇性斷食開始

斷食的方式和節奏有許多組合，大致來說，不吃的時間夠長，就能帶動全身更徹底的自噬作用。一般人最容易執行，且現在最普遍的一種斷食法，就是保留 8 小時進食窗口，另外 16 小時持續斷食的 16-8 間歇性斷食。

間歇性斷食其實很簡單，畢竟我們每天睡著了就自然在斷食。身體在這個時候加速修復，就連大腦都在排除代謝的廢物，補充細胞裡的能量。是這樣，隔天起床會覺得有休息到，恢復了一些精力。

我們在睡覺的同時一直在斷食，根本不覺得辛苦，一整晚也不覺得餓。既然如此，只要將睡眠的斷食往前往後延伸幾個小時，自然就能讓斷食的效果持續深入。

我在美國常聽到有人講 2MAD（two meals a day）或

OMAD（one meal a day），各是一天兩餐和一天一餐的縮寫。縮寫裡的 MAD，剛好是英文「瘋狂」的意思。由此可見，人一天要吃三餐的制約是很重的，也不過少吃一餐或兩餐就要開自己玩笑——大概是瘋了，才會用 2MAD 或 OMAD。

16-8 間歇性斷食最簡單的作法，就是 2MAD，一天只吃兩餐，也就是我在第 14 章提到的少吃一餐。晚餐早點用，清淡一些，並將隔天早餐略過，這樣輕輕鬆鬆就把斷食的時間延長到 16 甚至 18 小時。只是少吃一餐，我們已經在進行 16-8 間歇性斷食，連續 16 個小時讓身體沒有進食的負擔，又沒有營養不足的顧慮。

雖然一直都有早餐很重要的說法，但從能量代謝的角度來看，一般的早餐主要是大量的糖類和澱粉，等於是用大量糖分刺激身體血糖升高，分泌大量胰島素，讓身體一大早就進入愈吃愈容易餓的循環，可說是加速代謝症候群的推手。

以高碳水化合物為主的早餐，對於熱量需求大的青少年可能都嫌太多，更何況已經過了青春期，體力活動也不重的朋友們。比起一早就用高醣的早餐來打破斷食的作用，還讓自己進入愈吃愈容易餓的循環，不妨省事些，略過早餐來進行2MAD或OMAD，將飲食的重點放在健康而豐富的午餐。

和長時間的斷食相比，間歇性斷食相當容易執行而能長期與生活結合。少吃一餐或兩餐，進食時自然吃飽，不知不覺也就減少一天攝取的熱量。一般人進行間歇性斷食，主要是為了減重、反轉胰島素阻抗、反轉二型糖尿病、讓身體進入酮態、刺激自噬作用。長期進行間歇性斷食，讓它成為生活的一部份，是身心調整很重要的一個環節。

用原型食物搭配間歇性斷食

配合間歇性斷食，**進食的時段一樣要盡量吃得健康**，就像前面一再提醒的以原型食物為主，能吃生機飲食是最好，不要用過度加工食品來抵銷斷食的清理效果。當然有時候出差或忙碌，沒有太多選擇，但我還是希望為了你自己，盡量避開加工食品。

如果可以，**讓飲食配合斷食的作用**，那是再好不過。這樣的飲食原則是用少蛋白質、少糖，用大量的好脂肪、足夠的蔬菜纖維，不要犧牲維他命、礦物質、微量元素等等營養。重點是吃得滿足，而且胰島素和血糖不那麼震盪起伏。這樣不光是能從飲食得到能量，身體在斷食的時間也比較不會受到飢餓感的干擾。

午餐和晚餐**以吃天然的原型食物為原則，降低精製澱粉的攝取，記得要有足夠的脂肪，搭配十字花科蔬菜、綠色蔬菜、堅果、適量蛋白質**，吃飽、吃好，為自己準備足夠度過一天的營養。晚餐可以早點吃，熱湯加上一些蔬菜，減輕腸胃的負擔，不會影響你的睡眠。

進行間歇性斷食，最省力的安排是配合生理時鐘來進行，將不進食的時段安排在晚間，進食的時段留在白天。畢竟消化能力是在白天比較旺盛，到了晚上，身體的消化和代謝都在往下走，進食反而造成負擔。

習慣了，有些人自然會進入 OMAD，一天只吃一餐。在那一小時好好的用餐，吃得好、吃得飽；其他 23 小時可以專注投入生活其他的領域，而不被用餐給打斷。只要能夠適應，像這樣的 23-1 間歇性斷食，可以給身體更多休息的空間，效果不見得輸給偶爾進行的長天數斷食，甚至可能是更穩定的淨化方式。

47
不同的間歇性斷食法

我在這裡再舉一些不同的間歇性斷食法實例，有些方法可以組合起來，只要你能夠適應，並且能改善你的現況，就是妥當的方法：

- **無肉日斷食**：這種斷食法比較寬鬆，只是不吃動物性蛋白質，在不需要應酬聚會的日子都可以進行。

  動物性蛋白質所含的一些胺基酸像是甲硫胺酸、白胺酸與纈胺酸，會強化身體的 mTOR 代謝路徑，對自噬作用的壓制效果是最強烈的。給自己幾天不吃動物性蛋白質，也讓身體從過度頻繁的 mTOR 代謝脫身，得到一些讓自噬作用發揮清理效果的空間。

- **限制進食時間的斷食**：正餐外不再吃東西，可以的話將三餐減為兩餐或一餐，並戒掉吃宵夜和零食的習慣。一個人能穩定進行前面談到的 2MAD、OMAD，每天兩餐或一餐，其實已經在採用這種斷食法。

一般人最熟悉的限制進食時間斷食法，當然就是前面提到的 16-8 斷食，配合消化和睡眠的生理週期來安排，在可進食的連續 8 小時內正常飲食，此外的時間都不要再進食。

習慣了，有些人自然會把斷食時間拉長，進食窗口縮短，而變成 18-6、20-4 甚至 23-1 斷食。這都是好事，最重要的是能配合你的作息和生活步調來進行。

- **結合生酮飲食和間歇性斷食**：這麼做的好處是，生酮飲食能將胰島素和血糖的起伏降到最低，減少對斷食的干擾，並讓身體進入酮態。這一方面讓不進食的時間不會那麼難受，另一方面又有利於斷食的自噬作用和清理的效果。當然，配合斷食的生酮飲食還是要注意多攝取淨碳水化合物低的綠色蔬菜，並少攝取一些蛋白質。這一點，每次遇到生酮飲食的朋友，都是我會一再提醒的。
- **5:2 斷食**：一星期選不連續的兩天來斷食，斷食日並不是完全不能吃東西，而是可以攝取 500 大卡的熱量。500 大卡是一個不會打斷斷食效果的神奇數字，超過 500 大卡就算不上斷食。除了降低熱量，斷食日的飲食也要比照前面提到的原則：少蛋白質、少糖、大量的好脂肪、足夠的膳食纖維，可以多補充維他命、礦物質、微量元素。

- **隔日斷食**：每隔一天進行斷食，斷食日還是可以比照 5:2 斷食日的飲食原則，透過生機飲食、熱湯攝取 500 大卡以內的熱量。如果做得很熟練了，進食日採用一天兩餐或一天一餐，還可以將斷食時間自然延長到 36 甚至 48 小時。你已經知道斷食久一些，自噬作用和身體的解毒會更深入，身體會感謝你為恢復健康而保留的空間。

  有代謝症候群的朋友，可以在熟練比較短時間的斷食後，再進行隔日斷食，讓斷食時間延長，而讓身體進行更徹底的清理。

- **全日清水斷食**：這可能最接近一般人一開始認定的斷食。斷食的時間可長可短，可以是 1 天、2 天，也有人進行 7 天，甚至 30 天。清水斷食期間只喝水，也不攝取任何的糖、油、鹽。

有些朋友會在熟練間歇性斷食後，開始嘗試 1 日斷食，復食後觀察一陣子，如果適應得來，接著再進行更長時間的斷食。

你可能已經發現，我在第 12 章提到帶領同事做飲食調整，其實已經在為斷食做準備。少吃一餐，就是已經在採用限制進食時間的間歇性斷食。再搭配不吃精製糖、以原型食物和生機飲食為主，自然減少對胰島素的刺激，而讓身體有恢復的空間，並進一步讓代謝回復靈活性。熟練了，吃或不吃都不是什麼問題，這時要進入更長時間的斷食，不光不費力，還是最輕鬆的大休息。

48
間歇性斷食的注意事項

我過去對生病的朋友，會建議他們在斷食期間用現榨的蔬菜汁，支持身體進行清理的營養需求。已經有疾病的朋友如果要進行長時間斷食，應該要有醫療專業人士的陪伴和督導，並在斷食前進行評估，針對用藥和病況來安排斷食的強度和時間。

至於間歇性斷食，最容易進行的就是前面一再提到的16-8斷食，或者一天少吃一餐或兩餐的2MAD和OMAD，可以說是沒有什麼需要特別擔心的。

然而現代人對飲食的上癮有許多層面，除了能量和營養之外，最主要還是心理層面的依賴。畢竟許多人是透過飲食才願意給自己一點休息的空檔，或者讓自己可以與別人輕鬆地交流。**間歇性斷食對身體的刺激說來是很單純的，但對個**

人的習氣反而是一個大轉變。

也正因為如此，許多人就連嘗試間歇性斷食都會猶豫或遲疑，這都是正常的。要克服這點，第一次間歇性斷食可以安排在假日來進行。這一天，是你讓自己休息的日子，你的腸胃可以休息多一點時間，你也不需要配合工作或學校的作息，只需要讓自己自由地行動、放鬆，從各種行程、工作、責任脫離一段時間。

當然，生理層面還是可以做一些準備。最重要的是**在嘗試斷食前，你已透過飲食的調整讓血糖代謝穩定下來。穩定的血糖能保護你不被飢餓感偷襲，輕鬆度過斷食的時間。**

如果一個人的生活和飲食習慣不健康，光是長一點時間不進食，都會產生一連串的症狀。我在《真原醫》談過，一個人痊癒的過程會有「好轉反應」。好轉反應發生時，一個人可能覺得很不對勁、懶得動、不明原因的疼痛、虛弱、暈眩等。

仔細觀察，會發現這些好轉反應其實是按照著一種順序在發生。100 多年前，美國最早提倡同類療法的賀林博士就提出了一個規律（Hering's Law of Cure），也就是在療癒的過程中，痊癒是由內而外，由上到下發生。在時間上，和原本生病症狀的順序剛好相反，也就是近期的症狀會重新浮現、消失，再浮出更早期的症狀。

這還只是談身體層面的好轉反應。一個人開始斷掉習氣，比如說斷食、不吃，是在斷掉原本飲食的習氣，也自然會帶來心理層面的好轉反應。有些人會浮出一些念頭、情緒和記憶，一開始是近期的，而逐漸浮出更早以前的，這都是自然的現象。一個人如果只是放鬆地讓這些印象浮出來，放鬆地讓它自己消失，不知不覺心裡也輕快了起來。

從身體的層面來說，如果平常吃的都是健康而純淨的飲食，或至少透過我這本書前面所談的，**先用飲食改善代謝問題或過敏體質，並且調整腸漏的問題，在進入斷食後反而會覺得非常舒暢**。

斷食是徹底清理身心的最好方法。飲食是一個人落在地球，落在這個身體，很重的拉力，斷食能打破這個最根本的習氣，並同時為身心帶來重大的改變。

有些人已經很瘦，斷食可能讓體重下降太多。偏瘦的朋友可以採用時間比較短的間歇性斷食，例如 12-12 斷食。一樣可以得到一些斷食的好處，而不會影響體重太多。

已經在接受胰島素治療的人，由於胰島素的劑量是配合飲食的量來定的，斷食而沒有減藥，可能會引發嚴重的低血糖。我在第 15 章也提醒過，**糖尿病患者在進行飲食調整前，應該和醫師商量**。

抽菸的人在斷食過程可能會很不好受，因為身體長期累積的代謝毒素會大量釋放出來。如果在間歇性斷食時能搭配生酮飲食，身體在斷食時從體脂肪釋出的毒素，就可以用飲食脂肪包裹起來再排出去，減輕對身心的衝擊。

有些人在剛接觸斷食時，會因為脫水、電解質不足而抽筋、覺得噁心想吐、頭痛，記得可以適時補充水份與鹽份，特別是補充鎂和鉀。斷食期間補充飲料的原則，我會在下一章說明。

斷食也可能會干擾女性荷爾蒙的分泌。體重不足的女士、懷孕的女士不應該斷食。月經來之前的幾天，身體的黃體素下降，會刺激胰島素分泌，血糖容易偏低而讓人渴望甜食。即使不斷食，許多女性在這幾天都會有焦慮、偏頭痛、容易長青春痘、胸部脹痛等一般所稱的「經前症候群」

（PMS）。這段期間已經夠不舒服了，不需要在這時額外加上一層刺激。

女士要進行比較長時間的斷食，可以配合自己的生理週期，例如月經來後的兩週內，是安排斷食的好時段，盡量避開月經來之前斷食。

至於運動，其實間歇性斷食完全可以和原本的生活結合，包括照常運動。至於長時間、幾天以上的斷食，本來就是為了讓身心大休息，這段期間倒是不需要做激烈的運動，最多是溫和的拉伸、散步，也不要安排費心耗神的事。可以的話，最好能讓頭腦從不斷的念頭中得到休息。念頭，是頭腦製造出來的，也是頭腦最喜歡的食物。我們離開飲食帶來的負擔，同時也可以從念頭帶來的負擔放鬆下來。

身體能透過斷食進行清理是好事，但遇到年節假期，你也可能會想跟家人團聚、出門旅行、探望親友。對有些人而言，這些活動帶來的緊張和壓力，加上斷食本身的輕微壓力，可能會讓自己很不對勁。要記得，重點還是一樣的，如果你會因為團聚和旅行而緊繃，就別在同一段時間安排斷食。斷食應在休息的時間進行，不需變成一個費力的活動。

此外，大多數人都將食物做為一種表達關心的方法，如果跟你聚會的人並不熟悉斷食的好處，可能會因為你不接受食物反而造出意想不到的反彈。

其實**斷食是一種可以彈性進行的生活規劃，並不是非怎樣不可**。與親友聚會可以從健康的飲食開始交流，將斷食留到你能夠自在安排的日子再進行。

49
斷食期間可以補充什麼？

會談斷食補充品，主要還是希望幫大家找一些適應斷食的方法，幫助你能順利度過，而有機會得到斷食的好處。然而我們會發現愈複雜的方法，要注意的事項也愈多，到最後，重點還是要回到斷食本身，愈單純、愈有效。

這裡指的斷食期間，指的就是不進食的時間。**不進食的時間還是要注意補充水份，除了天然的好水之外，還有一些不含糖、不甜的飲料可以選擇**，包括氣泡水、天然的草本茶、稀釋過的無糖蘋果醋。喝的時候，小口小口慢慢喝，一天多喝幾次。這麼做，主要是為了幫助你**不會脫水，也不會因為體內電解質失衡而不舒服**。

至於能不能喝無糖的綠茶、紅茶與咖啡，就看個人的體質。有些人攝取咖啡因，會刺激腎上腺分泌皮質醇而讓血糖升高。對咖啡因敏感或睡眠容易被影響的人，要不乾脆不喝，要不就只在早上飲用。

你只要去查，就會找到各種斷食期間的飲料配方。像是搭配 MCT 油的防彈咖啡、檸檬水（在水裡擺檸檬片）、無糖的電解質粉泡水、大骨湯。只要**不會造出胰島素起伏，不帶來過多熱量，又有利於自噬作用**的湯湯水水，都可以自己製作、適量採用。

防彈咖啡，是許多人進行生酮飲食會採用的飲品，它帶來的飽足感有替代早餐的作用，不知不覺就讓人少用一餐，而順利進入 16-8 間歇斷食。加進去的 MCT 油、椰子油與澄清奶油所含的中鏈脂肪酸，可以直接進入肝臟轉換成酮體作為能量，而不會引發胰島素起伏，打破斷食的效果。前面也提過，酮體還能活化自噬作用、啟動DNA修復、降低發炎。

從我的角度來說，咖啡因是刺激品。一個人如果身心夠安定，其實連咖啡因都不需要。但是在幫助一個人過渡的期間，能用這些不刺激胰島素的飲料，幫助適應不吃的生活，都是好事。只要對咖啡因沒有過度敏感的問題，那麼喝防彈咖啡要注意的是份量。如果光是從咖啡就攝取了 4、500 大卡熱量，已經相當於一頓正餐，也就失去了希望透過斷食燃燒體內脂肪的效果。

也有人會喝不含糖的杏仁奶，但一樣要注意份量，一天1、2小杯已經是上限。在茶或咖啡加入鮮奶油也是可以的，要注意的重點與防彈咖啡一樣：不要喝太多。這裡指的鮮奶油是天然、沒有調味、不加糖的動物性鮮奶油，不是植物性鮮奶油，當然也不是人工的奶精，也不要用牛奶來替代。

鮮奶油主要是牛奶裡的脂肪，脂肪含量高達35%，且碳水化合物的量極低、不會刺激胰島素。牛奶的脂肪比較少，又有乳糖和蛋白質會刺激mTOR和胰島素，並不是這個階段理想的飲品。

有些人在斷食期間會採用大骨湯來補充水份和礦物質。一次煮一大鍋[4]，放涼後撈出裡頭的蔬菜、骨頭和油脂，將湯分裝後冰起來或冷凍備用。但要注意的是：雖然大骨湯不含糖，但還是有溶出來的蛋白質會刺激胰島素和mTOR，

4 大骨湯的作法是：在加醋的冷水裡加入大骨，靜置30分鐘後，將切好的洋蔥、紅蘿蔔、西洋芹、鹽、胡椒和香料加進水裡。將湯煮開後，轉成小火煮24到48小時。

也會抑制自噬作用。有些專家認為要讓身體保持在自噬作用，每天攝取的蛋白質量應該小於 18 ～ 20 公克。用這個方法來概算，即使大骨湯也是一天一杯就夠。

你可以發現，最單純的還是喝水、草本茶和稀釋的無糖蘋果醋。其他的項目多少是作為一種過渡，希望幫助比較重視飲食也禁不起餓的朋友，能順利斷食。隨著一個人愈來愈適應斷食，體會到斷食帶來的簡單生活，以及代謝扭轉過來的好處，漸漸地，連味覺都會單純化，最簡單的水可能會變成最喜歡的補充品。

有些朋友要斷食時，會害怕自己營養不足而額外攝取許多補充品。對這一點，我想做一個提醒：如果斷食是為了讓身體得到休息、讓它恢復自己的平衡，我們有必要再加上各種營養（哪怕沒有熱量）來刺激它嗎？營養對身體也是一種資訊，面對過多資訊，身體也需要做反應，反而不能輕鬆維持在斷食狀態。

所有的補充都是幫助度過初期的方式，可以適當採用，但不需要太依賴。一個人熟練了斷食，愈來愈體會到身體自己調整和療癒的力量，就不需要再補充多少營養補充品。即使補充，也只是幫助身體度過短期的需求，而不是斷食的常態。

許多人為了健康，會喝綠拿鐵或蔬果汁，由於裡頭含有澱粉和糖類，甚至為了口感還加入水果或發酵乳，還是會刺激胰島素起伏，並不適合在斷食期間飲用。至於椰子水、市售的盒裝罐裝或瓶裝果汁都含糖，酒類則會增加代謝的負擔，在斷食期間都應該保持距離。

零卡的健怡可樂雖然不含糖，但嚐起來仍然是甜的。光是甜味，就會刺激大腦分泌飲食的荷爾蒙，讓身體準備進食，而破壞斷食的效果。這也是為什麼各種人工甘味劑、糖精，對於糖尿病患者的效果並不好的原因。

斷食期間難免會感到飢餓，但飢餓感是一種會消失的感受。當你感到飢餓，**大概一小時左右，飢餓感就不見了**。前面提過，**在斷食前保持血糖穩定，會更容易適應斷食**。

簡單來說，原本的飲食愈健康，飢餓感帶來的不適也愈輕微。有些人可能會頭痛或抽筋，補充一些電解質會有幫助。但如果有足夠的斷食時間，身體進入自噬作用，就會清除體內原本的發炎反應，早晚能將更根本的問題消除。

50
斷食與減重

斷食其實是一個減重的好方法，然而因為各種顧慮和習慣，這通常是想減重的人最不得已才會選擇的方式。

稍有養生觀念的朋友，提到減重自然都會想到「少吃多動」。這句話聽起來很有道理，短期也有些效果，但一味地少吃多動，長期來說是無效的。

我們可能都看過身邊或媒體上一些透過激烈少吃多動而減重的故事，但報導裡沒有提到的是：在第一年辛苦減去的體重，在減重期結束，回到原本的生活型態後，沒幾年就恢復了，甚至還回來得更多。

健康減重：少吃多動＋吃得飽的低醣飲食

我在前面提過，並不是每一個卡路里都是相等的。**要改**

變體重，並不是單純的熱量計算，而是要從體質，從身體利用能量的方式著手。這也就是為什麼我在第 12 章帶著大家斷糖就能看到成效。特別著重在斷糖，而不是全面性地什麼都少吃，我們改變的並不是熱量的數字，而是身體使用能量的方式。

傳統少吃多動的作法，嚴格講並不是無效，但要有用的話，首先要**守住熱量赤字**（也就是吃的比身體需要的熱量少），並且**連同飲食的內容一起做調整**，才可能讓身體的代謝轉向，讓內分泌穩定，而能持續達到減重的效果。

透過斷糖，我們讓身體**從使用糖類轉為使用脂肪**，同時改變更上游，也就是胰島素所造出的各種內分泌循環，這些內分泌的分子才是真正提示身體如何運作的指令。少吃多動，只是試著去修改下游的結果，斷糖則是從運作的核心去調整。

從斷糖但吃飽著手，讓胰島素不需要隨時分泌，就像從進食的源頭斷掉了胰島素過高對身體內分泌造成的刺激。這一方面改善前面提過的「愈吃愈容易餓」的循環，另一方面也不會因為吃得太少而刺激飢餓素。

如果一個人雖然少吃多動，但仍然在攝取糖，沒有調整飲食的組成，那麼儘管身體並沒有吃到足夠的熱量，但因為胰島素仍不斷受刺激，也自然會去抑制脂肪分解的酵素，來提醒身體必須守住脂肪的儲存，不能拿來做為日常燃料。

脂肪就在那裡，但是動用不了。就像一個人的錢都在定存或不動產，沒辦法隨時提領出來當作現金花用。身體從食物得不到足夠能量，又不能動用脂肪的庫存，當然會認定能量不夠，只好啟動危機反應，先將基礎代謝率降下來再說。

基礎代謝率下降，初期最明顯的變化就是體溫降低。許多減重的朋友身體會發冷，穿再多也不暖；同時身體還會繼續分泌飢餓素，提醒這個想減重的人要進食。又冷又餓，減重也就變成了和食欲艱苦的鬥爭。

純粹採用少吃多動，沒有調整飲食組成的人，就算初期有點成效，接下來也會愈減愈難。一旦恢復原本攝取的熱量，因為基礎代謝率變低了，反而更容易發胖。相對地，**斷糖則是刺激身體採用其他的能量來源，例如脂肪。這讓身體不會陷入真正的熱量不足危機，也不會降低基礎代謝率。**

透過斷糖來控制血糖和胰島素，也同時轉變了能量的流向，讓能量不再一味地轉化成脂肪儲存起來。對許多人而言，少吃多動，並搭配斷糖、低醣、生酮飲食，就可以達到不錯的減重效果。

斷食徹底重新設定代謝和內分泌，強化減重效果

每個人代謝僵化的程度不同，有些人減重一直遇到瓶頸和反彈，在這種情況下，可以先回到斷糖，甚至低醣或生酮飲食，結合 16-8 間歇性斷食或隔日斷食，讓身體有足夠的不進食時間，來重新設定代謝和內分泌。

隔日斷食或其他間歇性斷食，都有允許進食的時段，要記得一個重點：進食不要過量（守住熱量赤字），也不要攝取糖分（停止刺激胰島素），這樣才能將斷食改變代謝路徑、燃燒體內脂肪的效果持續下去。

至於長時間斷食，那是更徹底的重新設定。一個人熟練了間歇性斷食，並且能保持血糖穩定，也沒有疾病的顧慮時，接下來可以嘗試更長時間的斷食。

長時間斷食最有趣的一點就是：它是完全沒有熱量的飲食法（好處是你再也不需要計算熱量），卻不會影響基礎代

謝率，甚至還會讓基礎代謝率微微升高。有些專家認為這是演化過程留下來的生存機制，畢竟人在幾天沒有進食之後，更需要力氣才能找到食物來源。

斷食幾天，胰島素和血糖都會下降，但身體裡的酮體、脂肪酸和正腎上腺素都會升高，這代表身體已經開始採用不同的代謝路徑。**雖然沒有從飲食得到熱量，但身體因為懂得採用脂肪代謝路徑來取得能量，自然不會陷入能量危機，也不需要去下修基礎代謝率**。也因為如此，斷食結束後，體重不會莫名回升。

當然，和飲食有關的其他內分泌，像是飢餓素，在斷食期間一開始，還是會跟著本來的進食時段而起伏。但**飢餓素的作用大概一小時左右就會消失，像潮水一樣會升起也會落下。只要懂得這個原理，自然明白飢餓的感受早晚會消退**，可以把握這個機會觀察它的作用，也就不那麼容易受到控制。

隨著斷食的時間延長，飢餓素的起伏會逐漸減少。有些人清水斷食進行到第二或第三天時，就發現飢餓感消失了，而頭腦開始變得清楚，心情和頭腦都清爽起來。

女士一般比較不耐餓，這是因為女士的飢餓素起伏比男士更強烈。從這個角度來說，長時間斷食減少飢餓素的起伏，可能對女士會有更好的效果。

斷食，把飲食停掉，身體的運作得到了徹底的調整，對食物習慣性的強烈需要也會消失。只要克服代謝和心理層面的障礙，透過斷食減重與辛苦的少吃多動減重相比，完全是天堂和地獄的差別。嚴格限制熱量，會讓人愈減愈餓，代謝下降，一旦不限制熱量很快就會復胖。斷食則讓人連飢餓感都消失，讓人知道自己可以不受這種感受控制，而代謝仍然維持穩定，只要後續保持健康飲食，減重的效果很容易就維持下去。

有些人擔心斷食可能造成肌肉流失，其實在短時間或間歇性斷食的情況，是不需要擔心的。斷食期間以溫和活動為主，讓代謝往燃燒脂肪的方向前進，大多數需要減重的人，身上有大把脂肪等著燃燒，身體不會拿肌肉作為能量的主要來源。持續採用間歇性斷食或隔日斷食將體脂肪降下來，可能反而還能提高肌肉比例。至於長時間斷食確實會讓肌肉量減少，也還有其他需注意事項，我在接下來兩章會多談一些。

51
斷食愈久愈好嗎？

這是對斷食好奇的朋友，自然會想問的一個問題。

首先，從健康的角度來說，平衡是很重要的。對生物而言，隨時都吃飽其實並不是常態。也就是說，像現代社會這樣隨時可以取得食物，並不符合生理的設計。過量而失衡的飲食對我們已經造成負擔，適度的飢餓反而有益健康。

整體來說，食物能夠為身體帶來生理運作所需要的能量和營養，但幾天不吃，給身體一些空檔，活化自噬作用來修復身體，也是健康所需要的。

現代人的問題是失衡，大多數時間都在吃飽的狀態。有些人用餐後 3 小時就開始餓，隨時都在找吃的，對碳水化合物過度依賴，這些徵兆都是健康問題的警示，而與慢性發炎、慢性病和提早老化脫離不了關係。

然而，我還是想要提醒，一個人從調整飲食到進入斷食，輕輕鬆鬆進行是最有效，也最容易的。這些生活習慣的調整不是為了達成別人眼中的目標，而是我們希望回到健康時再自然不過的選擇。

斷食是正常的生理狀態

一般照三餐進食，如果沒有吃宵夜的習慣，也不是醒來就立即用餐，大概可以維持 12 小時左右的斷食狀態。身體 12 小時不進食，血糖會下降，而開始動用原本儲存在肝臟和肌肉裡的肝糖，也會開始微微地燃燒脂肪，以產生微量的酮體。

這就是我們每個人都有的代謝靈活性，也就是身體有一種智慧，就地取材來得到能量。有糖的時候用糖，沒有糖就用蛋白質、脂肪來取得能量。

但如果已經對飲食有了癮，一起床沒多久就要進食，睡前還捨不得不吃點東西，也就壓縮了身體進入斷食而得以燃燒脂肪的時間，更別說睡著了還得消化一肚子的食物。

理論上睡了一晚沒有進食，會讓人血糖降低，但大多數人早上醒來的時候並不至於完全失去力氣，這是因為身體有一個「清晨效應」——在早上快要醒來時增加皮質醇分泌，刺激血糖上升，讓你醒來不至於虛弱無力，可以照應生活、處理事情。

這是種生存機制，想想原始人類的情況，如果一醒來就全身癱軟，也就不可能出門覓食，而早早從地球上消失了。

我們能維持生命，仰賴的都是經過演化篩選的機制。身體的細胞就像一個個忙碌的小工廠，每天在這些小工廠進出的項目既多又雜。以身體最基本的能量分子 ATP 來說，每秒就要用掉至少 10^{21} 個 ATP，才能維持基本的運作。

這些 ATP 都是從細胞裡的粒線體製造出來的，可以說是分分秒秒都在加班趕工，只要有 1、2 分鐘的製造趕不上消耗，維持不了這個生命的運作，我們的人生，也就畫上了終點。

一個物種要長期生存，是不能讓這種情況輕易發生的。體內的 ATP 一天要補充至少上千次，身體一方面有數不清的設備確保能生產足夠的 ATP，另一方面還有一套內在的機制，不斷去檢查生產與消耗的速度。就像工廠要留意生產線是不是運作順暢，而這個過程是一直在很強大的時間壓力下進行的，沒有多少出錯的空間。

你可以想像，代謝的靈活性有多重要。代謝的靈活性，也就是身體重新組合、切換能量生產線的速度，決定了我們的精力和生命。

恢復代謝靈活性

很有意思的是，如果一個人斷食夠久，身體能量降低到一個地步，自然會喚醒自噬作用，就好像讓細胞重新組裝生產線，學會用其他原料（例如儲存在身體裡的脂肪）來產生能量。

吃飽的狀態會促進同化代謝，如果我們身體裡有大量的糖、蛋白質，會刺激胰島素和 mTOR，將體內的糖分推進細胞裡，促進細胞生長、分裂、合成蛋白質，也讓多餘的糖轉為脂肪來儲存。

斷食的狀態則是刺激異化代謝，促進脂肪燃燒和自噬作用，讓身體從能量的倉庫和受損的零件，取得能量和新的材料。在這個狀態下，身體要重新安排優先順序來面對眼前的能量危機，所以 mTOR 會受到抑制，不再去合成新的蛋白質、製造新的細胞。這是一種生存的智慧，讓身體的能量流專注往一個方向前進。

這就是我為什麼要用一整本書來談斷糖和斷食。透過這麼簡單的方法，就可以重新活化代謝的靈活性，自然讓人遠離代謝症候群和慢性病。

斷糖可以長期進行，那麼，斷食是不是愈久愈好呢？

我在這裡借用機器的維護和保養來比喻。為了讓身體好好運作，每天使用後的日常保養是重要的，我也鼓勵大家從減少一餐做起，延長每天斷食、讓身體進行清理的時間。可以的話，每年安排一兩個時段，來做比較長時間的斷食，就像讓身體進廠做比較徹底的維修。

日常保養：配合作息，進行間歇性斷食

如果我們採用稍微長一點時間的間歇性斷食，例如 18-6 斷食法，身體 18 個小時沒有進食，就可以更傾向燃燒脂肪，開始在體內累積測得出來的酮體。酮體本身既可以作為能量來使用，也是一個在體內傳遞訊息的小分子，降低發

炎、活化 DNA 修復、刺激抗氧化和解毒酵素的合成、活化自噬作用，可以說是一個抗老化、對抗環境壓力的機制。

斷食 18 小時，還能刺激生長激素和腦源性營養因子的合成，開始進行身體和腦部的修復工作。有些專家認為，正因為身體配備了這樣的機制，在斷食一段時間後改善腦部運作、強化腦力、讓五感更敏銳，人類的老祖先才能在經過長時間的挨餓後，還有足夠的腦力去設想獵食和採集策略，好取得食物存活下去。這是個很有意思的理論，現代人即使隨時都有飲食可用，不需要每天設法去獵食，但這個機制仍然可以用來幫助我們預防神經退化的問題。

配合生活作息，順著生理時鐘來執行間歇性斷食，是比較容易的。18 小時的斷食，只要從 16-8 斷食再略做調整就很容易做到。我建議一個人隨時可以進行，一天從三餐減為兩餐，再稍做安排就可以做到 18-6 斷食；如果減為一餐，很容易就可以做到 23-1 斷食。

關於飲食的療癒，我要再強調一次：**不吃什麼比吃什麼還重要，而進食的頻率降低，又遠比吃多少更為關鍵。**只要懂得針對個人的情況來安排飲食，搭配間歇性斷食，幾乎感受不到任何不方便，仍然可以吃得很滿足，不會挨餓，同時又得到斷食帶來的好處。

一個人即使已經**過重，身體有發炎症狀、代謝症候群、脂肪肝**這些毛病，只要懂得用好的脂肪，不吃糖和澱粉，讓血糖和胰島素降下來，避開含有過敏原的食物，戒掉過度加工食品，吃原型食物，讓自己吃好、吃飽但不要過量，同時搭配間歇性斷食，持續 3 個月左右，就可以看到各種指數和體重的變化。

我也提過許多女士雖然沒有過重的問題，但很明顯因為飲食偏差，排斥脂肪或長期採用讓自己過敏的飲食，而有**各種慢性疼痛、自體免疫和內分泌的失調**。如果懂得用前面談到的原則來調整飲食，搭配間歇性斷食，並在月經週期前半的濾泡期進行幾次稍微長一點的斷食，一樣地，很快就會讓身體的過敏和發炎降下來，疼痛的情況也會得到改善。

有些朋友已經**有明顯的胰島素阻抗，或希望減重但遇到瓶頸**，可以採用 36 或 48 小時斷食，這樣的斷食執行起來也很簡單。舉例來說，可以設定週二、週四、週六為斷食日，進行 36 小時斷食，也可以安排週末進行 48 小時斷食。以週二斷食為例，從週一晚餐後開始，到週三早午餐重新進食，這之間大概有 36 小時的斷食時間。週末的斷食，可以從週五的晚餐後開始，直到週日晚餐重新復食，這樣就有 48 小時的斷食時間。

配合第 49 章提到的飲料或湯來補充水份和礦物質，36 或 48 小時斷食可以更徹底地刺激自噬作用、酮體生成和腦源性營養因子，讓身體得到清理。

很有意思的是，48 小時不進食，並不像一般人以為的會變虛弱，反而身體促進生長和清理的機制會開始高速運轉。舉例來說，斷食 48 小時後，生長激素會升高到原本的 5 倍。和前面提到的一樣，自噬作用、酮體生成和腦源性營養因子，也還在持續上升，這對我們腦部的清理、傷口的癒合都有幫助。

飢餓素會上升，這是大腦發出的訊號，一方面提醒生物要去覓食，另一方面也會刺激生長激素和腦源性營養因子。當然，受到飢餓素的刺激，自然會感到餓，但前面也提過，飢餓素的作用時間很短，大概 1 小時左右就會過去，不會讓人整天都困在飢餓的感覺裡。

經過 48 小時的休息，胰島素的基準值也降了下來，而讓發炎、血壓、腹部脂肪和代謝症候群都得到改善。

年度維修：偶爾長時間斷食，讓身體重新設定

斷食時間愈長，身體的清理和淨化強度也會提高。但我還是要提醒，對一般人而言，18 小時、24 小時、36 小時、48 小時的斷食，比較能融入生活而長期進行，也足以對長期累積的代謝壓力做一個平衡。

更長時間的斷食，確實能強化自噬作用的深度，讓身體清除更多的廢物，包括清掉一些受損、折疊錯誤的蛋白質。前面也提過，斷食 72 小時以上，還可以活化造血組織的幹細胞，刺激組織和免疫細胞的再生功能。有些專家認為，一個人在接受化療的同時進行斷食，可以減少化療本身帶來的傷害。這種帶著醫療目的的斷食，我會在第52章多談一些。

但坦白講，如果一餐不吃都會在心情和生理層面造出很大的反應，那麼與其計較每次斷食幾天、幾小時，倒不如透過前面講的 2MAD 或 OMAD，每天減少一餐或兩餐來穩定進行間歇性斷食，讓飲食的習氣、體質與代謝，進入一個新

的常態，而可以長期與生活結合。如果能做到這樣，做不做更長時間的斷食其實都無所謂，倒不是非怎樣不可。

就算是想進行長時間的斷食，我也要提醒，對一般人來說，3 天以上的斷食並不需要成為常態。我會建議可以一年安排一次或兩次的空檔來進行，最多一季一次，一次斷食 3 天。讓原本的慣性得到一次比較大的扭轉，也讓身體的代謝重新設定。

重點還是你能不能適應，能不能輕輕鬆鬆地度過，而不是把它變成一種挑戰、一種考驗，甚至變成壓力。從健康的角度來說，壓力狀態並不利於身體的療癒和修復。我但願你能善待自己，不要隨時和自己對抗，反而又抵銷了斷食和飲食帶來的療癒效果。

飲食對我們的制約是最重的，從出生到離開這個世界都受到制約，認定一天要吃三餐，非要這樣或那樣不可。就連一個人快要離開世界了，還捨不得少吃一餐，就這樣把自己鎖定到一個唯物的觀念裡。這是我們每一個人的處境。

我這兩年帶「唯識」和「沒有路的路」共修，一斷食就是幾十天。很多人聽到會覺得不可思議，甚至把它當作一種成就。但我必須坦白說，我沒有去刻意想斷食或不斷食，沒有把吃或不吃當作一回事。

假如身體代謝很靈活，吃什麼或不吃什麼，它都可以運作。一個人靈活，不被飲食和物質綁住，也就從這種非吃不可的制約中解脫了。想吃就吃，不餓時不吃，一點事都沒有。這樣子，日常生活和心裡的負擔就消失了，一個人也就變得活潑起來。

這時候，談生命是自由的、是充滿希望的，也更符合你時時刻刻所體驗到的現實。

52
醫療目的斷食，需要專業人士協助

斷食可以造出輕微的壓力，刺激身體啟動自噬作用，活化抗氧化和解毒的酵素，而可能對癌症、糖尿病、發炎性腸道疾病、克隆氏症（Crohn's disease）、多發性硬化症、自體免疫疾病、阿茲海默症等有所幫助。斷食除了第 42 章談到的讓身體汰換舊的免疫細胞，促進造血幹細胞產生新的免疫細胞，也可以減輕神經髓鞘質的發炎，讓神經系統得以修復再生。

不可否認，斷食對身體帶來的刺激，和重新設定代謝的效果，在疾病療癒的過程中，可能是單純用飲食達不到的。我過去才會建議一些有腫瘤和慢性病的朋友，透過蔬菜汁等方式來進行比較長時間的斷食，一方面強化身體的自我療癒和清理，另一方面也減輕化療帶來的不舒服。

西方的醫學之父希波克拉底說過，「在生病的時候進食，其實是在餵養疾病。」這句話相當有道理，特別在癌症的情況更是如此。

從能量的角度來說，癌細胞的生長依賴能量效益較低的糖解作用，而比一般正常細胞更依賴飲食的葡萄糖作為能量來源。癌細胞膜上的葡萄糖受體，是一般正常細胞的至少十倍以上，正子掃描正是運用這個原理，觀察葡萄糖的消耗量來幫助診斷惡性腫瘤。

癌細胞需要大量的生長因子、葡萄糖和胺基酸來運作。從內分泌來看，mTOR 是活化細胞生長和增殖的重要環節，而胰島素是刺激蛋白質合成與細胞生長、增殖的荷爾蒙，這些機制都與癌細胞生長有關。

在這種狀況下，吃愈多人愈虛弱，斷食反而讓人強壯。

如果我們吃大量的糖和蛋白質，就像鼓勵癌細胞繼續生長。而斷食能幫助身體減去過多的胰島素和 IGF-1、抑制 mTOR，將血糖降下來，可以說是把癌細胞「餓死」。身體進入脂肪燃燒階段，所產生的酮體更是有保護正常細胞的效果，這可能是癌症患者進行斷食可以改善化療效果的原因。

已經有許多專家發現，斷食能強化正常細胞的保護機制，讓正常細胞能承受化療的作用，同時讓藥物更精準打擊癌細胞。透過斷食拿掉癌細胞生長所需的糖和蛋白質，又同時給予化療藥物的打擊，讓癌細胞變得脆弱而死亡。

這種治療性斷食可能是清水斷食，也可能是蔬菜汁斷食。一般來說時間比較長，從 2 週到 4 週左右，目的是幫助身體排除生病的細胞，並刺激健康細胞的生長。

至於可以斷食多久，是因個人體質而異的。**生病的人若要進行長時間的激烈斷食，一定要有合格醫事專業人員從旁協助指導**。在國外，有許多專業的醫療單位幫人進行長達數週的斷食，來照顧重病或患有絕症的患者。

當然，一位醫師要能夠指導斷食，他個人首先要認同斷食的理念，有照顧斷食的人的經驗，最好自己也嘗試過。這樣自然能將這方面的知識與體會，和他個人的醫學訓練做整合。倘若不是如此，面對斷食當然也會反彈。

我也想跟醫療專業的朋友表達，面對斷食這個主題，最好能打開心胸先親自做實驗，體會斷食對自己體質和健康的效果。歷史上有那麼多斷食的紀錄和文獻，難道一點道理都沒有，需要我們用專業的權威和地位那麼嚴厲地去拒絕？或許我們可以為病人的福利著想，考慮將斷食作為一種治療的選擇。畢竟提供全面的醫療，是醫師的責任。

治療需要謹慎，但醫學絕非一成不變。我在 3、40 年前和朋友談預防醫學，當時被多少人認為不重要、不科學。但幾十年下來，全世界的態度早已經從忽視轉向承認，一些預防醫學的觀念甚至已經成為主流，而出現了各式各樣的學門來稱呼它。無論被稱為整合醫學（integrative medicine）、整體醫學（one medicine）、營養醫學（nutritional medicine）、身心醫學（body-mind medicine）、靈性醫學（spiritual medicine）、統一醫學（unified medicine），其實都是預防醫學。還不到幾十年的時間，一門當初不被承認的學門，從各個層面都已經顯出它的重要性。

我在這本書所談的觀念，像是斷食帶來的自噬作用也是一樣，到現在還沒有得到臨床專業人士足夠的重視。其實自噬作用的機制已經得到兩次諾貝爾生理醫學獎，如果連這麼重要的主題還要反對，我認為反而才是不客觀、不理性。現在有這些最新的文獻和最先進的科學，正是可以在臨床發揮的時候透過求真的精神先用自己來驗證，應用在臨床時守住最根本的原則，我相信早晚都會找出對病人最合適的作法。

當然，有些狀況不見得適合斷食。舉例來說，有些人正在營養需求很旺盛的階段，有些人是長期營養不足正待調養，這都不適合斷食。舉例來說：懷孕、身體極度虛弱、過瘦、營養不足、已經有某些腎臟疾病、心臟不穩定、使用特定藥物、某些癌症，都不適合接受這種帶有治療目的的長時間斷食。

我要提醒有嚴重疾病的朋友，如果要進行長時間的斷食，心態是相當重要的，**要尊重自己的身體，也要尊重斷食和醫療的專業**；把這種長時間的斷食當作閉關、度假，不要安排別的事，也不要從事激烈的運動。**這種斷食是代謝徹底的大整頓，需要靜養，也需要醫師來照料。**

這樣的斷食由於時間長，而且有醫療目的，從各種層面來說都要謹慎而週到：斷食前應該要做必要的病史回顧和身體檢查，確認是否適合；斷食期間需要留意各種指數的變化，原本的用藥要繼續使用或需要暫停，是否需要補充電解質或特定的營養素來支持，這都需要由醫事人員來評估，才能妥當地照顧。

斷食期間也不要接觸會造出負擔的物質，畢竟長時間斷食本身是一個大的調整，不需要再加上額外的負荷。一般建議不要用的物質包括：菸、酒、毒品，各種噴霧式的體香或化妝品、指甲油、去光水、帶香氣的用品、香水等等。

長時間斷食，有些人會感覺到身體發冷，適當的保暖是必要的。斷食期間盡量多休息，畢竟在代謝大調整的過程中，即使普通的身體活動，對代謝的刺激也可能被放大，而影響斷食的效果。

懂得身體修復的道理、並且能守住健康的生活習慣的話，斷食會是非常有效的工具。然而，**不要把斷食當作是萬靈丹，它最多是一個促進身體活化自癒力的手段**。

身體為我們承受了那麼多的壓力，也許是不健康的生活習慣、不合理的工作步調、難以忍受的情緒折騰。無論經過了什麼，斷食都帶來一個全新的開始，讓身體有機會完成它可以做的——淨化與療癒。

我們需要做的，也只是提供一個空間，讓它發生。

53
怎麼結束斷食？

間歇性斷食的復食，通常不是什麼問題，畢竟身體並沒有離開原本進食的軌道太久，依照第 15 章所談的原則吃得健康就好。無論是低醣高脂飲食、生酮飲食、原始人飲食、減敏飲食，復食時都只要保持正常的飲食量，不需要把少吃的熱量在一餐裡補滿，適當運用熱量赤字，反而更能維持斷食的效果。

從我個人的看法，**一個人要接觸斷食，還是從間歇性斷食開始，也就是一天兩餐或一天一餐。光是能穩定而長期進行間歇性斷食，就已經可以取得斷食休息和淨化的效果。**一個人熟悉了不吃和少吃的狀態，也不把吃或不吃看得那麼嚴重，對接下來要談的復食，自然會有自己的解答。

特別是長期穩定採用 OMAD 一天一餐的朋友，身體早已經適應，而你也會知道身體的需要，根本不用過度緊張去注意怎麼把飲食帶回來。

當然，斷食的時間長到一個程度，像是超過 36 小時，消化系統的作用自然會慢下來，包括腸胃、胰臟、肝臟的酵素分泌都往下降。從消化的負擔來看，**長時間斷食剛結束，實在不需要用大量的食物去壓迫消化道**。

結束長時間斷食時，大多數人的情況是：生理上並不飢餓，畢竟無論消化還是內分泌都適應了一段時間，能量的運用也相當穩定；感到飢餓的主要是心理，進食的習氣迴路被「餓」了一段時間，正等著你用進食來餵養它。這一點，坦白說，是我們自己加上的制約，從能量和生存的角度，並沒有急著進食的必要。

3 ～ 5 天以上的斷食，復食需要比較完整的規劃。急著吃東西，有些人會脹氣、想吐、拉肚子或胃痛，這都是消化不良的徵兆。雖然不舒服，但這些症狀一般來說不會持續太久，也不至於造出什麼危險。當然，我們不需要造出讓自己不舒服的情況。此外，既然我們早晚都要進食，也很值得妥善安排，**把復食當作和斷食一樣的重要**。

事實也是如此，不光斷食帶來好處，復食也帶來很重要的健康效果。斷食可以刺激幹細胞活化，而復食可以讓細胞新生。**這種清理而後再生的效果，需要經過斷食和復食的刺激才有，是一般飲食達不到的**。

一段時間的斷食，可以刺激 40% 的免疫細胞進入細胞凋亡，並讓造血幹細胞新生；妥當的復食則提供營養，讓免疫系統得以重新建立，用新細胞汰換掉老舊的細胞，也就讓免疫系統得到再生。不光免疫系統會進行清理和再生，就連肝臟也會在斷食時減少體積，而在復食之後再重新長出來。

儘管復食可以帶來養分，幫助長時間斷食的身體重建，但不要一下子就吃大量的肉和固態食品，也不要採用過度加工飲食，這反而讓斷食的好處打折扣，相當可惜。

長時間斷食之後，復食第一頓正餐的前 1 小時，可以為身體安排一個「重開機」的小餐點，**從容易消化、不太刺激胰島素分泌、能帶來一些熱量的少量飲食開始**。可以是 1、2 茶匙的脂肪，例如 MCT 油、橄欖油、少量的酪梨，或者在咖啡或茶加一點澄清奶油。這些以脂肪為主的飲食，對身體重啟是一個好的起點。

先以少量的脂肪為主，讓身體慢慢回到進食的軌道，不要馬上用蛋白質和碳水化合物去刺激胰島素。這時不要刺激胰島素還有一個理由，斷食了一陣子的身體，對碳水化合物的反應可能會非常強烈，而讓你接下來不小心吃過量。

斷食讓腸道得以重整，復食時你**也可以用一些飲食來餵養腸道菌**。如果你希望清淡一些，可以用半杯水加上一點點奇亞籽或洋車前子殼。你也可以用少量發酵食品，例如小半碗泡菜、半杯無糖的優格，或者帶一些膳食纖維的飲食，像少量的蔬菜湯、少量燙熟的軟嫩蔬菜。也可用前面提過的大骨湯，把一些礦物質的營養帶給腸道菌。

用少量的飲食給消化系統一個訊號，喚醒各個器官準備工作。這個暖身用的飲食重點在於份量少，只是讓身體和心理做一個準備，迎接 1 小時後的正餐。並不需要在這個時候用生菜、堅果、蛋和奶類，這些食物帶來的消化負擔比較重，並不適合正等著被喚醒的身體。

斷食讓身體得到休養的空間，而復食後的正餐則讓身體得到重建的材料，用一點好的蛋白質，像是適量的魚、肉、處理過的豆類都是不錯的選擇。堅果和種籽雖然健康，但對於剛結束長時間斷食的身體可能難以消化，也可能對代謝一下子造出太大的擾動。至於酒、蛋、奶類、纖維粗的蔬菜，反應則因人而異，有些人能耐受，有些人最好多等一段時間再開始採用。

復食的原則是：從少量、簡單、不那麼刺激胰島素的飲食開始，再慢慢進入比較複雜的飲食。同時要注意的是，避免帶有甜味的飲食，哪怕是不帶熱量的人工甘味劑，都會刺激食欲，而不小心在復食時一下子吃過量。

整體來說，**長時間的斷食需要妥善安排復食，建議用至少斷食一半的時間來復食**。舉例來說，一個人如果在機構由專業人士協助斷食 14 天，復食至少要用 7 天慢慢進行。

超過一定時間，例如 5 天以上的斷食，由於身體的代謝轉換了夠長的時間，復食要特別留意。過去有些人因為戰爭、飢荒或疾病而長期沒有進食、營養不良，恢復飲食時會出現「再餵食症候群」。這是因為復食讓血中葡萄糖突然增加，胰島素大量分泌，身體由消耗的代謝一下子轉成合成的代謝，血液裡原本已不多的電解質和微量元素，趕不上細胞突然增加的代謝需求，血中的鉀、鎂、磷、維他命 B 降到非常低，身體也會開始水腫。有些人的症狀可能相當嚴重，像是心律不整、肌肉麻痺；甚至致命。

原本就長期營養不良，或是服用特定藥物的患者，特別容易發生再餵食症候群。這樣的朋友不見得適合斷食，至少在身體沒有補充足夠營養前不應該斷食。以下是一些實例：

厭食症患者本來就可能長期營養不良；年紀大、有其他疾病、長期過瘦的人也是一樣；至於酗酒或已經慢性酒精中毒的人，從酒精只能得到熱量，得不到營養素。他們體內的礦物質和微量元素可能已經在很低的水平，即使沒有經歷斷食，光是重新開始飲食，都要注意觀察血液的狀態和症狀。

惡性營養不良的患者、長時間未進食或只吃很少飲食的人、剛劇烈減重的肥胖者、超過 7 天未進食的高風險患者，因腸道發炎、慢性胰臟炎、囊腫性纖維化、短腸症候群而無法正常吸收營養的人，在恢復正常飲食時更要密切注意。

有些人雖然沒有長期的營養不良，但有特殊的代謝需求，這樣的朋友適不適合斷食，需要仔細的評估。某些癌症患者、剛動完手術的人，身體需要進入同化代謝，斷食與復食的刺激對他們的修復反而是干擾。因為疾病長期服用制酸劑、利尿劑的人，本來就很容易流失電解質，在面對斷食復食的刺激時，也要小心觀察。

這裡交代的主要是一些斷食和復食在執行上的細節，而對於特例多著墨一些。長時間斷食後的復食，確實需要謹慎，但並不用過度緊張。

我在前面也提過，**一個人身心健康，對整體的理解徹底，將間歇性斷食當作常態，而偶爾進行比較長時間的斷食，那對身心可以說是一種大休息，甚至是一種享受**。重點是心態上要輕輕鬆鬆，讓副交感神經活化，身心自然容易配合。不要把斷食多少小時、幾天……這些目標當作多嚴肅的事，就算是完成不了原本預計的目標，那又如何？

重新來過就好了。本來斷食是為了要休息，要對自己好，少做了一點也不是什麼大事。就算遇到困難，解決了，就更沒有事。至於復食，對於經過長時間斷食深度清理的身體，是重新注入燃料來啟動、來養活它的機會。我們**懂得採用溫和的飲食，帶著歡喜和感恩慢慢將胃口打開，就像陪著自己、陪著每一個細胞一同慶祝**。

這是最好的再生，最好的回春，最好的自我療癒。

54
從身心最基本的組成
轉化習氣與制約

我們這一生是業力的組合，所有的疾病也自然是業力病。一般人平時都在忙碌，頭腦和注意力從來沒有停過，一旦休息下來，注意力回到注意的源頭，前面提到的好轉反應，自然是省不掉的。

斷食，是對代謝做一個徹底的調整，身體的能量代謝機制和酵素如果還沒接上，就會讓人出現一些類似感冒的症狀，像是虛弱、疲累、暈眩、頭痛，或是因為代謝轉換而有口臭、舌苔、皮膚長疹，也有些人會睡不好、抽筋、瀉肚子、關節疼痛、情緒不穩定、心智反應變慢、呆滯、思考不清晰。

這些症狀，在生酮飲食這類急劇改變代謝的飲食調整，也是相當常見的現象。有時候補充一些礦物質、鹽類就會好轉。我個人則是會補充微量元素，支持身心的轉變。

至於會有哪些症狀，當然和個人體質與健康狀況有關。一般來說，我會建議一步一步慢慢來，先減去飲食裡的糖，少吃一餐或兩餐進行間歇性斷食，讓代謝恢復靈活性，再進行比較長時間的斷食。一個人血糖能保持穩定，比較容易度過斷食的時間。

其實不只身體，在斷食或飲食調整的期間，心理也會「排毒」。一些過去的創傷，甚至非常激烈的情緒都會浮出來。身體的反應是有順序的，從上往下、由內而外一層層發生；心理層面的反應也有順序，就好像錄影倒帶，從現在往過去帶出一些記憶、一些發生。然而，都一樣地，不要責備自己。難受時，好好照顧自己，這些反應遲早都會過去，心情也會穩定下來。

我們活在人間，沒有一個人的身心是沒有障礙的。一個人如果真心願意療癒、願意解開、願意放過，那麼生命的能量、生命的流，自然會集中到這些障礙的點或層面上，想把它打開。

身心的制約或說防禦措施，就像一道道的鎖，守住許多微小的、沒被注意過的發生，把心理上不舒服的經過隔離起來，先為我們維繫眼前的生存，把不那麼緊急的感受留到以後有餘力再消化。斷食與復食帶來的刺激，有時會衝開這些制約，然而這都是自我療癒、修復的機會。

一個人安定下來，做一個回轉，這時過去的業力、過去的經過，也許當時並沒有注意到，也自然會轉出來。有時候甚至不是我們認為的這輩子，而是不知道從哪輩子來的。

特別是一個人假如很誠懇，斷食期間代謝穩定後，念頭自然會降下來，但有時候還會浮出一些好像不相關的記憶。可能會想起過去做過的錯事，或者有過的不好的念頭，而浮起很深的慚愧感。

無論浮起來的是記憶還是感受，都是一樣的。如果懂得全部生命所講的臣服或中道，不去壓制它，也不用頭腦的解釋淹沒它，只是在這個瞬間把自己的注意力送給它，就像接待一個客人。客人早晚會離開，而你還在，你只是誠懇地知道它、接待它。

2021 年，我透過「沒有路的路」共修，整整 3 個月將接待、歡迎、肯定、感恩的練習一再地帶出來，也就是陪伴大家用臣服、中道的心境，度過習氣轉變的過程，面對自己、面對大環境的變化。

一個人只要踏踏實實面對眼前的現象，甚至可以輕輕鬆鬆歡迎自己、歡迎它，透過一種淡淡的肯定和感恩來接待一切，用一種和自己最親密的態度來進行這些功課，不知不覺也就從各種感官的感受和頭腦的作用走了出來。

能夠接受自己的狀態，反而會讓身心鬆下來。這種深沉的放鬆，只要體會過就可以明白。但回想起來也說不出什麼道理，你只是知道曾經有過這件事，過去意識不到它對你的影響，而現在這影響已經結束了。

當然這過程有時候很不舒服，修為再深的人也一樣要經過。密宗有一位岡波巴上師，他透過修行得到的境界已經是人間少有，然而在閉關的過程一樣要經歷這些。他的上師密勒日巴透過各種提醒幫助他，運用地、水、火、風的轉變來進行，讓過去業力的結有機會打開。

這個過程，用飲食和斷食的療癒來說，也就是**透過營養和運動來協助、彌補、輔導，幫自己度過身體最不舒服的時**

候。微量元素和營養可能比運動還徹底，因為它直接進入每一個細胞、每一個分子，從身心最基本的組成進行轉化。

過去，如果我遇到一個人在閉關，正在意識轉變的過程，也會透過台北身心靈轉化中心提供濃度比較高、無調味的微量元素，讓他們大量使用。多年來，我這樣幫助出家的朋友和長年修行的朋友，也為遇到人生重大關卡如疾病，而面臨意識轉變的朋友，爭取一些時間。

有些朋友知道自己哪裡感覺不對勁，採用這些微量元素，馬上就能體會到被解開而放鬆下來。不同的微量元素會在身體各部位作用，例如神經系統、內分泌或免疫的層面，主要是為身體帶來一種支持，將氣脈打通。打通之後，業力就像水一樣可以自由流過去，不會在身心哪一層累積阻礙，而帶來反彈或好轉反應。

會用這些微量元素，都是經過篩選的。這其實不是一般的微量元素，而是我個人經過 30 多年研究的積累，親自找出一些特殊而別人想不到的有機成分來螯合。用最自然的螯合方法，讓這些微量元素不被其他物質影響，可以穩定下來、單獨存在，才能保有高速的螺旋場。

這裡所談的高速螺旋場或說資訊場、意識場，和我們的意識是最接近的。用這些高速螺旋場的微量元素，也幫助一個人守住這種高速的狀態；而速度快到無限大，一個人也就可以定。

這段時間，地球、太陽和宇宙的週期進入一個轉變很快的時點。從我個人看來，微量元素有最大的穩定作用，貫通一個人的氣脈，讓人可以很紮實地和大地接軌，這可能是每個人最需要的。

如果他們的時間和精力允許，我會讓他們到台北身心靈轉化中心多接觸那裡的水和空間，對身心做一個重新整頓，在各個層面把心理的狀態穩定下來。不這麼做的話，在這個快步調，充滿摩擦和對立的環境，要穩定下來非常難。當初會有身心靈轉化中心，其實也是希望在地球的這種轉變中，作為一種支持。

不過坦白說，身心轉化是意識轉化自然的結果，飲食和斷食的療癒主要還是配合個人的成熟度，勉強不來。在這裡談這些，包括談可以有的一些支持，只是為大家先把可能的經過提出來，幫助人守住正確的心態。這些經過確實會有，但不要把它當作一種目標，認定自己應該經過什麼或發生什麼現象，或還想效法什麼人，追上什麼成就。

我希望大家**快快樂樂、輕輕鬆鬆、踏踏實實從眼前的現況開始**。身體有代謝的障礙，先去克服。心理有什麼難關，知道了，就用前面談的中道的心態去面對。把自己的注意交給眼前的瞬間，這個瞬間過了，就讓它過去，不要再把它撿回來。

至於意識和身心的轉化，時機成熟了，生命會帶著我們走。如果還有一個目標、有一個進度，或認為需要費力，反而是自己造出不必要的阻礙，多走一些冤枉路而已。

55
悅性飲食，反映和諧與眞實

無論斷食或轉化，都是對個人的習氣突然踩一個剎車，讓身心突然空出來，反轉長期累積的慣性和毒素。

然而，生活和心態若沒有做徹底的改變，那麼斷食也不過是一個讓身體暫時喘息的手段，我們早晚還是會落回原本的習氣，與習氣在身心帶來的後遺症。

有些朋友可能知道，印度的療癒智慧把飲食分為「悅性」（*sattvic*）、「惰性」（*tamasic*）和「變性」（*rajasic*）。這三種類別，現在的人把它當作一種絕對的分類，認為某一個飲食一定是悅性、是好的，而某個飲食一定是惰性、是不好的。但它原本的意思是三種身心的狀態，而飲食只是反映了這三種身心的狀態，最多用來幫助做一點調整。

惰性指的是身心麻木、懶散、昏沉、缺乏活力的狀態；

變性則是刺激身心改變的動力，包括身體和情緒的動；悅性則是身心平衡、純淨、自在、友善、明智、清醒、真實、誠懇、勇敢的特質。

從某個角度來說，古人不像我們現在這麼唯物，多少還是認為心為主，心應該走在前面，讓心導引身體，帶動物質的作用。

用怎樣的飲食，其實是配合個人的身心狀態。一個人如果很清爽、沒有負擔，不會過於依賴飲食，自然有一種本能採用悅性的飲食。包括喝好水，透過新鮮當令、成熟有活力、鹼性、以蔬菜和脂肪為主的飲食來照顧自己。這種飲食原則，也就是我在《真原醫》所談的飲食。

他不會刻意對其他的生命、對自己造出傷害，不餓不吃，吃飯時就吃飯，七、八分飽就停下來，不會過量，也不至於用吃或不吃來虐待自己。對他而言許多飲食太沉重，不夠營養，跟身心的狀態配合不來，自然會避開惰性的食物。

一個人身心如果需要被帶動，就會用一些變性的飲食來刺激，像是辣椒、咖啡。有些人需要讓步調慢下來休息，但又不懂得透過靜坐和呼吸來放鬆，就會依賴惰性飲食消化過程帶來的昏沉，長期下來對身心也就造出負擔。

其實，不光是飲食，我們怎麼認知、怎麼感受、怎麼想、怎麼表達、一舉一動、生活習慣，甚至這一生怎麼活，都反映了身心的狀態。這本書所談的飲食，只是其中很小的一部份，自然會和心境一致。

一個人友善，考慮周到，不被內心的執著干擾，不期待非要有哪些結果不可，就符合悅性的行為，也自然會選擇悅性的飲食。如果成天為滿足自我短暫的快樂而忙碌，隨時被身心變動帶著走，最多是反映變性的狀態。一個人如果凡事不顧後果，不在意對自己和別人造出傷害，那也只是反映了身心的惰性，從另一個角度來說，已經是對生命麻木不仁的狀態。

大多數人的身心都是悅性、變性、惰性比例和作用不等的組合。你可以參考悅性、變性、惰性飲食的原則來調整身心，就像我在這本書前半，也參考現代營養學的主要營養素分類，依照它們對內分泌刺激強度的不同，而透過斷糖來幫助調整身心。這是一種療癒的智慧，也可以說是一種個人營養學。

然而，我還是要強調，這一切的轉變是心為主。一個人的心境沒有改變，光是刻意去調整飲食、習慣，不能說沒有效，但會格外費力。反過來，一個人從心出發，一個心境的轉變，自然會帶他找到相應的調整，而且是輕鬆不費力。

我會用彩虹來比喻意識譜，也是在談同樣的道理。一個人誠懇面對自己的現況，自然有各式各樣的方法可以配合眼前身心狀況來做調整。

我在這本書，透過飲食調整和斷食，希望幫助大家從一個不健康的狀態、不健康的習氣跳出來。你也發現我還談運動、談壓力、談太陽的生命場，這裡頭都含著身心轉化的鑰匙——幫助你從不同的層面，透過運動、伸展、接觸大自然、深而完整的呼吸、睡眠，來接受飲食所帶來的加持。

過去我說「真原醫」是舍利子的科學，後來也用 4 個音頻將舍利子的科學這個主題展開，多少也是為現代人面對接下來的環境改變和更徹底的典範變遷作準備——從只知道物質的架構，進入意識為主的狀態，再進一步進入意識與物質的大

舍利子的科學影片連結→

結合，而不再有任何矛盾。

習氣的轉變，包括這本書所談的飲食調整和斷食，也是一樣的。

從只知道物質的架構談習氣轉變，這是一般人最主要的理解，自然會聚焦在語言、行為和念頭的內容，而去規定、去做要求，並且在語言、行為和念頭的內容做文章。這種「做」並不是完全沒有用，只是錯把理解的範圍限制在一個小得不成比例的部份，很可惜會錯過重點。

但一個人只要夠誠懇，早晚還是會跨過物質的門檻而點到心。

透過意識為主，也就是唯識的狀態來談習氣轉變，自然會明白語言、行為和念頭只是形式，可以完全放過。既然如此，又怎麼可能被不好的話、不好的行為和不好的念頭帶走，或非怎樣不可？

「做」的內容或許剛好符合別人眼中的戒律或標準，但對真實的理解是完全不同。不在表面的內容著墨，只是活在心，面對眼前一個又一個小的瞬間，隨時明白自己的一言一行最多是反映真實。

在這個人間，透過每一個習氣的改變，從起床、運動、收拾環境、面對自己、面對他人、表達的方式、正向的眼光、對每一個起心動念的觀察、說謝謝、飲食調整、細嚼慢嚥、轉化代謝、睡眠……也不過是不斷地知道、隨時知道，一切都是真實。

短暫的，沒有離開過真實。

永恆的，也沒有離開過真實。

心有波動，沒有離開過真實。

心是平安，也還是真實。

有物質，沒有離開過真實。

沒有物質，也不會離開真實。

所謂的「好」，是真實。

所謂的「壞」，也還是真實。

身體，沒有離開過真實。

頭腦，也沒有離開過。

那麼，覺得可以離開的……是誰？

還有什麼可能不是真實？

意識和物質沒有分開過。在大大小小的範圍裡，一切還是和諧，是圓滿，是愛，是自在。這一生點點滴滴活出來、沒有活出來的，也不再帶來任何矛盾、反彈、抗議和期待。

我們還能拿什麼理由來委屈自己？讓自己繼續活得不健康、不圓滿、不快樂？

結語：
從最重的層面進行轉化
跟上整體的轉變

那麼多年，終於等到了。

地球的轉變速度太快，才有這個剛剛好的時點可以讓我談飲食、斷食和修行。現在你所讀到的這本書，能寫下它，也算是為我個人多年來的經過帶來一點安慰。

我沒有想過有一天可以有這樣的機會——沒有任何保留和顧慮，面對人生和物質世界，用現在的表達方法，不踩剎車，在飲食、斷食和運動的實例裡，將這些觀念表達出來。

我想你讀到這裡，大概也體會到為什麼我個人感覺有必要再做一點補充。雖然許多觀念當初在《真原醫》已經談過，多年來還不斷透過座談、演講和各種公開訪談，這裡補充一些，那裡補充一點，但現在時機似乎終於到了，讓我可以做一個徹底的整合。

說時機到了，一方面當然是考慮到讀者的成熟度。有些朋友透過全部生命系列的作品和我接觸已經好幾年，也投入練習，時時有自己的領悟；有些國外的朋友和我接觸的時間更久，他們本身有很好的修行和靜坐的基礎。這些朋友其實都已經準備好了，可以把很多觀念整合到各自的生活中。

另一方面，我還是不能不談地球大規模、超快步調的變化。無論太陽、銀河系、宇宙的運轉，都讓我們遇上了千萬年大週期的轉捩點。這種宇宙級的轉變，我們在物質層面能體會到的就是摩擦力——在人間造出各式各樣的衝突，每一個人都沒有安全感，還有各式各樣的天災、暴雨、乾旱、氣候異常、地震、火山爆發，甚至太陽也進入特殊的週期，更頻繁地透過日冕拋射將高能量的物質噴發出來。

整體來說，宇宙頻率的轉變非常明顯，是所有人這一生沒有遇過的強度。

這種摩擦力自然會逼得我們沒有第二條路，一定要從身、心、靈的層面做一個全面的轉變。你可能聽過許多人談到整體的提升，認為人類從三度的世界提升到四度的時－

空，再進入五度的空間。當然這所謂的四度時－空，其實只能算是三度半，畢竟時間只能往前移動，不能往後，最多只能算半度。

無論技術上怎麼表達，這些關於轉變，人類集體提升的說法，在各地確實一直有人帶出來。但是我要坦白說，這些轉變在地球老早已經發生了，只是我們肉體的密度太重，跟不上，現在才需透過飲食調整、運動和斷食來談這些轉變。

經過全部生命系列所建立的理論基礎，一個人投入練習和領悟，並透過各式各樣療癒的飲食、運動和斷食來轉變身心，我認為可以不斷為身心做個淨化，讓我們能加快腳步配合地球的轉變。

這一次比較特別的是，不是少數人才能夠轉變。透過宇宙帶來整體而全面的變化，其實是大部份的人都會受到影響，我才會不斷提到這次會是整體大規模的提升。所以，或許你可以了解，為什麼我有這麼強烈的急迫感，非要在個人最忙碌的時候，克服各種困難來完成這個大工程。

談到要能配合地球的轉變，首先我們一定要有正確的觀念——對樣樣都沒有偏見，對任何現象和說法不會預設立場去排斥；而是用中立性、中道面對人生的每一個角落和層面，包括飲食、運動、睡眠、呼吸、健康、修行……都不再加上一層好壞的判斷。

這完全是一種臣服的心境。

雖然我也談人類整體的提升，但這種提升，和一般人所想的不同。並不是現在的我們會上升到什麼更高、更輕、更透明的境界，而是剛好相反——是意識完全投入這個身體，而透過這個身體，第一次新鮮地體會到自己。

我們一生又一生來，剛好在這個宇宙轉變的時點又碰面，所為的，也不過是如此。

生命，並不是一個人去體驗靈性，而是完美的靈性來體驗人生。

我們要跟上這整體的轉變，不是要求自己去一個虛無飄渺的哪裡，或成為別的完美的什麼。最多是透過這裡所講的習氣轉變，從最重的層面進行轉化，讓身心可以和意識接軌——準備這個身體，讓它可以接受意識降落到每一個層面，讓身體每一個細胞真正活起來。

好的飲食，包括斷食、悅性飲食及我之前所談的睡眠、運動、呼吸、靜坐，都是在配合一個人的領悟，也因為如此，我在這裡選擇把這些觀念整合，希望對你有所幫助。

當然我在最後還是要提醒：這裡所談的飲食調整、運動和斷食，其實和我在《真原醫》、《豐盛》、《轉捩點》所談的改變習氣一樣，輕輕鬆鬆進行就對了，不需要把它變得一件多嚴重的大事，非要每天很嚴肅、苦著臉去做不可，甚至還要求自己、要求別人去發誓。

我在《轉捩點》和《沒有路的路》共修一再強調——**You do because you can, not because you need to. 你做，是因為你可以做，不是因為你需要做**。只是一個念頭的轉變，把非做不可的心態轉成一切都好的心態，那麼飲食調整、運動、斷食，都是非常輕鬆，是身體本來就會做的事。

生命本來是完整的，所謂的調整其實都是你本來就可以做，很容易配合生活的節奏來進行、來完成的。如果說我們還需要再額外做點什麼，那最多也只是放過它，不再用自己的想法去干涉它。

這一次，就看你有沒有這樣的信心，讓生命帶著走，把自己交給它。

國家圖書館出版品預行編目（CIP）資料

療癒的飲食與斷食：新時代的個人營養學 = Healing diet, healing fast : foundations for a new personalized nutritional science and well-being/ 楊定一著. -- 第一版. -- 臺北市：天下生活出版股份有限公司, 2022.05
面；　公分. --（全部生命系列；26）
ISBN 978-626-95865-3-0（平裝）

1.CST: 營養 2.CST: 健康飲食

411.3　　111006459

全部生命系列 0026

療癒的飲食與斷食：新時代的個人營養學

Healing Diet, Healing Fast: Foundations for a New Personalized Nutritional Science and Well-Being

作　　者／楊定一
協　　力／馬奕安（Jan Martel）、陳夢怡
插　　圖／馬奕安（Jan Martel）
特約資深責編／陳秋華
封面設計／盧岐曣
內頁編排／中原造像　吳巧薏

天下雜誌群創辦人／殷允芃
康健雜誌董事長／吳迎春
康健雜誌總經理／梁曉華
康健出版總編輯／丁希如
出 版 者／天下生活出版股份有限公司
地　　址／台北市 104 南京東路二段 139 號 11 樓
讀者服務／（02）2662-0332　　傳真／（02）2662-6048
劃撥帳號／ 19239621 天下生活出版股份有限公司
法律顧問／台英國際商務法律事務所・羅明通律師
總 經 銷／大和圖書有限公司　　電話／（02）8990-2588
出版日期／ 2022 年 5 月第一版第一次印行
　　　　　2022 年 8 月第一版第五次印行
定　　價／ 500 元

ISBN：978-626-95865-3-0（平裝）
書號：BHHY0026P

天下網路書店 shop.cwbook.com.tw
康健雜誌網站 www.commonhealth.com.tw
康健出版臉書 www.facebook.com/chbooks.tw

康健雜誌 天下雜誌